人力资源和社会保障部职业能力建设司推荐
冶金行业职业教育培训规划教材

热连轧带钢生产

主　编　张景进
副主编　张　梅　赵　冶

北　京
冶　金　工　业　出　版　社
2024

内容提要

本书为冶金行业职业技能培训教材，是参照冶金行业职业技能标准和职业技能鉴定规范，根据冶金企业的生产实际和岗位群的技能要求编写的，并经人力资源和社会保障部职业培训教材工作委员会办公室组织专家评审通过。

全书共分10章，主要内容包括板带钢生产工艺及自动控制、轧制及精整设备、厚度和宽度控制、速度控制、张力控制、板形控制、温度控制、轧制线常见操作、组织管理、标准化与标准等。

本书也可作为职业技术院校相关专业的教材，或工程技术人员的参考用书。

图书在版编目(CIP)数据

热连轧带钢生产/张景进主编．—北京：冶金工业出版社，2005.6（2024.1重印）

冶金行业职业教育培训规划教材

ISBN 978-7-5024-3727-5

Ⅰ.热… Ⅱ.张… Ⅲ.带钢—热轧—连续轧制—技术培训—教材 Ⅳ.TG335.1

中国版本图书馆CIP数据核字(2006)第160017号

热连轧带钢生产

出版发行 冶金工业出版社		**电　话**	(010)64027926
地　址 北京市东城区嵩祝院北巷39号		**邮　编**	100009
网　址 www.mip1953.com		**电子信箱**	service@mip1953.com

责任编辑 俞跃春 杜婷婷 美术编辑 彭子赫

责任校对 王永欣 李文彦 责任印制 窦 唯

北京建宏印刷有限公司印刷

2005年6月第1版，2024年1月第5次印刷

787mm×1092mm 1/16；13.75印张；326千字；201页

定价 35.00元

投稿电话 (010)64027932 投稿信箱 tougao@cnmip.com.cn

营销中心电话 (010)64044283

冶金工业出版社天猫旗舰店 yjgycbs.tmall.com

冶金行业职业教育培训规划教材
编辑委员会

序

吴溪淳

改革开放以来，我国经济和社会发展取得了辉煌成就，冶金工业实现了持续、快速、健康发展，钢产量已连续数年位居世界首位。这其间凝结着冶金行业广大职工的智慧和心血，包含着千千万万产业工人的汗水和辛劳。实践证明，人才是兴国之本、富民之基和发展之源，是科技创新、经济发展和社会进步的探索者、实践者和推动者。冶金行业中的高技能人才是推动技术创新、实现科技成果转化不可缺少的重要力量，其数量能否迅速增长、素质能否不断提高，关系到冶金行业核心竞争力的强弱。同时，冶金行业作为国家基础产业，拥有数百万从业人员，其综合素质关系到我国产业工人队伍整体素质，关系到工人阶级自身先进性在新的历史条件下的巩固和发展，直接关系到我国综合国力能否不断增强。

强化职业技能培训工作，提高企业核心竞争力，是国民经济可持续发展的重要保障，党中央和国务院给予了高度重视，明确提出人才立国的发展战略。结合《职业教育法》的颁布实施，职业教育工作已出现长期稳定发展的新局面。作为行业职业教育的基础，教材建设工作也应认真贯彻落实科学发展观，坚持职业教育面向人人、面向社会的发展方向和以服务为宗旨、以就业为导向的发展方针，适时扩大编者队伍，优化配置教材选题，不断提高编写质量，为冶金行业的现代化建设打下坚实的基础。

为了搞好冶金行业的职业技能培训工作，冶金工业出版社在人力资源和社会保障部职业能力建设司和中国钢铁工业协会组织人事部的指导下，同河北工业职业技术学院、昆明冶金高等专科学校、吉林电子信息职业技术学院、山西工程职业技术学院、山东工业职业学院、安徽工业职业技术学院、武汉钢铁集团公司、山钢集团济钢公司、云南文山铝业有限公司、中国职工教育和职业培训协会冶金分会、中国钢协职业培训中心、中国钢协人力资源与劳动保障工作委员会教育培训研究会等单位密切协作，联合有关冶金企业、高职院校和本科院校，编写了这套冶金行业职业教育培训规划教材，并经人力资源和社会保障部技工教育和职业培训教材工作委员会组织专家评审通过，由人力资源和社会保障部职业能力建设司给予推荐，有关学校、企业的编写人员在时间紧、任务重的情况下，克服困难，辛勤工作，在相关科研院所的工程技术人员的积极参与和大力支持下，出色地完成了前期工作，为冶金行业的职业技能培训工作的顺利进行，打下了坚实的基础。相信这套教材的出版，将为冶金企业生产一线人员理论水平、操作水平和管理水平的进一步提高，企业核心竞争力的不断增强，起到积极的推进作用。

随着近年来冶金行业的高速发展，职业技能培训工作也取得了令人瞩目的成绩，绝大多数企业建立了完善的职工教育培训体系，职工素质不断提高，为我国冶金行业的发展提供了强大的人力资源支持。今后培训工作的重点，应继续注重职业技能培训工作者队伍的建设，丰富教材品种，加强对高技能人才的培养，进一步强化岗前培训，深化企业间、国际间的合作，开辟冶金行业职业培训工作的新局面。

展望未来，任重而道远。希望各冶金企业与相关院校、出版部门进一步开拓思路，加强合作，全面提升从业人员的素质，要在冶金企业的职工队伍中培养一批刻苦学习、岗位成才的带头人，培养一批推动技术创新、实现科技成果转化的带头人，培养一批提高生产效率、提升产品质量的带头人；不断创新，不断发展，力争使我国冶金行业职业技能培训工作跨上一个新台阶，为冶金行业持续、稳定、健康发展，做出新的贡献！

前　言

本书是按照人力资源和社会保障部的规划，受中国钢铁工业协会和冶金工业出版社的委托，在编委会的组织安排下，参照冶金行业职业技能标准和职业技能鉴定规范，根据冶金企业的生产实际和岗位群的技能要求编写的。书稿经人力资源和社会保障部职业培训教材工作委员会办公室组织专家评审通过，由人力资源和社会保障部职业能力建设司推荐作为冶金行业职业技能培训教材。

作为职业技能培训教材，本书力求紧密结合现场实践，注意学以致用，体现以岗位技能为目标的特点，各章节内容选材均来自工程实际，在叙述和表达方式上力求做到深入浅出，直观易懂，能使读者触类旁通。

本书主要用作热连轧带钢厂粗轧、精轧、卷取、精整操作台上操作人员的培训教材，也可作为职业技术院校教学用书，对专业技术人员也有一定的参考价值。有关原料加热及加热炉方面的知识，请参阅《加热炉基础知识与操作》。

本书由河北工业职业技术学院张景进任主编，河北科技大学张梅、河北工业职业技术学院赵冶任副主编，参加编写的还有河北工业职业技术学院的陈涛、关昕、张欣杰、李永刚、高云飞、陈敏。邯郸钢铁集团有限责任公司技术中心的唐恒国、各章国主审。

本书在编写过程中参考了多种相关书籍、资料，在此，对其作者一并表示由衷的感谢。

由于水平所限，书中不妥之处，敬请读者批评指正。

编　者

目　　录

1 板带钢生产工艺及自动控制

1.1 板带钢的分类及用途

钢板是平板状，矩形的，可直接轧制或由宽钢带剪切而成，钢带是指成卷交货的带钢，合称板带钢。

板带钢按产品厚度一般可分为厚板和薄板两类；对于钢带，按产品宽度可分为窄钢带和宽钢带两类。我国 GB/T 15574—1995 规定：厚度不大于 3mm 的称为薄板，厚度大于 3mm 的称为厚板；钢带宽度小于 600mm 的称为窄钢带，宽度不小于 600mm 的称为宽钢带。目前我国热连轧带钢最薄可达 0.8mm，而厚至 25.4mm，最宽可达 2050mm。

热轧宽带钢产品主要以钢卷状态供给冷轧机作原料，同时，也直接向用户和市场销售热轧钢卷和精整加工产品，即平整钢卷、分卷钢卷、纵切窄带钢卷、横切钢板，最近几年又有经过酸洗的热轧钢卷销售。

供给冷轧机作原料用的热轧钢卷，主要的钢种为低碳钢(包括超低碳钢)和普通碳素结构钢。另外，供冷轧机生产用的取向硅钢、无取向硅钢、不锈钢薄板带等原料钢卷，也由热轧宽带钢轧机生产。

1.2 板带钢技术要求

根据板带钢用途的不同，对钢板、钢带提出的技术要求也各不一样，但由于其相似的外形特点和使用条件，其技术要求仍有共同之处，归纳起来就是“尺寸精确、板形好、表面光洁、性能高”这样四个方面：

(1) 尺寸精确。即尺寸精度要求高。板带钢尺寸精度包括厚度精度、宽度精度，对于横切钢板还应包括长度精度。一般规定宽度、长度只有正公差。

对板带钢尺寸精度影响最大的尺寸精度主要是厚度精度，因为它不仅影响到使用性能及后步工序，而且在生产中难度最大。此外厚度偏差对节约金属影响很大；板带钢由于宽厚比 b/h 很大，厚度一般很小，厚度的微小变化势必引起其使用性能和金属消耗的巨大波动。故在板带钢生产中一般都应该保证轧制精度，其厚度力争按负公差轧制。

(2) 板形好。板带四边平直，无浪形瓢曲，才好使用。例如，对厚度 $h \leqslant 1.5$mm 的钢板，其每米长度上的不平度不得大于 15mm；厚度 $h=4 \sim 10$mm 的钢板，其每米长度上的不平度不得大于 10mm。因此对板带钢的板形要求是比较严格的。但是由于板带钢既宽且薄，对不均匀变形的敏感性又特别大，所以要保持良好的板形就很不容易。板带愈薄，其不均匀变形的敏感性越大，保持良好板形的困难也就愈大。显然，板形的不良来源于变形的不均，而变形的不均又往往导致厚度的不均。因此，板形的好坏往往与厚度精确度也有着直接的关系。

(3) 表面质量光洁。板带钢是单位体积的表面积最大的一种钢材，又多用作外围构件，故必须保证表面的质量。无论是厚板或薄板表面皆不得有气泡、结疤、拉裂、刮伤、折叠、裂缝、夹杂和压入氧化铁皮，因为这些缺陷不仅损害板制件的外观，而且往往败坏性能或成为产生破裂和锈蚀的策源地，成为应力集中的薄弱环节。例如，硅钢片表面的氧化铁皮和表面的光洁度就直接影响磁性，深冲钢板表面的氧化铁皮会使冲压件表面粗糙甚至开裂，并使冲压工具迅速磨损，至于对不锈钢板等特殊用途的板带，还可提出特殊的技术要求。

(4) 性能高。板带钢的性能要求主要包括机械性能、工艺性能和某些钢板的特殊物理或化学性能。一般结构钢板只要求具备较好的工艺性能，例如，冷弯和焊接性能等，而对机械性能的要求不很严格。对于重要用途的结构钢板，则要求有较好的综合性能，即除了要有良好的工艺性能、强度和塑性以外，还要求保证一定的化学成分，保证良好的焊接性能、常温或低温的冲击韧性，或一定的冲压性能、一定的晶粒组织及各向组织的均匀性等等。

除了上述各种结构钢板以外，还有各种特殊用途的钢板，如高温合金板、不锈钢板、硅钢片、复合板等，它们或要求特殊的高温性能、低温性能、耐酸耐碱耐腐蚀性能，或要求一定的物理性能(如磁性)等。

1.3　热连轧带钢生产工艺流程

图 1-1 为热带钢连轧机生产工艺流程图，概括了现代的热轧宽带钢轧机生产过程，是典型的工艺流程，不同之处仅在于有无定宽压力机、边部加热器等。

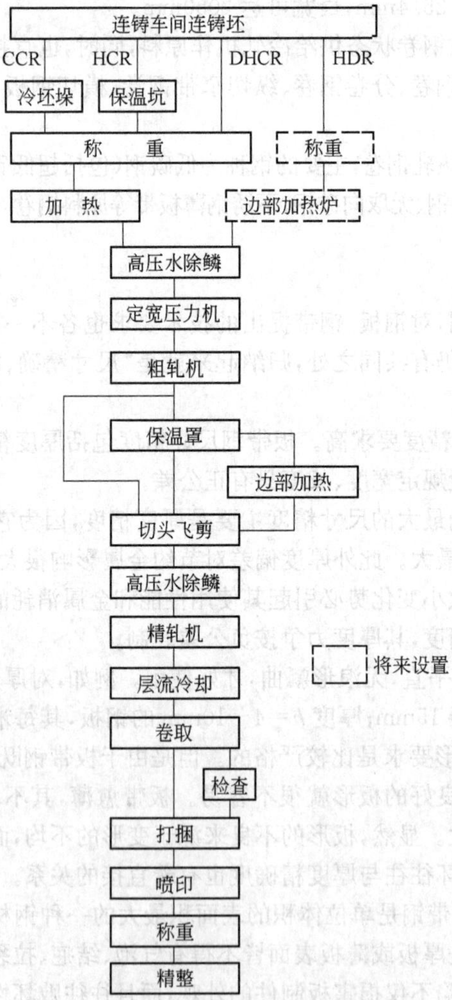

图 1-1　热带钢连轧机生产工艺流程图

CCR—冷装炉；HCR—热装炉；
DHCR—直接热装；HDR—直接轧制

1.4 带钢热连轧机自动化发展概况

1.4.1 综述

带钢连轧机生产效率高，质量易于控制，轧制过程连续，易于实现机械化和自动化，而且这种轧机潜力大，只要稍加改善轧制工艺便可以大幅度地提高产量和改善产品质量，其经济效益非常显著。所以各种先进的科技成果都竞相应用于连轧过程，大大促进了连轧过程自动化的发展，其中尤以热连轧轧机自动化的发展最为迅速和成熟，所以热连轧板带材轧机自动化的发展，可以反映整个轧制过程自动化的发展过程。

带钢热连轧机电气自动控制技术的发展，在 20 世纪大致经历了以下几个阶段：

50 年代以前，即早期的带钢热连轧机，基本上没有自动控制，主要靠人工操作、断续控制（对电动机的启动、停止、加减速和正反转的控制）。

50 年代中、后期，为手动操作加上单机自动控制系统（如主传动速度调节系统、压下机构辊缝调节系统、活套量控制系统、闭环模拟厚度控制系统等）。

60 年代，进入到单机自动控制与计算机并存（1960 年美国麦克劳思厂在带钢热连轧机的精轧机组上，首先采用计算机设定精轧机组的辊缝和速度；1961 年美国钢铁公司大湖分公司投产的 2032mm 热带钢轧机，在精轧机上首先采用升速轧制技术；60 年代末，英国实现了从加热炉到卷取机的整个带钢热连轧计算机控制）。

70 年代，实现了全部计算机控制[主要采用直接数字控制和过程控制计算机对带钢的厚度和终轧温度、卷取温度进行控制，厚度自动控制采用电动压下（电动 AGC），宽度只有预设定，没有板形控制]。

80 年代，主要发展了板形控制和粗轧宽度自动控制，以及广泛采用液压厚度自动控制（液压 AGC），使带钢的厚度、宽度、温度、板形等质量指标进一步提高；开发了直接热装和直接轧制技术，大大节省了能源。控制的范围也从热轧生产线向两侧扩展，包括了对板坯库、钢卷库、成品库的控制和管理。

90 年代，对热轧产品质量和节能要求进一步提高，热轧控制技术又有新的进展，如交叉辊（PC）轧机和在线磨辊（ORG）、连续可变凸度（CVC）控制板形技术、神经元网络技术等。

常规热带轧机设计产品厚度最薄到 0.8～1.0mm，为此而设置了距精轧机 50～60m 的近距离卷取机，但是，在传统的热轧宽带钢轧机上轧制如此超薄的带钢没有取得稳定的发展。1995～1996 年，日本川崎钢铁公司千叶厂开发成功无头连续轧制宽带钢技术。该技术解决了在常规热连轧机上生产厚度 0.8～1.2mm 超薄带钢的一系列技术难题。

无头连续轧制带钢技术，是在精轧机组前将两卷中间带坯头尾端切齐并由电感应加热器将头尾接合起来，进行连续轧制的技术。在卷取机前由高速飞剪将带钢再切分开来，经地下卷取机卷成钢卷。无头轧制采用动态变规格技术，一组带钢厚度是分步减薄的，穿带和最后一卷带钢为厚度稍厚的带钢，如厚度为 1.26～1.66mm。实现无头轧制的主要设备与技术为：3 个卷位的卷取箱、中间带坯切头尾飞剪和电感应接合装置、精轧机组高速高精度厚度变更技术、卷取机前高速切分飞剪及高速穿带装置。

新建的带钢热连轧机都配备了计算机控制系统，而且在对旧有轧机的改造工程中，最重要的一项内容就是采用计算机控制。

1959～1978 年的 20 年间，我国热轧宽带钢轧机及生产技术处于低水平阶段。已有的一套半连续式宽带钢轧机基本上是手动操作、人工设定的操作方式，轧机的主要生产工艺技术指标相当于第一代(20 世纪 40、50 年代水平)热带轧机技术装备水平。

1978 年 12 月投产的武汉钢铁公司 1700mm 热连轧机计算机系统,是我国引进的第一套带钢热连轧计算机控制系统,主要工艺技术指标超过了第二代(20 世纪 60 年代水平)热带轧机。

1989 年宝钢 2050mm 热连轧机的建成投产,使我国热轧宽带钢轧机的生产技术和技术装备又上了一个新的高度,达到了当代国际上最先进的现代化热轧宽带钢轧机水平。该轧机的主要生产工艺技术指标属于第三代(1968 年作为第三代开始)热带轧机水平,板坯热装技术、粗轧机宽度自动控制、精轧机液压 AGC、板形控制技术(CVC 系统)、全液压卷取机、完善的 4 级计算机自动化控制系统都处于世界一流水平。

20 世纪 90 年代我国建成投产 7 套热轧宽带钢轧机,是我国热轧宽带钢轧机的高速发展时期。其中有 4 套全新的热带轧机,即宝钢 1580mm 热轧机、鞍钢 1780mm 热轧机、珠钢 1500mm 及邯钢 1900mm 薄板坯连铸连轧机。1580mm 热轧机、1780mm 热轧机采用和连铸机直接连接布置和生产一贯管理的连续生产线,紧凑型双机架可逆式粗轧机组、板坯定宽压力机、精轧机组板形控制双交叉辊(PC)轧机、精轧机全液压 AGC 系统、全液压卷取机、完善的 4 级计算机自动化控制和生产管理控制系统,这些都体现了 20 世纪 90 年代热带轧机最先进的技术装备水平和一流的产品质量控制水平。

珠钢于 1999 年 8 月建成中国第一套薄板坯连铸连轧生产线,邯钢于 1999 年 12 月建成第二套,包钢在 2001 年底建成第三套薄板坯连铸连轧生产线。鞍钢、唐钢、马钢、涟钢薄板坯连铸连轧生产线亦相继投产,由于其流程短、规模适当、投资费用较低,所生产的热轧普通用途的带钢具有较好的市场竞争力。

薄板坯连铸连轧带钢生产工艺技术,是 20 世纪 80 年代钢铁工业生产具有突破性的重大技术进步。薄板坯连铸连轧技术有德国西马克(SMS)的 CSP、德马克(DEMAG)的 ISP、日本住友的 QSP、意大利达涅利(DANIELI)的 FTSC 和奥钢联(VAI)的 CONROLL 等共 5 种类型。珠钢、邯钢、包钢、马钢、涟钢采用的是 SMS 公司研制开发的 CSP 技术及装备,鞍钢采用的是 VAI 的 CONROLL铸机,唐钢采用的是 DANIELI 的 FTSC 铸机。

CSP 生产线的连轧机组装有全液压 AGC、CVC 及弯辊板形控制技术,是生产高尺寸精度带钢的最先进的技术装备。

唐钢的薄板坯连铸连轧生产线是一套超薄带钢连铸连轧生产线,最小厚度亦可以达到 0.8mm。薄板坯在很高的温度下进入轧制线,经过很长的辊底式均热炉,采用半无头轧制工艺轧制厚 0.8～4.0mm、宽 850～1680mm 的薄带钢卷,单位宽度卷重为 18kg/mm。该生产线与 CSP 技术所不同的是板坯厚度为 90/70mm,采用 2 架不可逆式粗轧机和 5 架精轧机,末架最高出口速度为 23.2m/s。这是当今生产热轧宽而薄的带钢最前沿的现代化技术,国外第一套同类型设备是 2000 年初投入热试生产的。

1993 年 11 月,武汉钢铁公司、重庆钢铁设计研究院、北京科技大学合作完成了武钢 1700mm 热连轧计算机系统的更新改造工程。随后,在 1995 年 5 月,武汉钢铁公司、北京科技大学等单位又共同完成了太原钢铁公司 1549mm 热连轧计算机系统的建立和开发。

2001 年,鞍山钢铁公司和北京科技大学(高效轧制国家工程研究中心)共同在鞍钢 1700mm 半连轧翻新改造项目中,完成了自行设计的三级计算机控制系统,其厚度、板形各项控制功能均达到了较先进的水平。

武钢和太钢带钢热连轧计算机控制全部应用软件立足国内,以及鞍钢带钢热连轧计算机控制"系统及应用软件"全部立足国内的成功,标志着我国已经有能力依靠自己的力量设计和开发像热连轧这样控制过程极为复杂、要求快速响应的计算机控制系统及其支持软件和应用软件。

1.4.2 带钢热轧计算机控制功能

带钢热轧生产是目前应用计算机控制最为成熟的一个领域，其控制范围包含了整个生产过程，从加热炉入口，甚至从连铸出口开始到成品库，包括了轧制计划，板坯库管理，数学模型，设备控制和质量控制以及传动(电气及液压传动)数字控制等各个层次，是轧钢自动化领域中最为庞大，最为复杂的控制系统。

1.4.2.1 基础自动化控制功能

基础自动化面向机组，面向设备及设备的机构。随着电气传动的数字化以及液压传动的广泛应用，数字传动已逐步与基础自动化成为一个整体。

基础自动化控制功能按性质可分为轧件跟踪及运送控制；顺序控制和逻辑控制；设备控制及质量控制。

A 轧件跟踪及运送控制

轧件(钢坯、带坯、带钢)的运送是生产工艺所要求的基本功能之一，其基本任务是控制各区段辊道速度及其转停，使轧件以最快速度从加热炉入口运送到加热炉、粗轧、精轧、卷取，并在各区进行加工处理后由运输链运出，但在保证最快速度运送的同时还要保证自动轧钢时前后轧件不相碰撞，维持一定的节奏。

为了能根据工艺要求对生产线上多根轧件(从加热炉出口到运输链最多可有7～8根轧件)进行运送及顺序控制，基础自动化各控制器需要知道每一个轧件在轧线上的位置及其位置的变化，因此轧件跟踪实质上是协调各程序并获取“事件”的重要程序。轧件跟踪将在基础自动化、过程自动化及生产控制级中分别进行，但各级的要求不同，并都以基础自动化的位置跟踪结果为依据。基础自动化的跟踪实质上是对生产线各轧件的位置及其变化进行跟踪，并为顺序控制提供“事件发生”信号(热金属检测器由OFF变为ON或由ON变为OFF都称作为一个事件)。基础自动化的位置跟踪结果将上送过程自动化。

过程自动化的跟踪实质上是对各轧件的数据进行跟踪以使数据和轧件能对上号，能正确地设定计算和自学习，同时亦利用一些“事件”来启动某些程序的投入。

生产控制级的跟踪将用于质量控制及报表打印。

B 顺序控制和逻辑控制

逻辑控制是生产过程自动化的基本内容之一。实际上基础自动化所有控制功能都含有一定的逻辑功能，包括功能的联锁，功能执行或停止的逻辑条件等，因此每一个功能都将存在逻辑部分和控制部分两个部分，除此之外，根据工艺需要将设置一些只包括逻辑部分的顺序控制功能，主要是炉区及粗轧区辊道的运转(自动加速、稳速、减速以及反转)的顺序控制。

C 设备控制

设备控制包括设备的位置控制和速度控制，包括轧机辊缝定位、侧导板定位、窜辊位置控制、推钢机行程控制、主传动速度控制等，还包括弯辊装置的恒压力控制。全生产线有上百个设备控制回路，因此可以说设备控制是最基本的控制功能。

设备控制接受过程自动化级数学模型计算所得的各项设定值(辊缝、速度、弯辊力等)，对各执行机构进行位置和速度整定，在半自动状态下则接受操作人员通过人-机界面输入的设定值并进行位置和速度整定。

随着电气及液压传动的数字化，设备控制将逐步由数字传动控制承担。

D　质量控制

对带钢热连轧来说质量控制包括：厚度控制，终轧温度控制，卷取温度控制（包括冷却速度控制），宽度控制，板形控制，表面质量控制。

过程自动化设定模型的主要任务是对各执行机构的位置、速度进行设定以保证带钢头部的厚度、温度、板形质量，而质量控制功能则用于保证带钢全长的厚度、温度、板形等精度。

1.4.2.2　过程自动化控制功能

过程自动化面向整个生产线，其中心任务是对生产线上各机组和各个设备进行设定计算，为此其核心功能为对粗轧、精轧机组负荷进行分配（包括最优化计算）及数学模型的预（报）估，为了实现此核心功能，过程控制计算机必须设有板坯（数据）跟踪、初始数据输入、在线数据采集以及模型自学习等为设定模型服务及配套的功能。热连轧过程自动化控制的主要功能是精轧机组的厚度设定数学模型和板形设定数学模型，设定值计算后下送基础自动化，由设备控制功能执行。

1.4.2.3　生产控制级功能

生产控制级主要完成生产计划的调整和发行，生产实绩的收集、处理和上传给生产管理级，对板坯库、钢卷库、成品库进行管理，以及进行产品质量控制等任务。

1.4.2.4　生产管理级

生产管理级主要完成合同管理、生产计划编制、各生产线的相互协调、按合同申请材料，将作业计划下发给生产控制级，并收集生产控制级的生产实绩，跟踪生产情况和质量情况，组织成品出厂发货，以及财务管理等任务。

为了更好说明过程自动化与基础自动化各功能间的关系，以及各相关功能间的关系，图1-2给出了带钢热连轧计算机控制主要功能总框图。

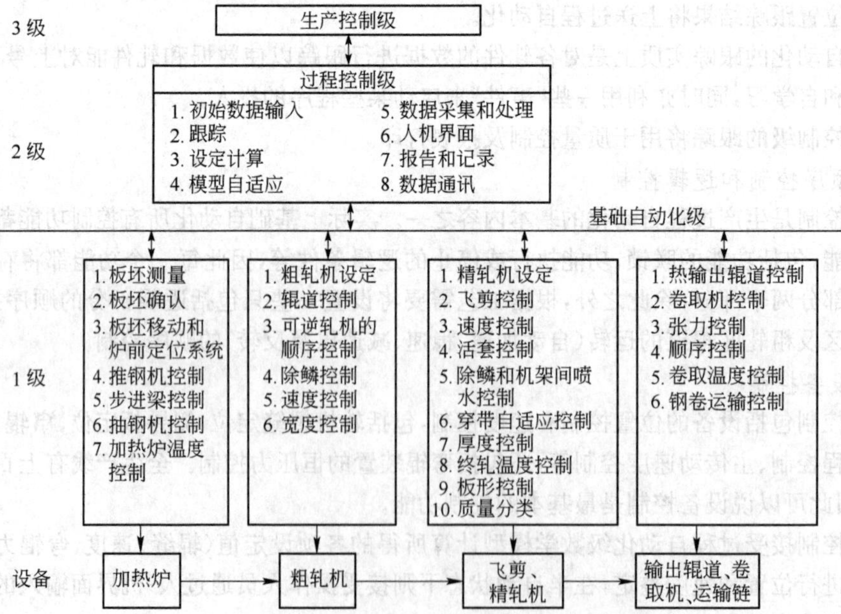

图 1-2　带钢热连轧计算机系统的功能

1.4.3 我国热轧带钢计算机控制系统

我国的钢铁企业，除宝钢等一批新建的厂子外，装备都比较落后，计算机控制和管理水平较低。为适应市场发展的需要，各钢铁公司在近十几年来都特别注重自动化方面的改造和新建工作，以期用最少的投入，获得最大的经济效益。从目前国内的热轧宽带钢厂来看，基本上都建立了基础自动化系统和过程控制计算机系统。宝钢 1580、2050，珠钢 1500，鞍钢 1780 等少数热轧带钢厂还设有生产控制计算机系统，但仅宝钢才有生产管理计算机系统，实现了从接受用户订货开始，到产品出厂为止的全过程计算机管理和控制。现在国内许多钢铁公司都在按自已的生产设备情况和管理特点，逐步建立自己的计算机系统。

1.5 计算机对轧制过程控制的基本内容

1.5.1 3/4 连续式热连轧机设备布置

某 1700mm 3/4 连续式带钢热连轧机轧制线设备布置如图 1-3 所示，主要设备有步进式加热

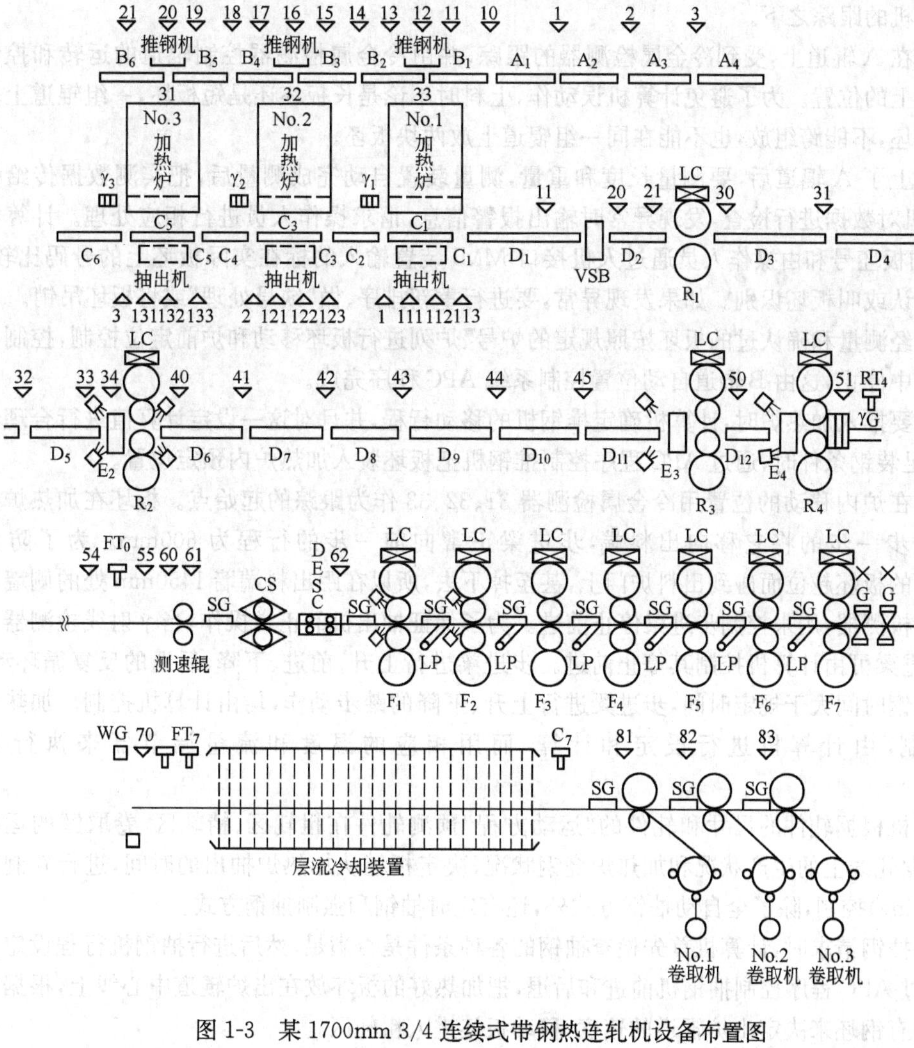

图 1-3 某 1700mm 3/4 连续式带钢热连轧机设备布置图

炉、粗轧机组、精轧机组、层流冷却装置和卷取机组、精整作业线等。将厚度为150～250mm的板坯，经粗轧和精轧机组轧成厚度为1.2～12.7mm的带钢卷，其中一部分可以作为成品出厂，另一部分可以供冷轧厂和硅钢厂作为再次加工的坯料。

在计算机控制下的生产流程与人工操作时基本相同，但操作人员的操作方式和操作内容发生了变化，更多的是通过人机界面(显示器和键盘等)来了解实际的轧制情况和进行某些辅助的操作和必要的干预。因此，操作人员应该深入了解各个设备的计算机控制系统是如何工作的以及计算机之间是如何通信的。

带钢热连轧生产线进行自动化轧钢时，板坯和轧制计划的原始数据由生产控制级计算机下传给过程控制级计算机，板坯原始数据包括钢种、化学成分、板坯厚度、板坯宽度、板坯长度、板坯重量、板坯在库中的位置及钢卷厚度、宽度等，如果没有生产控制级计算机，通过初始数据输入(PDA)终端直接输入到过程控制级计算机中。

1.5.2 加热区的自动化过程

根据轧制计划表中所规定的顺序，某块板坯由起重机吊到上料A辊道上后，就处于过程控制级计算机的跟踪之下。

板坯在A辊道上，受到冷金属检测器的跟踪，并由冷金属检测器控制辊道的运转和控制板坯在辊道上的位置。为了避免计算机误动作，上料时不论是长板坯还是短板坯，一组辊道上只能放一块板坯，不能跨组放，也不能在同一组辊道上放两块板坯。

板坯上了A辊道后，要测量长度和重量，测量装置自动完成测量后，把实测数据传给计算机，计算机对数据进行检查，发现异常时输出报警信息，请求操作人员进行相应处理。计算机把PDA中的板坯号和由操作人员通过人机接口MMI装置输入的标在实际板坯上的号码比较，进行板坯确认或叫板坯识别。如果发现异常，要进行重新排序、做“缺号处理”或将板坯吊销。

对已经测量和确认过的板坯按照规定的炉号、炉列进行板坯移动和炉前定位控制，控制板坯在炉前对中停止，这由B辊道自动位置控制系统APC程序完成。

板坯要推入加热炉时，计算机确定推钢机的移动行程，并且对这一设定计算值进行合理性检查，在满足装钢条件时，通过APC程序控制推钢机把板坯装入加热炉内预定位置。

板坯在炉内移动的位置用冷金属检测器31、32、33作为跟踪的起始点。板坯在加热炉中由步进梁一步一步的将它移向出料端，步进梁正常向前一步的行程为600mm。为了防止炉内最前面的板坯越位而碰到出料炉门上，甚至掉下去，所以在距出料端墙1450mm处的侧墙上设有γ射线检测器，用来控制步进梁停止前进。为了保证抽出机的正常操作，当γ射线检测器出故障时，步进梁可由计算机控制其停止前进。步进梁进行上升、前进、下降、后退的反复循环动作，以及当出钢时间大于规定时间，步进梁进行上升、下降的踏步动作，均由计算机控制。加热炉的燃烧控制，由计算机进行设定和计算，而用相应的温度和流量调节器来执行其控制功能。

计算机根据轧件的尺寸和轧件的“运动方程”预测轧件在粗轧区、精轧区、卷取区的运行时间，并根据轧线上的生产状况和加热炉烧钢状况，决定板坯从加热炉抽出的时间，进行轧制节奏(Mill Pacing)控制，除了全自动抽钢方式外，还有定时抽钢和强制抽钢方式。

当有抽钢请求时，计算机首先检查抽钢的各种条件是否满足，然后进行抽钢机行程设定值计算，并通过APC程序控制抽钢机前进和后退，把加热好的板坯放在出炉辊道中心线上，根据前进方向是否有钢坯来决定出炉辊道的速度，移动板坯进入粗轧区。

1.5.3 粗轧区的自动化过程

从加热炉的出炉辊道到卷取机的整个轧制线上，为适应工艺过程自动化的要求，在相应的设备处均设置有热金属检测器，用来跟踪轧件，以便计算机根据热金属检测器检测出板坯、带坯或带钢的位置，对轧制线上的相应设备进行设定和控制。

当下一块板坯将被抽出时，过程控制计算机通过数学模型进行粗轧机组各设定值计算，如水平轧机各机架各道次的压下位置即轧前辊缝、立辊轧机各机架各道次的开口度、侧导板位置、水平轧机各架的咬入速度、轧制速度、抛钢速度、立辊轧机速度、前后辊道速度、除鳞方式、测量仪表基准值、压下补偿值等，对粗轧机组设定计算有两次，时间分别是从加热炉抽钢时和板坯到达粗轧机入口时，第二次比第一次精确。

基础自动化级各计算机接受这些设定值后，通过各自的自动位置控制系统 APC 程序和各自的速度控制系统，在规定的时间内把水平轧机上工作辊位置、轧辊速度、立辊轧机开口度、侧导板位置等正常轧制工艺要求的各个设定项目实际值调整到与设定值允许的偏差范围内。

出炉后的板坯通过热金属检测器来控制辊道的运转，将板坯送入到大立辊(VSB)中，大立辊给予板坯一定的侧压下量，一方面是减缩板坯的宽度；另一方面是用于破碎附在板坯表面上的炉生氧化铁皮，在大立辊之后设有高压水喷嘴，用来破除板坯表面上的氧化铁皮。为了进一步提高板坯表面质量，在板坯进入二辊不可逆式轧机 R_1 之前，再用高压水喷除氧化铁皮。轧件在 R_1 轧机上仅轧制一道次，然后立即自动地将轧件送往四辊可逆式轧机 R_2 中继续进行轧制，根据钢种和压下规程的不同，在 R_2 轧机上轧制 3～5 或 7 道次，有的也可轧制 9 道次。由于 R_2 可逆式轧制道次有可以选择的余地，为了适应轧制多品种规格轧件，在操作台上设计有半自动设定。所谓半自动设定就是由操作人员利用人机接口来设定 R_2 轧机各道次的工艺参数，并将所设定的信号输出给基础自动化控制器，由它来执行控制。R_2 轧机进行往复轧制时，在奇数道次的情况下，入口侧导板将轧件对中，小立辊 E_2 对轧件给予侧压下，轧件进入 R_2 之前要用高压水进一步除鳞，而在偶数道次情况下，R_2 后面的侧导板将轧件移正，此时 R_2 前面的侧导板(即入口侧导板)打开，小立辊 E_2 不给予侧压下。R_2 轧机正反转和高压水喷嘴的给定，由入口侧和出口侧的热金属检测器 34 和 40 发出信号进行控制。由于 R_2 轧机前后工作环境条件差，有水雾干扰，为了保证此热金属检测器 34 和 40 能可靠地工作，而采用了 γ 射线检测器。

轧件继续进入 R_3 和 R_4 四辊不可逆式轧机中进行双机连轧。R_4 轧机采用交流同步机传动，而 R_3 轧机是采用直流电动机传动，其速度是可变的。R_3 轧机的速度设定是根据 R_4 轧机的速度和金属秒流量相等的关系进行计算，考虑到轧制过程中被轧金属性能和工艺参数的变化，为了保证双机连轧过程能稳定地进行，R_3 与 R_4 轧机之间的带钢采用无张力控制。在 R_3 和 R_4 轧机的入口侧均设有高压水除鳞喷嘴，根据成品规格的不同来确定是否喷水，一般来说，厚度大于 2.5mm 的成品带钢，当轧件在 R_3 和 R_4 中轧制时，均采用高压水进一步除鳞。在 R_4 轧机出口侧的中间辊道上，设置有 γ 射线测厚仪、光电测宽仪和光学高温计 RT_4。实测出来的厚度、宽度和温度值输送给计算机，用来作为设定精轧机穿带时的温降计算、设定各机架的出口厚度，以及粗轧机组进行宽度控制用。

概括起来，粗轧区的自动化对象和内容如下：

(1) 粗轧机组各设备的基本设定项目。R_1、R_3 和 R_4 轧机的压下位置；R_2 轧机的轧制道次及其各道次的压下位置；大立辊(VSB)和小立辊 E_3 和 E_4 的开口度，以及 E_2 小立辊机架奇数道次的开口度；VSB、R_1、R_4 的入口侧导板的位置，以及 R_2 轧机前后侧导板的位置；R_2 轧机咬钢和抛钢的速度，R_1、R_3 和 R_4 轧机的轧制速度，R_2 轧机的轧制时间和反转时间的设定；R_2 轧机前后

侧以及 R_3 和 R_4 轧机入口侧高压水除鳞喷嘴的设定；粗轧机组出口侧测厚仪、测宽仪和测温仪的整定以及其他等。

(2) 带坯宽度的控制。根据在精轧机组出口侧实测所得到的成品带钢的宽度，将它反馈到粗轧机组 E_3 和 E_4 进行再设定，来对带坯进行宽度控制，当所要求的精轧成品带钢的宽度与实测宽度差小于 2.0mm 时，便认为达到了技术标准的要求，此时便可以停止对所要求的粗轧带坯宽度的修正。

(3) R_3 与 R_4 机架之间的无张力控制。为了保证双机连轧过程能稳定地进行，在 R_3 与 R_4 机架上采用了无张力控制，所谓无张力并不是轧件上没有张力作用，而只是指其张力水平限制在很小和恒定的范围内。无张力控制是由硬件回路来实现的，当轧件被 R_4 轧机咬入之后，便迅速地在 R_3 与 R_4 机架之间建立无张力控制过程，此时计算机只输出轧件的断面积数据。

(4) 轧件在 R_2 与 R_3 轧机之间的辊道(D_6～D_{11} 组辊道)上进行游荡等待的控制。为了防止本块带坯在精轧机第一架 F_1 之前与前一块带坯(已进入精轧机组的带坯)发生相碰，则在轧件被 R_3 轧机咬入之前，要进行防止碰撞检验计算，当允许轧件进入 R_3 轧机时才能被 R_3 轧机咬入，否则轧件就应在 R_3 轧机前面的辊道上进行游荡等待的控制。

1.5.4 精轧区的自动化过程

从粗轧机组出口到精轧机组入口的辊道叫延迟辊道(Delay Table)，按辊道的编号也称为 E 辊道。在 E 辊道前进方向的左侧设有废品推出机，右侧设有固定式台架，用来处理轧废的带坯。

辊道速度由计算机控制，既要缩短中间带坯的运行时间，又要避免前后两块相撞。当带坯从最后一架粗轧机 R_4 出来时，E 辊道的速度与 R_4 机架同步。当带坯尾部离开 R_4 机架时，计算机进行碰撞条件检查，如果不会发生碰撞，则控制 E 辊道高速运转，否则控制 E 辊道低速运转直到不会相撞时才转为高速运转。当本块带坯到达切头飞剪前的热金属检测器 HMD_{54} 时，如果先行带坯仍旧处于第一架精轧机 F_1ON 的情况，即先行带坯还在 F_1 中轧制，计算机要判断是否会与先行带坯相撞，如果 F_1OFF，即其中已无轧件，则要对轧机辊缝、速度是否达到设定值进行检查，如果有相撞可能，或检查通不过，则发出摆动命令，使 E 辊道反转延迟 10s 后再正向前进，这样来回摆动(每次接通 HMD_{54} 时重复检查一次)，直到合格，计算机发出解除摆动指令为止。当带坯前进到热金属检测器 55 时，测速辊下降，测量出此时带坯的实际运行速度，以便带坯前进到热金属检测器 60 时，将带坯的速度完全下降到与飞剪切头的速度相一致。在带坯头部到达热金属检测器 61 时，启动飞剪自动地将带坯的不规则或低温的头部切掉。然后应将带坯的速度进一步降低到能与精轧机组第一机架 F_1 的咬入速度相适应，即考虑压下补偿。切尾时带坯的速度由精轧前除鳞箱中的第二对夹送辊的上辊来检测，然后根据此速度来确定飞剪切尾时的速度，切尾时仍用热金属检测器 61 来启动飞剪。为了避免切下的头部和尾部搭在带坯上，切头时飞剪的速度要稍高于带坯的速度，切尾时飞剪的速度应比带坯的速度稍低一些。

计算机对飞剪的控制包括剪切方式、剪切长度选择及启动飞剪剪切。剪切方式有 3 种：切头、切尾和二分割(Half)。一般带坯要切头使头部整齐，便于精轧机和卷取机咬入。是否切尾，根据成品厚度和宽度来定，当厚度为 2.4mm 以上和宽度为 1000mm 以下时，带坯的尾部不进行剪切。剪切方式可由计算机设定也可由操作人员决定。而事故剪切由操作人员控制。过去一般由操作人员设定切头切尾长度，定长度剪切。为了提高成材率，开发了根据带坯不同头部形状，进行最佳长度剪切的系统。

切完头的带坯经除鳞箱用高压水破除在中间辊道上形成的二次氧化铁皮，为了进一步清除轧件表面上的二次氧化铁皮，在 F_1 和 F_2 机架之前，还设有高压水喷嘴，它们不仅起着去除二次氧化铁皮的作用，而且还起着调节成品带钢温度的作用，所以除鳞箱、F_1 和 F_2 之前的高压水喷嘴的选择，应根据成品带钢的厚度，由计算机进行选择。在 F_2 与 F_3、F_3 与 F_4、F_4 与 F_5、F_5 与 F_6、F_6 与 F_7 机架之间皆设有冷却带钢的喷嘴，目的在于调节成品带钢的终轧温度，它们的选择也是根据成品带钢的厚度和终轧温度，由计算机进行控制，除了通过改变喷水方式来改变水量外，还可以通过动态调节阀门开度来控制水量的大小。

为了保证轧件在精轧机组中的连轧过程能稳定可靠地进行，当带坯的前端到达 R_4 后面的温度计 RT_4 之后的 2s，应根据成品带钢的规格（如钢种、材质和尺寸等）、粗轧结果的信息（如带坯厚度、宽度和温度等），来决定精轧机组各机架的负荷分配、压下规程和速度规程，并根据轧制负荷来确定压下位置，对精轧机组各个机架进行第一次设定。

在第一次设定计算之后，由于带坯随着运行时间的推移会产生一定的温度降，当带坯通过飞剪处的温度计 FT_0 时，计算机应根据此时实测的温度，再次使用温度模型进行设定计算，即所谓第二次设定。它对于在精轧以后的工序中发生故障，而需要在中间辊道上待轧的带坯，以及带坯被分切成半段时，对后半段带坯的设定特别有效。当带坯被 F_1 和 F_2 机架咬入之后，要根据实测的轧制压力和压下位置，与其设定值进行比较，然后对 F_3 至 F_7 机架进行第三次设定。

带坯被精轧机咬入之后，其相应机架的厚度自动控制装置（即 AGC）便逐次地投入工作。

当带钢被精轧机组中的两个机架咬入之后，由其中后一机架的负荷继电器来启动其间的活套支持器，按金属秒流量相等的原则，采用调节前一机架的速度，来保持两机架的速度平衡关系。活套支持器除了要支持机架间带钢的重量之外，同时还起着调节和保持机架间带钢上有恒定的小张力。

为了使成品带钢在精轧机组出口处的温度，沿带钢长度方向能均匀一致，在连轧过程中采用了加速轧制法，即穿带时精轧机组最末机架的速度为 600m/min，在穿带过程进行完了之后，根据成品带钢厚度规格的不同，采用不同的加速度来进行轧制。当轧制薄规格的带钢时，为了保证带钢穿带时在输出辊道上运行的稳定性，一般采用二段加速，即分为第一加速度和第二加速度。由于在精轧机组出口侧布置有测厚仪和测宽仪等设备，因此该处辊道的辊子间距大，带钢在此区域内运行的稳定性很差，所以规定带钢在离最末机架出口 50m 以后才开始第一加速。在轧制过程中根据精轧机组出口处带钢的温度来调节其所需的加速度范围。精轧机组所采用的最高轧制速度，是按照事先存贮在计算机中的表格来进行设定，但也可以由操作人员根据轧制的实际情况通过人机接口来进行设定。当一根带钢在精轧机组中的轧制过程快要完成时，为了避免抛钢时带钢尾部跳动或打折，在带钢尾部离开 F_7 机架之后，便应根据事先确定好的减速开始机架进行减速，其减速开始机架可以规定为 F_1、F_2 或 F_3，也就是说当带钢尾部离开该机架之后，就应使带钢从 F_7 机架的抛出速度降低（控制在 900m/min 左右）。当带钢尾部离开每个机架之后，则该机架就应以最大减速度把其速度降为下一次穿带时的速度，为下一根带钢的轧制做好准备。

在轧制过程中，精轧机组各机架的速度调节系统，均是以 F_7 机架作为基准机架，由计算机进行控制。在精轧机组的操作室中，也设有半自动设定控制，必要时可由操作人员对精轧机组的速度进行设定，并将其信号输送给计算机，由计算机来控制。

为了保证沿带钢长度方向上厚度均匀一致，在厚度自动控制系统中，采用了各种方法控制精轧机组出口处的带钢厚度。其基本的厚度控制方法是厚度计 AGC（即 GM-AGC），在每个机架上均设有厚度计 AGC，此外，对 F_2 至 F_6 机架还设有前馈 AGC，第七机架后设有监控 AGC。

为了控制带钢的横向厚度差和板形，在精轧机组的 7 个机架上均设有工作辊的正、负弯辊装置，正弯辊使用的液压缸设在牌坊窗口的凸台上，在支撑辊轴承座内设有用于负弯辊的液压缸。至于选用哪一机架的弯辊装置，是选用正弯辊，还是负弯辊，都是由操作人员根据板形的情况不同来合理选用。正负弯辊都是在轧制状态时才能形成。在不使用弯辊装置时，正弯辊的液压缸便作为工作辊的平衡缸用，此时液压缸处于低压状态下进行工作。

精轧区域自动化的对象和内容如下：

(1) 精轧区域各设备的设定。飞剪机入口侧导板开口度和飞剪剪切方式的设定；高压水除鳞箱和机架间喷水制度的设定；精轧机组各机架入口导板开口度的设定；穿带时各机架压下位置的设定；精轧机组最末机架穿带速度、加速度以及稳定轧制阶段轧制速度的设定；各机架轧制压力的计算和压下位置的设定；活套支持器的平衡力、高度和张力的设定；测厚仪、测宽仪、凸度仪和平直度仪的设定，工作辊弯辊力、工作辊轴向移动量的设定等。

(2) 精轧时的厚度自动控制。厚度自动控制方式的选择；各种厚度自动控制系统中的工艺参数(轧制压力、辊缝值、轧机刚性系数、油膜厚度、速度、张力等)的计算和设定。

(3) 精轧时的温度自动控制。精轧机组出口处温度的自动控制；穿带时的自适应控制，带坯的头部到达 R_4 机架后面的温度计之后约 2s 时的第一次设定计算；带坯头部到达热金属检测器 HMD_{54} 的第二次设定计算；当带钢头部被 F_1 和 F_2 机架咬入时，根据 F_1 和 F_2 机架上的实测轧制压力和压下位置，对 F_3 至 F_7 机架的原有设定值进行修正，即为穿带自适应或称为第三次设定计算。

1.5.5　层流冷却和卷取区的自动化过程

带钢进入 F_1 后，计算机进行卷取机设定计算，算出卷取区控制所需要的基准值。

带钢头部离开精轧机组末架开始到头部卷入卷取机为止，计算机控制热运行辊道(Hot Run Table)的速度比精轧机组末架速度高(即超前)，使辊道给带钢一个向前的拉力，防止头部起皱。带头咬入卷取机后，辊道与精轧机组速度同步。带尾离开精轧机减速机架时，计算机控制辊道的速度，使之比精轧机的抛钢速度慢，使辊道给带钢一个向后的拉力，以防止带钢尾部起皱。

带钢在精轧机组出口侧辊道上运行时，计算机通过预先设定及动态调节层流冷却装置的冷却水段的数目和喷水方式来控制带钢的卷取温度。

卷取完了的钢卷被卸卷小车放置在运输链上，向下工序运输，计算机判断操作人员对该钢卷是否发出“钢卷检查请求”，如有，则把钢卷送到检查线上，检查结果通过人机接口设备输入计算机，以便打印报表。

钢卷称重完了后，称重机把钢卷实测重量传给计算机，计算机对称重结果进行检查，判断重量是否合理，并产生报警信息。如果称重正常，计算机就设定“称重完成标志”并向打印机输出打印命令和钢卷号，打印报表。

至此，过程计算机对轧件的控制结束，钢卷在钢卷库、成品库的控制与管理交由生产控制计算机完成。

层流冷却和卷取区域的自动化对象和内容如下：

(1) 各设备的设定，输出辊道的超前率、滞后率、减速率和减速开始点的设定；卷取机的侧导板、夹送辊和助卷辊开口度；夹送辊、助卷辊和卷筒的超前率；卷筒的张力转矩、弯曲转矩和加速转矩；卸卷小车提升量等的设定。

(2) 卷取温度的自动控制。

(3) 侧喷水和输出辊道上冷却水的控制。

1.6　控制系统的类型

控制系统分类的方法很多，按照变量的控制和信息传递方式不同，可以分为开式控制、闭式控制、半闭式控制、复式控制。

1.6.1 开式控制

这种控制方式的原理是,信号由给定值至被控制量单向传递,故也常称开环控制。开环控制系统的精度便取决于该系统初始校准的精度以及系统各部件的精度。

这种控制较简单,但有较大的缺陷。当控制装置受到干扰或被控对象受到干扰时,会直接波及到被控量,而无法得到补偿。系统的稳态性能指标和动态性能指标得不到保证,因此,只有在要求不高的场合使用。

开式控制系统原理框图如图 1-4 所示。

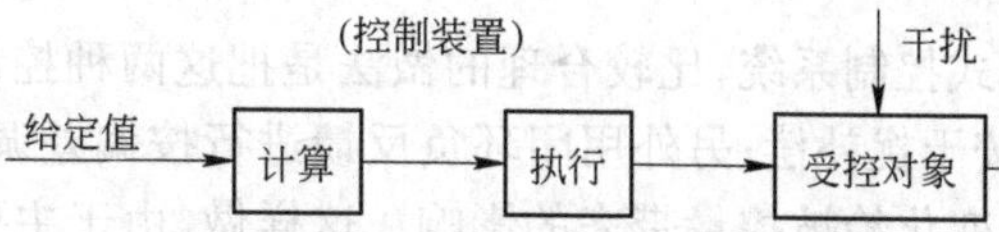

图 1-4 开式控制系统原理框图

1.6.2 闭式控制

这种控制方式的原理是,测量的是被控制量。无论是由干扰造成的,还是由控制装置的结构参数的变化引起的,只要被控对象的被控量出现偏差,系统就会自行纠偏,故也常称这种控制为闭环控制或按偏差调节的反馈控制系统。

由于从检测得到的信号,反馈到输入端与给定量进行比较,得到的偏差量,并不是对被检测点处的部位进行控制,而是对后续部位进行控制,所以反馈控制是有滞后作用的。但是由于原料条件不能骤然突变,所以控制信号对后续部位也是同样有参考作用的,故反馈广泛地用于自动控制系统之中。

闭式控制系统原理框图如图 1-5 所示。

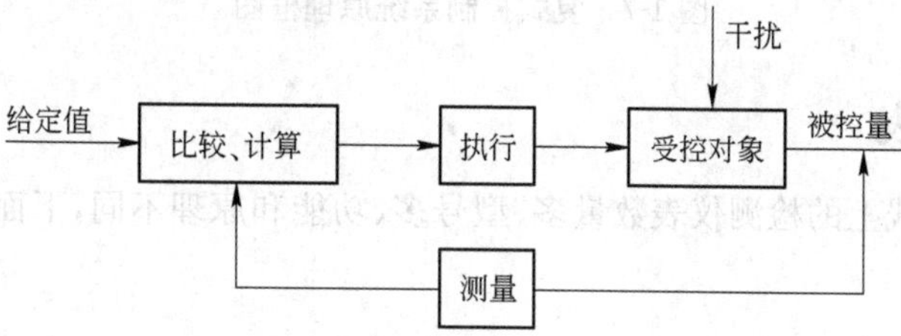

图 1-5 闭式控制系统原理框图

1.6.3 半闭式控制

这种控制方式的原理是,测量的是破坏系统正常运行的干扰。利用干扰信号产生的控制作用,来补偿干扰给控制量带来的影响。故也常称这种控制为按干扰补偿的控制系统。这种控制是以系统的干扰可测为条件,故只能对可测干扰进行补偿。不可测干扰以及控制装置的结构参数的变化给被控量带来的影响,系统将无法补偿。因此,系统的稳态性能指标和动态性能指标仍然无法保证,应用受到限制。

半闭式控制系统原理框图如图 1-6 所示。

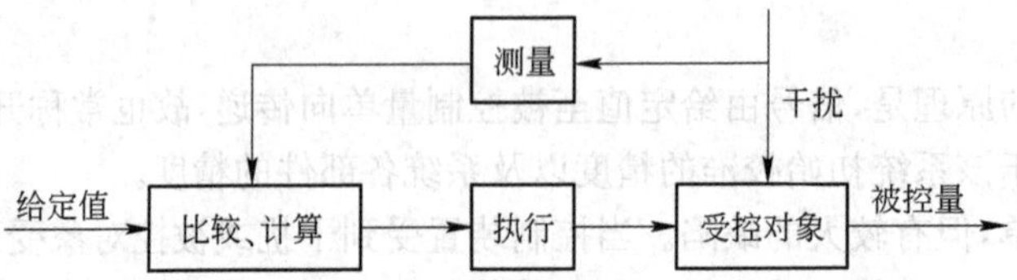

图 1-6　半闭式控制系统原理框图

1.6.4　复式控制

综合闭式控制系统和半闭式控制系统，比较合理的做法是把这两种控制结合起来。对于干扰，采用适当的控制装置进行按干扰补偿；另外用闭环负反馈进行按偏差调节，以消除其他各种干扰及控制装置的结构参数的变化给被控量带来的影响。这样做，由于主要干扰已被补偿或近似补偿，系统受到的干扰大大减轻，所以按偏差调节的部分就比较容易设计。系统主要的稳态性能指标和动态性能指标得到保证，可以达到更好的控制效果，这种控制在工程上获得广泛使用。

复式控制系统原理框图如图 1-7 所示。

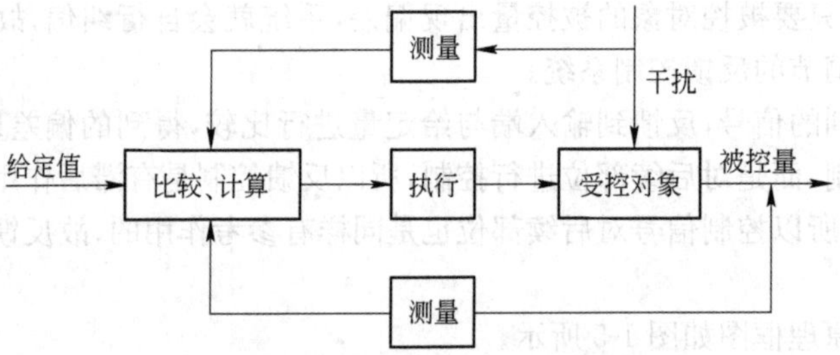

图 1-7　复式控制系统原理框图

1.7　各种检测仪表

自动化轧钢生产线上的检测仪表数量多、型号多、功能和原理不同，下面仅简单介绍部分典型仪表的工作原理。

1.7.1　温度测量仪表

接触式温度计有热电偶、热电阻，测温原理是被测物体和检测元件接触，温度达到相等时，检测元件温度变化引起电参数变化，以此电参数变化来推算被测物体温度。热电偶、热电阻温度计适用于对固定物体测温，被公认为有代表性或较普遍采用的热电偶有铂铑-铂热电偶、镍铬-镍铝热电偶、镍铬-镍铜热电偶。

非接触式温度计有辐射温度计、光学高温计和扫描式温度计，辐射高温计用探测元件主要有硅光电池和电堆两种，被测物体和测温计传感器之间的介质和物体黑度系数变化会影响测量精度。辐射高温计用于不适合安装热电偶进行测温的地方，尤其是对运动物体的测温，如控制轧制中钢板温度的检测，钢板测厚、测宽、测长时温度的修正。光学温度计靠人的肉眼比色测温，除了被测物体和测温计传感器之间的介质和物体黑度系数变化会影响测量精度外，还受观察者主观因素影响，测量精度低，一般仅用于临时检测钢板温度，其优点是携带方便。扫描式温度计用来测定钢板横向温度分布。

1.7.2 轧制压力测量仪表

测压传感器（也称为压头）有压磁式、电阻应变式、电容式和电感式等几种，有时通过检测液压缸内油压来间接测量轧制力。

压磁式压头是利用在硅钢片上加力，磁力线分布会发生变化的现象而做成的力-电转换器。它有矩形、圆形、环形三种系列供选择，其关键部件是由许多硅钢片重叠并黏结在一起所组成，类似变压器的铁心。压磁式压头具有抗干扰性好、可重复使用、输出信号大、过载性能好及测量精度高等特点，但价格昂贵，只在必要的地方使用，国内应用较多的是瑞典 ASEA 电气公司制造的压磁式压头。

电阻应变式压头是利用弹性元件受压力作用发生弹性变形，引起紧贴在其表面上的应变片（内部是金属丝）变形（拉长或缩短）时电阻会发生相应变化的现象做成的，它一般用在对轧制力检测精度要求不十分高的机架上。

压头一般有3个安装位置：压下螺丝与上辊轴承座之间、下辊轴承座与机架下横梁之间以及压下螺母上。压头的具体安装位置根据轧机情况而定。

1.7.3 测厚仪

测厚仪有接触式和非接触式两种，接触式测厚仪测量周期长、测量精度较低、测量范围宽，用于低速、冷轧条件下轧件厚度测量。非接触式测厚仪由于具有反应速度快、测量精度高、可实现连续检测、极易于计算机联网、实现厚度自动控制等特点，非接触式测厚仪得到广泛应用。

非接触式测厚仪有 X 射线测厚仪、γ 射线测厚仪（主要有镅和铯两种）、超声波、红外线和激光测厚仪，前两种为放射线测厚仪，它们是根据一定能量的射线穿过钢板时，射线衰减强度与钢板厚度有一定的关系的原理做成的，射线由射线源发出后，一般由下而上经钢板吸收一部分后，剩下的被检测器接受。当被测空间无钢板时，使用已知厚度的基准板校正。

现代测厚仪就是一套计算机数据检测和处理系统，具有运算功能（如根据输入的目标厚度和实测厚度，计算并输出实测厚度偏差）、自校正、自我诊断和维护等智能功能。

γ 射线比 X 射线穿透能力强，但较之 X 射线难以实现高辐射剂量。大辐射剂量可实现低噪声和高响应速度。X 射线测厚仪适用于薄板和中板等高速生产线厚度测量，可以安装在热轧带钢轧机精轧机组出口、冷轧带钢轧机出口和机架间。镅 γ 射线测厚仪主要用于薄板的中低速生产线厚度测量，由于镅同位素辐射出来的 γ 射线能量比铯同位素辐射出来的 γ 射线能量低，遮蔽容易，可用于冷轧线的小型测厚仪。铯 γ 射线测厚仪可安装于热带钢粗轧机组出口、厚板热精轧机出口及其精整线上。

1.7.4 辊缝测量仪表

辊缝值受轧辊直径变化等因素影响，它是相对于某一零点（或称基准点）而言的相对值，一般把上下工作辊压靠力为通常最大轧制负荷的 1/5～1/10 时的位置设为辊缝零位，在换辊后或非正常停机时需要进行调零操作。

辊缝一般不能直接测量，常用的方法是根据测出的压下电机轴转过的角度，或压下螺丝转过的角度或位移(如顶帽检测器),液压缸活塞或轧辊轴承座位移量(如用磁尺测出)来推算辊缝。

由于辊缝不能直接测量,轧辊磨损、热膨胀、油膜轴承的油膜厚度变化、轧辊偏心运转等因素引起的辊缝变化,将测不出来,必然产生测量误差,需要采取各种补偿措施加以解决。

1.7.5　轧件位置检测器

轧件位置检测器有以下几种:

(1) 热金属检测器 HMD。当热轧件到达检测器位置时,热轧件辐射的红外线由物镜聚焦,通过遮断可见光的过滤器,入射到置于焦点位置的光电变换元件(硅太阳能电池等)进行光电转换。光电变换元件的输出由直流放大器放大,用作控制信号。在使用时应考虑轧件温度或水蒸气等的影响。

(2) γ 射线检测器。用于加热炉和粗轧工序轧件或板边检测。γ 射线源和 γ 射线检测器分别安放在板的两侧,钢板到达时,检测器发出的信号急剧变化,将此信号放大,作为控制信号。γ 射线板边检测器的工作不受轧件温度变化和水蒸气等的影响。

(3) 冷金属检测器 CMD。由振荡回路变频的发光器或激光源发出的光由受光器接受,变为光敏晶体管的输出电压,再经放大、检波,变为输出信号。当板材头部到达或尾部离开检测器位置时,由于板材的辐射、反射或遮光,受光器的受光量发生变化,引起输出信号变化,由此可检测出板边位置。

1.7.6　宽度测量仪表

在钢板上方装设检测部分,内部装有两组扫描器,扫描器的间距根据钢板宽度预先设定,连续地扫描测定钢板两侧的边部位置。为使钢板边部有强烈的反差,在下方装设光源,即采用背射光源,通过光学系统,在旋转狭缝上形成边部的像,通过旋转狭缝变换成与时间对应的信号。通过旋转狭缝的光在光电倍增管内变换成电脉冲信号,并在此脉冲信号基础上施加基准时钟信号,根据这个数字测定值和宽度设定值,求出宽度偏差和板材中心的横向摆动。

1.7.7　平直度测量装置

目前广泛采用的为激光型平直度测量仪,3 个激光发生器发出的激光随着带钢表面浪的高低其反射光束偏离基准点,由此可对板边(中)部波形大小进行测量。但是当带钢进入卷取机后夹送辊与末架精轧机间将形成张力而使浪形失真(一般情况浪形将消失),因此平直度测量仪在带钢进入卷取机前有效。

1.7.8　凸度测量装置

为了测出沿带钢宽度方向上厚度的变化,曾使用过移动式测厚仪。由于移动速度受限,测量信号无法实时用于反馈,只能为下一根钢使用。另外,在测厚仪移动时发生的抖动将影响厚度测量精度。近年来推出的多点 X 射线源加上阵列式 X 射线接受器使带钢凸度能瞬时得到测量,因而可直接用于凸度反馈控制。

1.8　数学模型及其自学习

1.8.1　数学模型

数学模型是用数学语言描述的一类模型。数学模型可以是一个或一组代数方程、微分方程、差分方程、积分方程或统计学方程，或是它们的某种适当的组合，也可以是曲线、图表等。数学模型描述的是系统(或对象)的行为和特征而不是系统的实际结构。一个数学模型反映了对象某一方面的特性。

轧钢生产过程中数学模型按用途的不同，分为工艺类数学模型和控制类数学模型。建立工艺类数学模型，需要运用工艺理论知识，如轧制原理、轧钢工艺学，这类模型一般用于过程控制级计算机进行最优设定值计算。控制类数学模型一般用于基础自动化级计算机对执行机构最优控制计算。控制模型主要是根据自动控制理论和对控制系统的性能要求，并结合对象具体特性设计出来的。

数学模型在计算机中一般是以数学公式(转换成的程序)或表格形式出现。对数学模型的主要要求是结构简单，预报准确，以缩短计算机运算时间，并得到精确的结果，但这二者往往是互相制约的。建立数学模型的方法很多，过程也不同，多采用理论和经验相结合的方法。但一些复杂对象建模较难，甚至在目前的数学理论中还没有相应的公式能表示其特性，因此应通过其他方法(如神经网络理论、模糊控制理论)来建立模型。

1.8.2　模型系数自学习

单纯依靠设定模型本身来实现计算机控制，其预报精度是有限的。影响模型精度的主要因素有：

(1) 量测误差。为了进行设定计算需要测取带坯有关参数的实际值，如粗轧出口侧的厚度、温度及各机架轧制力、轧制速度等。由于检测仪表都存在一定的测量误差，因此设定模型中已知参数也存在误差，这将影响预报精度。

(2) 系统特性的变化。模型的建立，特别是模型系数的定量化，需要通过大量实测数据的统计处理才能实现，数据少了，不能保证精度(因为测量仪表存在误差)，数据多了，又产生新的问题，即如何保证大量数据的环境条件相同。以轧制力模型为例，为了建立轧制力模型，往往需要测量几千个钢卷的数据，但在此期间，实际的轧制状态并不是始终不变的，例如轧辊磨损和更换，现代带钢热连轧机约每隔 4h(能轧制 100 多条带钢)更换一对新辊，轧辊表面状态在新辊时和快要换辊时总是不同的，它将对轧制力有影响；又如热连轧机轧辊与高温带钢相接触，辊温将逐渐升高，到一定值时才平衡，而机架间用的冷却水的水温和水量的波动又将不断地影响此热平衡状态，包括周围的温度在内，可以说，轧机的状态是在不断变化着的。这些因素单独起不到多大作用，但从整体上来看，则能使轧机状态发生变化。因此，用长时间测量的数据建立起来的模型必然带来平均的性质，用此带有平均性质的模型来预报每一块处于特定条件下的带钢轧制力时，必然要存在一定的偏差，例如图 1-8 中压力回归曲线对新辊和旧辊状态下的轧制力预报都将存在误差。

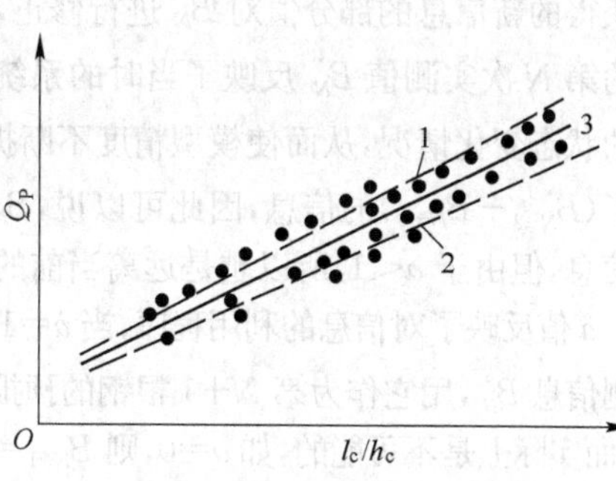

图 1-8　轧制力回归曲线

1—老辊；2—新辊；3—平均回归方程

根据系统状态的变化，不断利用实时信息进行模型参数的修正，以保证模型的精度，这种功能称为自学习功能。

系统状态的数学模型一般可用下式表示：

$$y=f(x_1,x_2,\cdots,x_m)+B \tag{1-1}$$

$$y=Bf(x_1,x_2,\cdots,x_m) \tag{1-2}$$

系统状态的变化用系数 B 来反映，即系统的状态产生变化时，可对模型中系数 B 作相应的修正计算以适应系统特性的变化。为此，可应用与当前临近的实测数据，根据式(1-1)或式(1-2)反算出 B，此值即表示临近时刻的系统状态。如果用来求 B 的临近数据没有测量误差，则将此新求得的 B 值用于下块钢的预报，由于采用了接近实际环境的 B 值而使模型更符合实际环境条件，提高了模型预报精度。但考虑到临近的实测数据必然存在测量误差，如果取另一极端，即测量误差非常大，甚至完全测错了，则很明显就不应该用此临近实测数据去修正 B 值，否则必然反而会降低模型预报精度。一般情况是，临近实测数据有测量误差，但不很大，因此可用临近实测数据反推算出的 B 值的部分信息来校正模型。

其具体方法用如下指数平滑递推公式进行学习：

$$B_{N+1}=B_N+a(B_N^*-B_N) \tag{1-3}$$

式中　B_N——第 N 次设定用的 B 的预报值；

B_N^*——第 N 次设定后 B 的实测值；

B_{N+1}——将用于第 $N+1$ 次设定的 B 参数的预报值；

a——增益系数，$0\leqslant a\leqslant 1$。

式(1-3)的意义是，在进行第 N 次设定时，用第 $N-1$ 次的实测数据 B_{N-1}^* 以及原先对 B 的估计 B_{N-1}，按式(1-3)算出 B_N，用此预报的 B_N 值来进行第 N 次的设定，在进行第 N 次设定后，当轧件进入精轧机组后，即可获得第 N 次的实测数据值 B_N^*。B_N^* 与 B_N 的差别，表示了模型存在的误差——系统状态的变化。考虑到 B_N^* 实际上是反映系统特性的即时状态，为提高模型精度，可以利用获得的新信息的部分值对 B_N 进行修正，得到用于 $N+1$ 根钢 B 参数的预报值 B_{N+1}。由于所得到的第 N 次实测值 B_N^* 反映了当时的系统状态，这样每进行一次学习计算，可使模型不断适应系统的状态变化情况，从而使模型精度不断提高。由于 B_N 中包括($B_{N-1}^*-B_{N-1}$)的信息，而 B_{N-1} 又包括了($B_{N-2}^*-B_{N-2}$)的信息，因此可以说，B_{N+1} 中包括($B_N^*-B_N$)、($B_{N-1}^*-B_{N-1}$)、…、($B_0^*-B_0$)的所有信息，但由于 $a<1$，所以越是远离当前的信息，其系数越小，即利用得越少。

a 值反映了对信息的利用程序，当 $a=1$ 时，则由式(1-3)得 $B_{N+1}^*=B_N^*$，即完全信赖第 N 次获得的实测信息 B_N^*，用它作为第 $N+1$ 根钢的预报。这只有在仪表绝对可靠并没有误差的情况下才成为可能，而实际上是不可能的，如 $a=0$，则 $B_{N+1}=B_N$，即表示第 N 次实测值完全不可靠，因此把第 N 次的预报值 B_N 仍作为第 $N+1$ 根钢的预报值 B_{N+1}，不利用所获得的第 N 次信息，比较合理的办法应是根据每次实测数据的状况来决定 a 值的大小(即 a 值每次是变化的)。

一般说，当 a 取大值(对 $B_N^*-B_N$ 信息利用度加大)时，可以加快学习纠正，但同时又容易引起学习的振荡，而当 a 值取小值时，则学习过程放慢，但比较稳定(见图 1-9)。

实际生产中，出现的情况是，当换规格等情况发生时，希望自学习功能很快起作用，并且希望快速学习，以克服环境的变动，而当轧过四五根钢后，设定精度由于学习而已经较高时，则希望加以稳定而不希望由于出现不好的实测数据反而学坏，因此在自学习功能中应该：

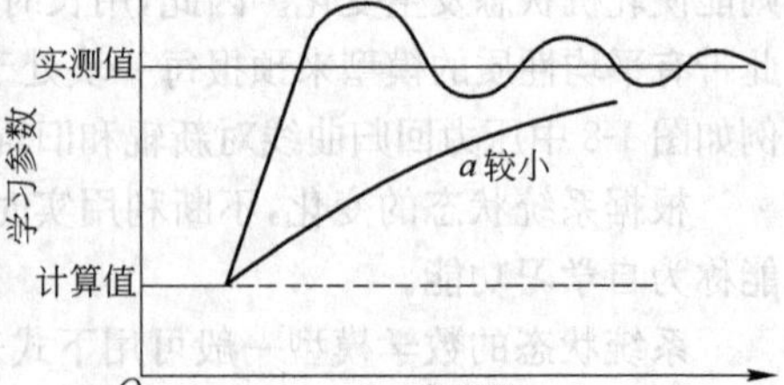

图 1-9　自学习过程

(1) 严格控制条件，在数据不太可靠时，宁愿这一块钢不学习，也比学坏的要好。

(2) 换规格时，a 值适当加大(取 $a=0.4\sim0.5$)，以加快修正过程，一旦当设定精度已达到某一范围内时，应适当减少 a 值(取 $a=0.1\sim0.2$)，以求得学习的稳定。

(3) 利用数据统计的可信度计算，判别本次实测数据的可靠程度，不可靠时，取 $a=0$(不学习)，可靠性高时，取 $a=0.35$ 或 0.4，而可靠性不是很高时，可取 $a=0.1$ 或 0.2。

自学习功能中，另一个难题是，换规格后第一块钢用前一块非同规格钢的信息来学习，还是利用上一次轧同一规格但非紧挨着的前一块钢的信息来学习。

紧挨着的前一块钢的信息含有当时环境的信息，而上一次轧的同一规格钢又含有模型对此规格所存在的误差的信息，因此比较合理的办法是应将这两种信息加权平均后利用。

复习思考题

1-1 板带钢按产品厚度如何分类?

1-2 试述板带钢的主要技术要求。

1-3 试述热连轧带钢生产工艺流程。

1-4 20 世纪 80、90 年代，热连轧机主要发展的功能有哪些?

1-5 带钢热轧计算机系统分几级，各自的控制功能有哪些?

1-6 试述加热区的自动化过程。

1-7 试述粗轧区的自动化过程。

1-8 试述精轧区的自动化过程。

1-9 试述层流冷却和卷取区的自动化过程。

1-10 常见的控制系统有哪些类型?

1-11 数学模型自学习时，增益系数 a 的取值原则是什么?

2 轧制及精整设备

2.1 粗轧机组

2.1.1 概述

粗轧设备主要由粗轧除鳞设备、定宽压力机、立辊轧机、水平轧机、保温罩、热卷取箱等组成。辅助设备有工作辊道、侧导板、测温仪、测宽仪等。

粗轧机位于加热炉之后，精轧机之前。经加热炉加热好的板坯，用出钢装置托出到出炉辊道上，送到除鳞设备除去板坯表面上的一次氧化铁皮。随后，板坯由定宽压力机或立辊轧机调宽、控宽，由粗轧水平轧机轧成适合于精轧机的中间坯。轧制过程中产生的氧化铁皮，由粗轧机前后高压水除鳞装置清除。

板坯宽度精度的控制主要在粗轧机。粗轧机常用的板坯宽度控制方式为宽度自动控制（AWC）。

2.1.2 粗轧机的布置

热带轧制和中厚板轧制一样，也分为除鳞、粗轧和精轧几个阶段，只是在粗轧阶段的宽度控制不但不用展宽，反而要采用立辊或定宽压力机对宽度进行压缩，以调节板坯宽度和提高除鳞效果。板坯经高压水除鳞以后，接着进入二辊轧机轧制（此时板坯厚度大，温度高，塑性好，抗力小，故选用二辊轧机即可满足工艺要求）。随着板坯厚度的减薄和温度的下降，变形抗力增大，而板形及厚度精度要求也逐渐提高，故须采用强大的四辊轧机进行压下，才能保证足够的压下量和较好的板形。为了使钢板的侧边平整和控制宽度精确，在以后的每架四辊粗轧机前面，一般皆设置有小立辊进行轧边。

现代热带连轧机的精轧机组大都是由6～8架组成，并没有什么区别，但其粗轧机组的组成和布置却不相同，这正是各种形式热连轧机主要特征之所在。

根据产量、板卷重量和投资等诸多方面因素决定粗轧机的数量和布置形式。粗轧机的布置形式主要有全连续式、3/4连续式、半连续式和其他形式。

2.1.2.1 全连续式

全连续式粗轧机通常由4～6架不可逆式轧机组成，前几架为二辊式，后几架为四辊式。全连续式粗轧机的布置形式主要有两种：一种是全部轧机呈跟踪式连续布置；另一种是前几架轧机为跟踪式，后两架为连轧布置。

典型的全连续式粗轧机的布置如图2-1所示。

全连续式粗轧机在一、二代热轧带钢轧机中居多，因受当时的控制水平和机械制造能力的限制，粗轧机轧制速度较低，且都是以断面大、长度短的初轧板坯为原料，所以轧机产量取决于粗轧机的产量。全连续式粗轧机每架轧机只轧一道，轧件沿一个方向进行连续轧制，生产能力大，因此在当时发展较快。

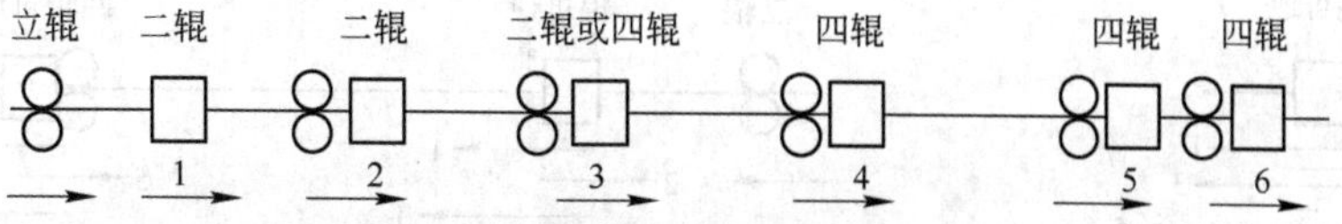

图 2-1　典型的全连续式粗轧机的布置

随着粗轧机控制水平的提高和轧机结构的改进，粗轧机的轧制速度提高了，生产能力增大了，粗轧机的布置形式也发生了很大变化，相继发展了 3/4 连续式和半连续式。相比之下，全连续式粗轧机的优点就不明显了，而且其生产线长、占地面积大、设备多、投资大、对板坯厚度范围的适应性差等缺点更加突出，所以近期建设的粗轧机已不再采用全连续式。

我国热轧宽带钢粗轧机布置中仅梅钢 1422mm 为全连续式，且最后两架不连轧。

2.1.2.2　3/4 连续式

3/4 连续式把粗轧机由六架缩减为四架，在粗轧机组内设置 1～2 个可逆式轧机，可逆式轧机可以放在第二架，也可以放在第一架，前者优点是大部分铁皮已在前面除去，使辊面和板面质量好些，但第二架四辊可逆轧机的换辊次数比第一架二辊可逆式要多 2 倍。一般还是倾向于前者。

3/4 连续式较全连续式所需设备少，厂房短，总的建设投资要少 5%～6%，生产灵活性也稍大些，但可逆式机架的操作维修要复杂些，耗电量也大些。对于年产 300 万 t 左右规模的带钢厂，采用 3/4 连续式一般较为适宜。

典型的 3/4 连续式粗轧机的布置如图 2-2 所示。

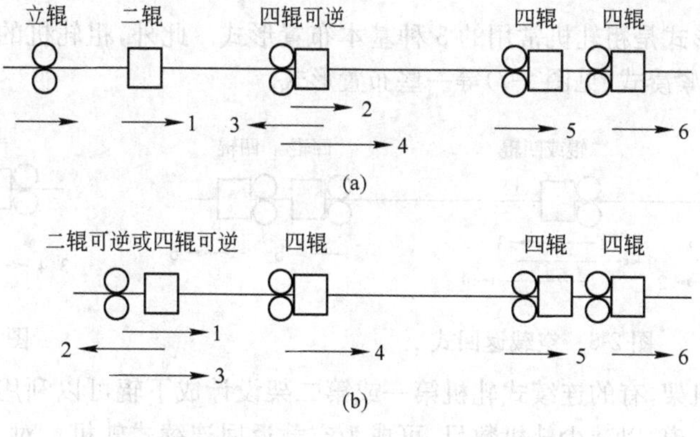

图 2-2　典型的 3/4 连续式粗轧机的布置
(a)可逆轧机在第二架；(b)可逆轧机在第一架

我国热轧宽带钢粗轧机采用 3/4 连续式布置的有宝钢 2050mm、武钢 1700mm。

2.1.2.3　半连续式

半连续式粗轧机由 1 架或 2 架可逆式轧机组成。

半连续式粗轧机常见的几种布置形式有：

(1) 由 1 架四辊可逆式轧机组成，如图 2-3 所示。

(2) 由 1 架二辊可逆式轧机和 1 架四辊可逆式轧机组成，如图 2-4 所示。

(3) 由 2 架四辊可逆式轧机组成，如图 2-5 所示。

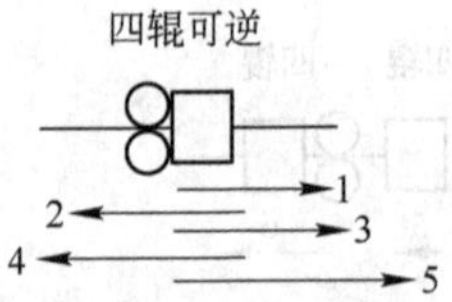

图 2-3　由 1 架四辊可逆式轧机组成的半连续式粗轧机

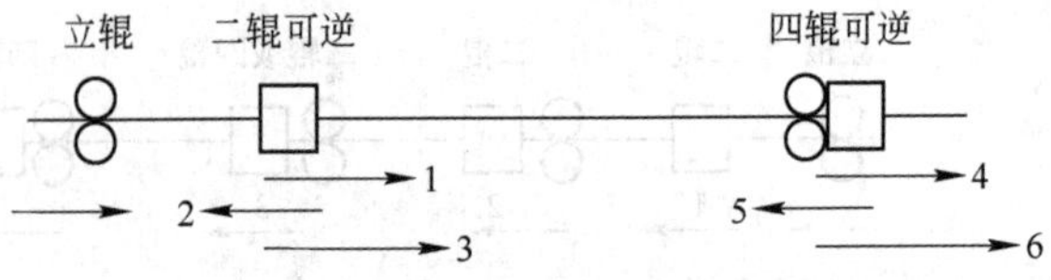

图 2-4　由 1 架二辊可逆式轧机和 1 架四辊可逆式轧机组成的半连续式粗轧机

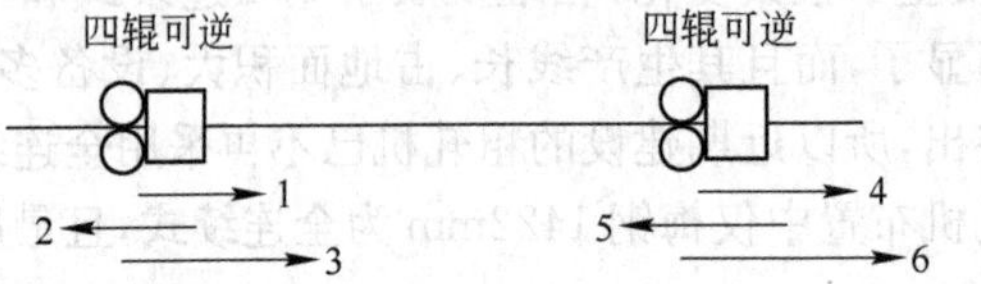

图 2-5　由 2 架四辊可逆式轧机组成的半连续式粗轧机

半连续式粗轧机与 3/4 连续式粗轧机相比，具有设备少、生产线短、占地面积小、投资省等特点，且与精轧机组的能力匹配较灵活，对多品种的生产有利。近年来，由于粗轧机控制水平的提高和轧机结构的改进，轧机牌坊强度增大，轧制速度也相应提高，粗轧机单机架生产能力增大，轧机产量已不受粗轧机产量的制约，从而半连续式粗轧机发展较快。

我国热轧宽带钢粗轧机采用半连续式布置的有宝钢 1580mm、鞍钢 1780mm、攀钢 1450mm、武钢 2250mm。

2.1.2.4　其他形式

以上 3 种布置形式是粗轧机常用的 3 种基本布置形式。此外，粗轧机的布置形式还有空载返回式（见图 2-6）和紧凑式（见图 2-7）等一些布置形式。

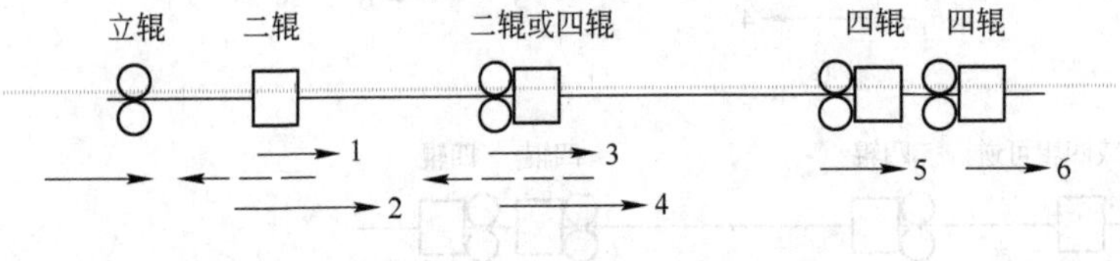

图 2-6　空载返回式

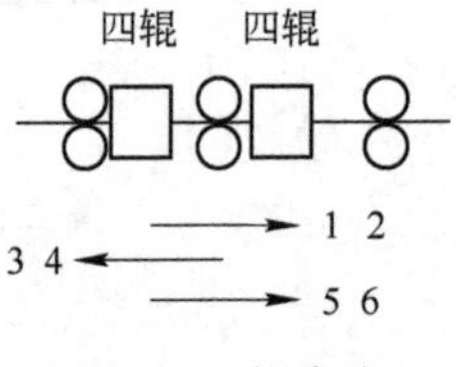

图 2-7　紧凑式

为了减少粗轧机架，有的连续式轧机第一或第二架设计成下辊可以利用斜楔自由升降借以实现空载返回再轧一道，以减少轧机数目，可成为空载返回连续式轧机。对一般连续式轧机，空载返回再轧的操作方法只是当其他粗轧机架发生故障或损坏时才采用。

紧凑式的粗轧机其特点是：

(1) 采用两架粗轧机串列紧密布置可逆式连轧机，两机架中心距 5.8m，前中后配有三对大立辊，可侧向大压下量轧制。

(2) 板坯在两机架中连轧并可往复三次轧六道次，其总压下量可达 200mm 以上。

(3) 在精轧机飞剪机前设一台带卷箱，降低带坯头尾温差，大大缩短了轧制线。由第一座加热炉中心线至第一台卷取机中心线全长仅为 255m，而国外第三代轧机的同样轧制线全长为 658m。

(4) 总的轧制时间缩短，高效节能，产量大，减少投资，这样方案有利于对老机组改造。但控制复杂，且机架间距小，设备维护检修困难。

2.1.3 粗轧机设备

2.1.3.1 粗轧机

A 粗轧机及其前后设备

粗轧机的水平轧机结构形式通常为二辊式或四辊式。粗轧机组布置中,二辊式粗轧机布置在机组的前面部分,四辊式粗轧机布置在机组的后面部分。热轧带钢生产中,粗轧机的水平轧机是把热板坯减薄成适合于精轧机轧制的中间带坯。板坯在粗轧机上前几道次的轧制,因温度较高,有利于实现大压下,就需要轧辊具有较大的咬入角;后几道次的轧制,需要为精轧机输送厚薄均匀的中间坯。二辊式粗轧机与四辊式粗轧机相比:二辊式的工作辊直径大,具有大的咬入角,可实现大的压下量;四辊式的工作辊直径小,有利于带坯的厚度控制,又因有支撑辊,减小了工作辊的挠度,可轧制较薄的、厚度均匀的中间坯。

粗轧机的工作方式分为可逆式和不可逆式两种。可逆式粗轧机的开口度较大,板坯在轧机上进行往复轧制,总的厚度压下量大。不可逆式粗轧机往一个方向对板坯进行一道次轧制。

粗轧机前后的设备主要有立辊、除鳞集管、护板、机架辊、出入口导板等。粗轧机前后设备的组成如图 2-8 所示。

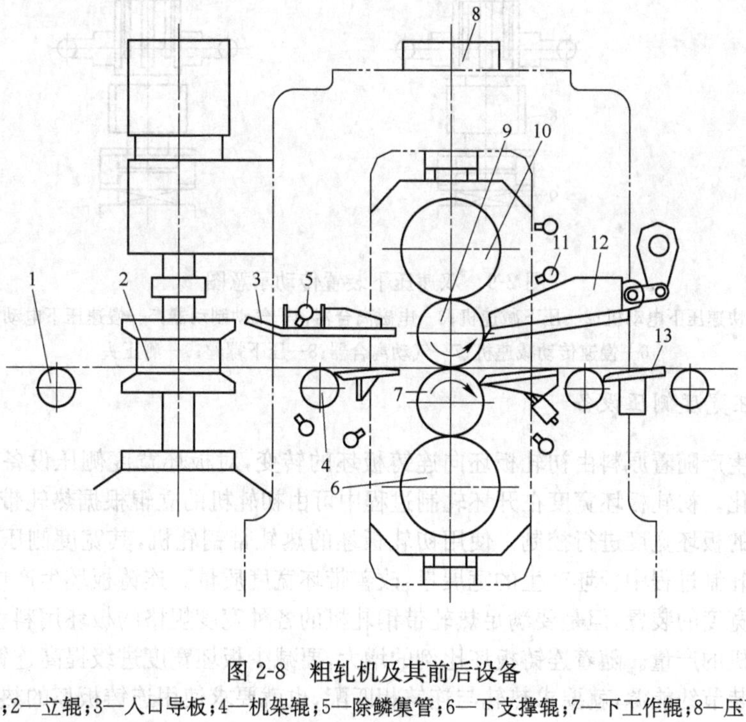

图 2-8 粗轧机及其前后设备

1—辊道;2—立辊;3—入口导板;4—机架辊;5—除鳞集管;6—下支撑辊;7—下工作辊;8—压下装置;9—上工作辊;10—上支撑辊;11—轧辊冷却集管;12—出口导板;13—护板

B 粗轧机压下装置

粗轧机压下装置位于水平轧机牌坊上部,用于调整轧辊的辊缝,控制板坯压下量。压下装置的主要形式有电动压下和液压压下。

电动压下装置通过电动机传动减速机转动压下螺丝实现轧辊的辊缝调整。可逆式粗轧机压下装置对辊缝的调整范围大。常用的电动压下装置有两种形式:一种是单速压下,即轧制过程中的辊缝调整和换辊后的辊缝调零都是一个速度，辊缝调零压靠后的压下螺丝回松由解靠装置实现；另一种是双速压下，即轧制过程中的辊缝调整用快速，换辊后的辊缝调零和压下螺丝回松用慢速。双速压下既可实现轧制过程中辊缝的快速调整，缩短间隙时间，又可实现辊缝调零的慢速要求，避免辊缝调零时的轧辊冲击和取消解靠装置。

液压压下装置采用液压缸，系统简单，调整范围大，既实现轧制过程中的辊缝快速调整，又可满足换辊后的辊缝调零和解靠慢速要求。

双速压下装置的传动示意图如图 2-9 所示。

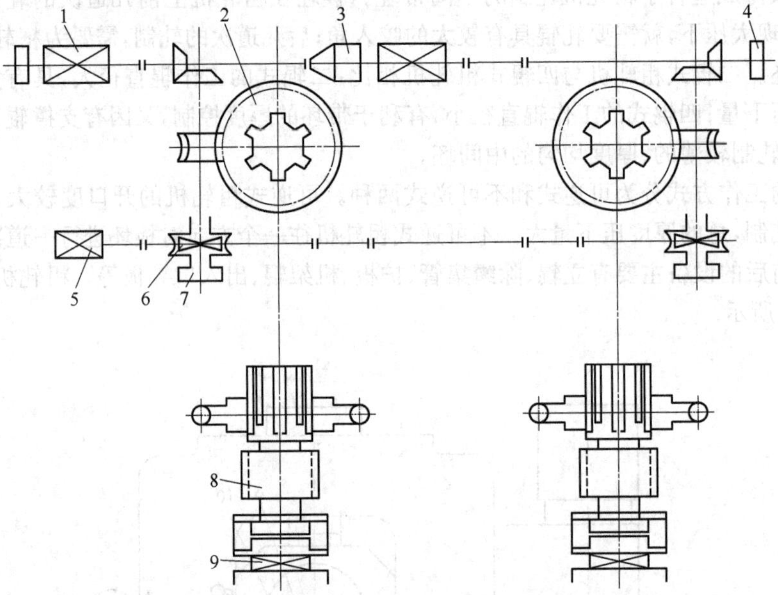

图 2-9　双速压下装置传动示意图

1—快速压下电动机；2—压下减速机；3—电磁离合器；4—气动制动器；5—慢速压下电动机；6—慢速传动减速机；7—气动离合器；8—压下螺丝；9—测压头

2.1.3.2　板坯宽度侧压设备

热轧带钢生产随着原料由初轧板坯向连铸板坯的转变，对板坯宽度侧压设备的性能要求也发生了巨大变化。初轧板坯宽度在开坯轧制过程中可由初轧机的立辊根据热轧带钢轧机需要的各种宽度规格的板坯宽度进行控制。使用初轧板坯的热轧带钢轧机，其宽度侧压设备的主要作用是调整水平轧制过程中板坯产生的宽展量，改善带坯宽度质量。连铸板坯生产中，虽然连铸机也有连续改变宽度的装置，但是要满足热轧带钢轧机的各种宽度规格的板坯用料就相当困难，甚至会降低连铸机的产量。随着连铸板坯比例的增大，要减少板坯宽度进级提高连铸生产能力，实现连铸板坯热装节约能源，就要求热轧与连铸相匹配，也就要求使用连铸板坯的热轧带钢轧机具有调节板坯宽度的功能，即要有板坯宽度大侧压设备。基于上述诸多原因，热轧带钢轧机发展了立辊轧机、定宽压力机等形式的板坯宽度侧压设备。

A　立辊轧机

立辊轧机位于粗轧机水平轧机的前面，大多数立辊轧机的牌坊与水平轧机的牌坊连接在一起。立辊轧机主要分为两大类，即一般立辊轧机和有 AWC 功能的重型立辊轧机。

一般立辊轧机是传统的立辊轧机，主要用于板坯宽度齐边、调整水平轧机压下产生的宽展量、改善边部质量。这类立辊轧机结构简单，主传动电机功率小、侧压能力普遍较小，而且控制水平低，辊缝设定为摆死辊缝，不能在轧制过程中进行调节，带坯宽度控制精度不高。我国热轧宽带钢粗轧机配有一般立辊轧机的有武钢 1700mm、本钢 1700mm(E_2、E_3)、攀钢 1450mm、太钢 1549mm 和梅钢 1422mm。

有 AWC 功能的重型立辊轧机是为了适应连铸的发展和热轧带钢板坯热装的发展而产生的现代轧机。这类立辊轧机结构先进，主传动电机功率大，侧压能力大，具有 AWC 功能，在轧制过程中对带坯进行调宽、控宽及头尾形状控制，不仅可以减少连铸板坯的宽度规格，而且有利于实现热轧带钢板坯的热装，提高带坯宽度精度和减少切损。我国热轧宽带钢粗轧机配有 AWC 功能的重型立辊轧机的有宝钢 2050mm 和本钢 1700mm(E_1)。

有 AWC 功能的重型立辊轧机的结构如图 2-10 所示。

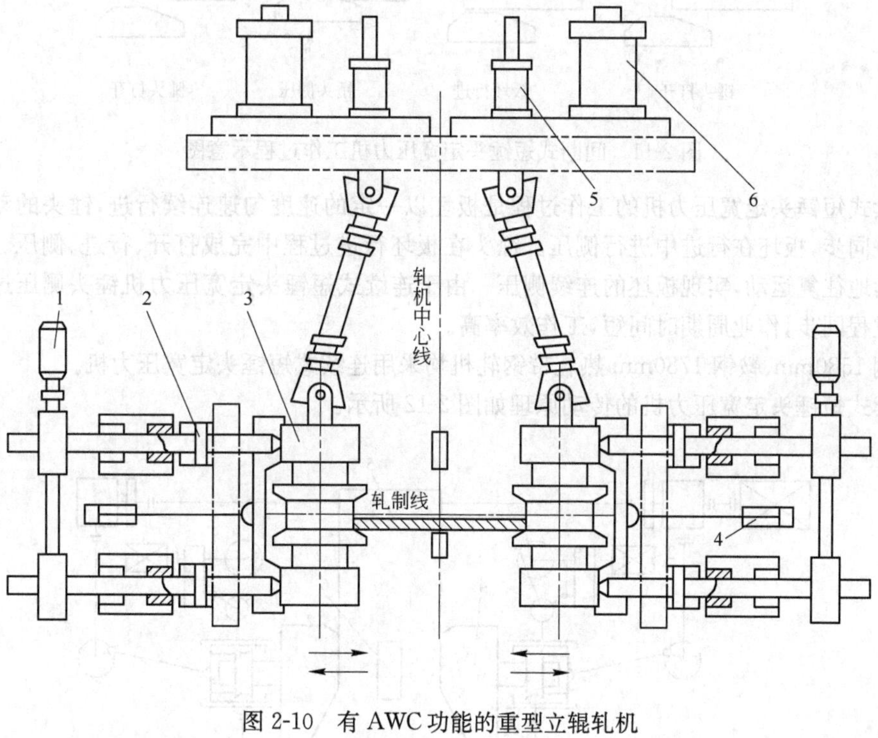

图 2-10 有 AWC 功能的重型立辊轧机

1—电动侧压系统；2—AWC 液压缸；3—立辊轧机；4—回拉缸；5—接轴提升装置；6—主传动电机

B 定宽压力机

定宽压力机位于粗轧高压水除鳞装置之后，粗轧机之前，用于对板坯进行全长连续的宽度侧压。与立辊轧机相比，定宽压力机每道次侧压量大，最大可达 350mm，从而可大大减少板坯宽度规格，有利于提高连铸机的产量，还可降低板坯库存量，简化板坯库管理。立辊轧机和定宽压力机轧制的带坯还有以下不同点：立辊轧机轧出的带坯边部凸出量大(俗称狗骨形)，经水平轧机轧制易产生较大的鱼尾；而定宽压力机侧压的带坯边部凸出量较小，经水平轧机轧制后产生的鱼尾也较小，有时甚至没有鱼尾，因此可减少切损，提高热轧成材率。显而易见，定宽压力机有利于提高连铸和热轧的综合经济效益。

定宽压力机主要有两种形式，即长锤头定宽压力机和短锤头定宽压力机。

长锤头定宽压力机的锤头长度略长于板坯长度，在一个侧压行程中板坯全长边部同时受到挤压。与立辊轧机相比,长锤头定宽压力机可以改善带坯头尾及边部形状,避免头尾失宽,但其调宽量较小,且设备结构庞大,投资大,安装维护也不方便。

短锤头定宽压力机的锤头长度远小于板坯长度,侧压行程中锤头从板坯头部至尾部依次快速进行挤压,以实现大侧压调宽。短锤头定宽压力机有两种形式,即间断式和连续式。

间断式短锤头定宽压力机的工作过程是锤头与板坯分别动作,即锤头打开,板坯行进一个侧压位置,锤头侧压到设定宽度,然后锤头打开,板坯又行进一个侧压位置,这样重复运动,直至板坯全长侧压完毕。间断式短锤头定宽压力机的工作过程如图 2-11 所示。

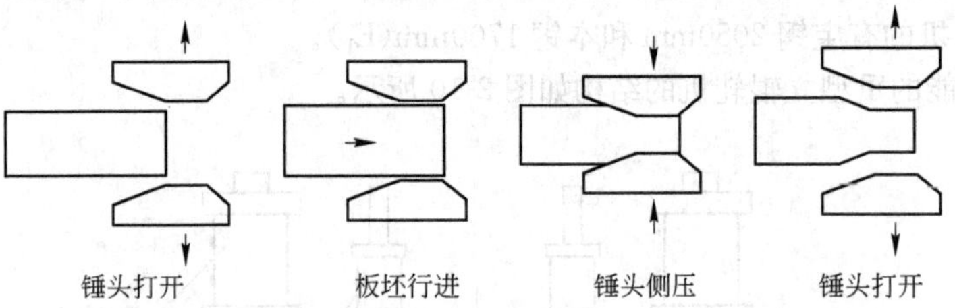

图 2-11　间断式短锤头定宽压力机工作过程示意图

连续式短锤头定宽压力机的工作过程是板坯以一定的速度匀速连续行进,锤头的动作与板坯的行进同步,板坯在行进中进行侧压。锤头在板坯行进过程中完成打开、行进、侧压、再打开,这样连续地往复运动,实现板坯的连续侧压。由于连续式短锤头定宽压力机锤头侧压过程和板坯行进过程同步,作业周期时间短,工作效率高。

宝钢 1580mm、鞍钢 1780mm 热轧带钢轧机均采用连续式短锤头定宽压力机。

连续式短锤头定宽压力机的传动原理如图 2-12 所示。

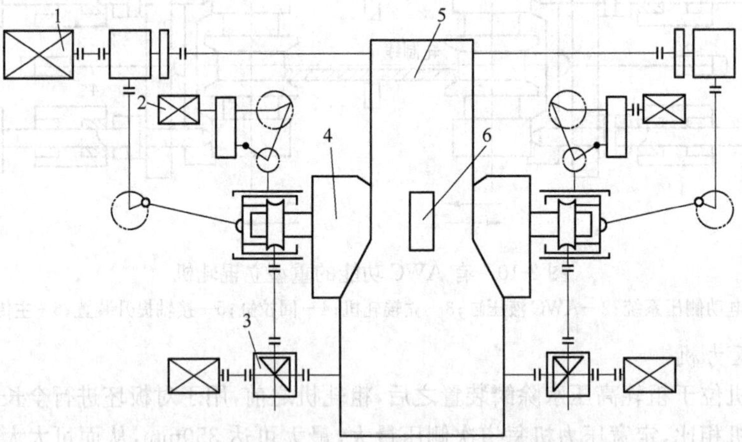

图 2-12　连续式短锤头定宽压力机传动示意图

1—主传动系统;2—同步系统;3—调整机构;4—锤头;5—板坯;6—控制辊

2.1.3.3　除鳞设备

除鳞装置有两种,一种是用作清除加热炉中产生的氧化铁皮(一次氧化铁皮),另一种是用来清除轧制中产生的氧化铁皮(二次氧化铁皮)。

无论哪一种,都是通过向钢材表面喷射高压水来清除氧化铁皮的。

A 除鳞箱

除鳞箱通常设在加热炉出口侧附近，为了提高除鳞效果，也有和二辊水平轧机或立辊轧机一起设置的。上述轧机通过机械方法破坏表面氧化铁皮，然后用高压水喷射，以起到除鳞作用。

除鳞装置的主体是一些在箱中排列成 2～3 排的高压水喷头，喷嘴安装在头部。喷嘴按图 2-13 所示的方法进行安装，喷嘴和材料成 15°角，该角度与材料前进方向相反，以便吹掉去除的氧化铁皮。从喷嘴喷射出来的射流，应覆盖材料的整个宽度，并使各射流互相不干扰。为了使喷嘴和材料之间保持正确的距离，也有使用能够根据材料的厚度而上下移动的高压水喷头的。常用除鳞水压为 15～22MPa，薄板坯采用较高水压，最高达 40MPa。

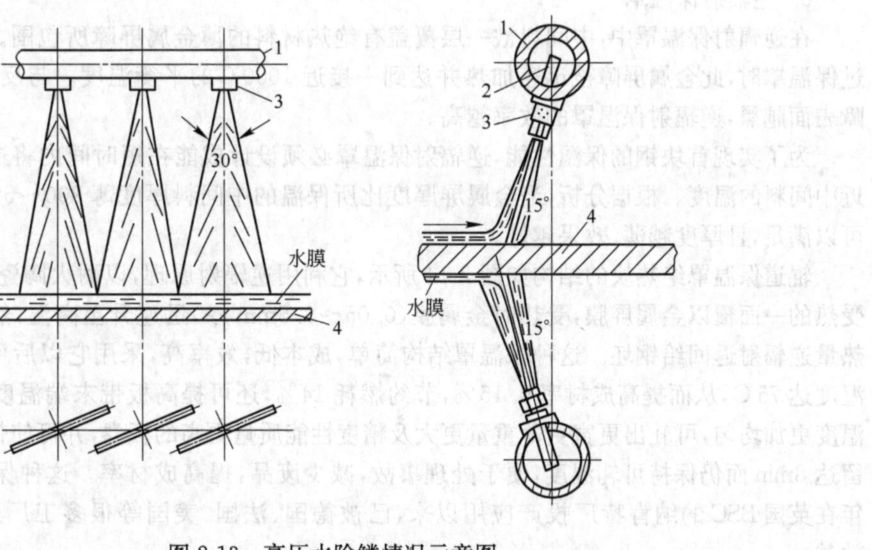

图 2-13 高压水除鳞情况示意图

1—喷嘴集水管；2—过滤器；3—喷嘴；4—钢带

B 轧机上的除鳞装置

为了去除轧制过程中产生的二次氧化铁皮，在轧机上也设有除鳞装置。在轧机的前后、上下共设置四排高压水喷头，上高压水喷头与压下联动而上下移动。

2.1.3.4 保温装置

保温装置位于粗轧与精轧之间，用于改善中间带坯温度均匀性和减小带坯头尾温差。采用保温装置，不仅可以改善进精轧机的中间带坯温度，使轧机负荷稳定，有利于改善产品质量，扩大轧制品种规格，减少轧废，提高轧机成材率，还可以降低加热板坯的出炉温度，有利于节约能源。

常用的保温装置主要有保温罩和热卷取箱，其共同的特点是，不用燃料，保持中间带坯温度，但设备结构大相径庭，迥然不同。

A 保温罩

保温罩布置在粗轧与精轧机之间的中间辊道上，一般总长度有 50～60m，由多个罩子组成，每个罩子均有升降装置，可根据生产要求进行开闭。罩子上装有隔热材料，罩子所在辊道是密封的。中间带坯通过保温罩，可大大减少温降。在热带轧制中采用的保温罩系统可以分成以下几种。

a 绝热保温罩

在绝热保温罩中，中间料被降低热传导的绝热材料所包围，从而使得中间料周围的环境温度较高。这类系统价格相对便宜，但效率不高。某一全长延迟辊道带保温罩的轧机，其板坯温度的有效节省量仅有 13℃，根据劳斯(Laws)的介绍，覆盖在中间料上表面的绝热板所达到的热平衡温度也仅为 700℃。

b　反射保温罩

在反射保温罩中，中间料被可反射其热量的保温罩所包围。某些装置已经使用了非绝热的铝制反射罩。据报道，使用反射保温罩所获得的效益是很有限的。迄今为止，其达到的最高平衡温度仅为 300℃。此外还遇到了保持反射板清洁的问题。

c　逆辐射保温罩

在逆辐射保温罩中，中间料被一层覆盖有绝热材料的薄金属屏障所包围。当热的中间料通过保温罩时，此金属屏障被迅速加热并达到一接近 1000℃的平衡温度。与反射保温罩相比，屏障表面越黑，逆辐射保温罩的效率越高。

为了实现首块钢的保温性能，逆辐射保温罩必须设计成能在短时间内将逆辐射屏加热至接近中间料的温度。根据分析，当金属屏厚度比所保温的中间料厚度薄 200～500 倍时，上述条件可以满足，且厚度越薄，效果越好。

辊道保温罩绝热块的结构如图 2-14 所示，它利用逆辐射原理，以耐火陶瓷纤维做成绝热毡，受热的一面覆以金属屏膜，受热时金属膜(0.05～0.5mm 厚)迅速升至高温，然后作为发热体将热量逆辐射返回给钢坯。这种保温罩结构简单，成本低，效率高，采用它以后可降低加热炉出坯温度达 75℃，从而提高成材率 0.15％，节约燃耗 14％，还可提高板带末端温度约 100℃，使板带温度更加均匀，可轧出更宽更薄重量更大及精度性能质量更高的板卷，并可使带坯在中间辊道停留达 8min 而仍保持可轧温度，便于处理事故，减少废品，提高成材率。这种保温隔热罩自 1982 年在英国 BSC 的纳肯特厂投产应用以来，已被德国、法国、美国等很多工厂采用，取得了显著效益。

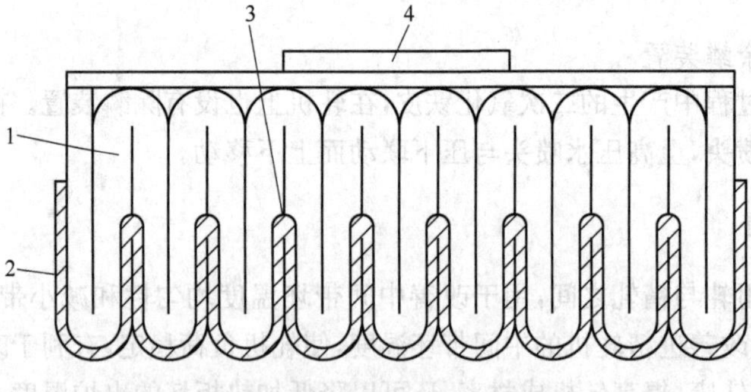

图 2-14　辊道保温罩逆辐射绝热块结构示意图

1—绝热毡；2—金属屏；3—金属屏的折叠部分；4—安装件

我国热轧宽带钢轧机中间带坯采用保温罩的有宝钢 2050mm、宝钢 1580mm、鞍钢 1780mm。

B　热卷取箱(coil-box)

热卷取箱结构如图 2-15 所示，其主要优点为：

(1) 粗轧后在入精轧机之前进行热卷取，以保存热量，减少温度降，保温可达 90％以上。

(2) 首尾倒置开卷以尾为头喂入轧机，均化板带头尾温度，可以不用升速轧制而大大提高厚度精度。

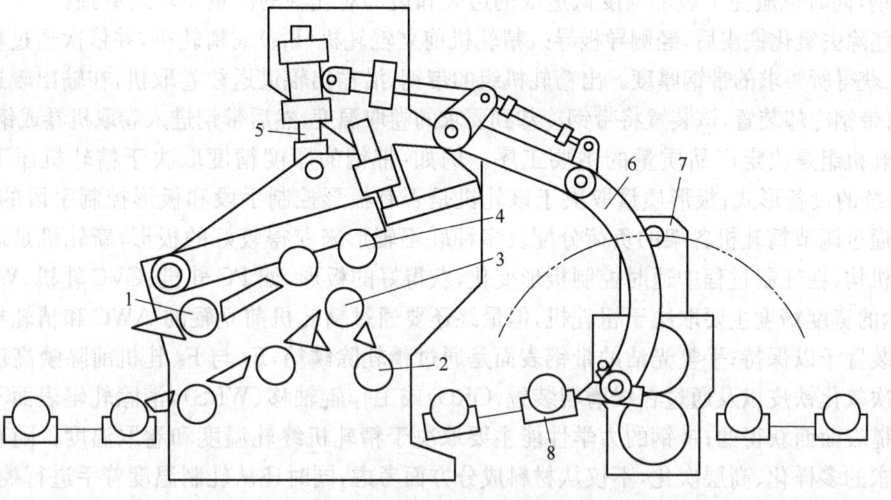

图 2-15 典型的热卷取箱结构图

1—入口导辊；2—成形辊；3—下弯曲辊；4—上弯曲辊；5—平衡缸；6—开卷臂；7—移卷机；8—托卷辊

(3) 起储料作用，这样可增大卷重，提高产量。

(4) 可延长事故处理时间约 8～9min，从而可减少废品及铁皮损失，提高成材率。

(5) 可使中间辊道缩短约 30%～40%，节省厂房和基建投资。

因此在热轧带钢生产中采用热卷取箱是发展的方向，我国热轧宽带钢轧机中间带坯采用热卷取箱的有攀钢 1450mm、鞍钢 1700mm。

2.2 精轧机组

2.2.1 概述

精轧机组布置在中间辊道或热卷取箱的后面。它的设备组成包括切头飞剪前辊道、切头飞剪侧导板、切头飞剪测速装置、边部加热器、切头飞剪及切头收集装置、精轧除鳞箱、精轧机前立辊轧机(F_{1E})、精轧机、活套装置、精轧机进出口导板、精轧机除尘装置、精轧机换辊装置等。

精轧机是成品轧机，是热轧带钢生产的核心部分，轧制产品的质量水平主要取决于精轧机组的技术装备水平和控制水平。因此，为了获得高质量的优良产品，在精轧机组大量地采用了许多新设备、新技术、新工艺以及高精度的检测仪表，例如热轧带钢板形控制设备、全液压压下装置、最佳化剪切装置、热轧油润滑工艺等。另外，为了保护设备和操作环境不受污染，在精轧机组中设置了除尘装置。

板坯经粗轧机轧后，中间坯厚度一般为 50mm 以下，特殊产品也有到 60mm。中间坯的头尾部分，因头尾端的自由状态，均出现不同程度、不规则的鱼尾或舌头形状。不规则的头尾形状，在通过精轧机组或进入卷取机的穿带过程中，容易发生卡钢事故，同时，因头尾温度偏低，在轧辊表面易造成辊印，影响带钢表面质量。为防止上述问题的发生，带坯头尾需用切头飞剪剪去 100～150mm 的长度。剪切后的带坯经过精轧除鳞箱，用 15～17MPa 的高压水清除带坯表面的氧化铁皮，然后进入精轧机组，轧制成要求的带钢尺寸。

对于一些特殊品种，例如硅钢、不锈钢、冷轧深冲钢等，中间坯在进入精轧机组前，一般对带坯边部进行加热，使带坯在横断面上中部和边部温度均匀一致，从而获得金相组织和性能完全一致的带钢，同时也避免了边部温度低造成的边裂和边部对轧辊的严重不均匀磨损。

带坯除去氧化铁皮后，经侧导板导入精轧机前立辊轧机（F_{1E}）或精轧机，并依次通过精轧机组各轧机，获得所要求的带钢厚度。出精轧机组的带钢，沿输出辊道送往卷取机，在输出辊道的上下方，设有带钢冷却装置，该装置将带钢冷却到要求的卷取温度，然后带钢进入卷取机卷成钢卷。

精轧机组是决定产品质量的主要工序。例如：带钢的厚度精度取决于精轧机压下系统和AGC系统的设备形式；板形质量取决于该轧机是否有板形控制手段和板形控制手段的能力，老轧机是通过调节精轧机各架的负荷分配及多种轧辊辊形来获得较好的板形，新轧机是通过控制板形的机构，在轧制过程中适时控制板形变化，获得好的板形，如PC轧机、CVC轧机、WRB轧机等；带钢的宽度精度主要取决于粗轧机，但最终还要通过精轧机前立辊的AWC和精轧机间低惯量活套装置予以保持；平整光洁的带钢表面是通过精轧除鳞箱，F_1 与 F_2 轧机前除鳞高压水彻底清除二次氧化铁皮以及通过在线磨辊装置（ORG）或工作辊轴移（WRS），消除轧辊表面不均匀磨损和粗糙表面而获得的；带钢的力学性能主要取决于精轧机终轧温度和卷取温度。随着对带钢性能要求的多样化、高层次化，不仅从材料成分方面考虑，同时还从轧制温度着手进行控制，使带钢的终轧温度和卷取温度始终保持在要求的一定范围内。即终轧温度要保持在单相奥氏体或铁素体内，避免产生混合晶粒，导致硬度、伸长率等性能不合要求。卷取温度也一样，应根据钢种和用途不同，控制在400～750℃之间的某一温度。为使终轧温度保持在固定范围内，精轧机采用了升速轧制工艺或者带热卷取箱恒速轧制工艺，它们均能使终轧温度变化保持在±20℃以内，从而获得均匀一致的力学性能。

2.2.2　精轧机组布置

精轧机组的布置有多种形式，在我国的热轧带钢轧机中，精轧机组的布置主要有5种，如图2-16(a)、(b)、(c)、(d)、(e)所示。

在图2-16(a)布置中，精轧机组为6架轧机，如攀钢1450mm轧机、鞍钢1700mm轧机的精轧机组，属第一代热轧带钢轧机，产量低、卷重小、轧制速度低。在改造时，因场地受限，在飞剪前设置了热卷取箱。

在20世纪60年代后，为了提高轧机生产能力，提高卷重，增大精轧机速度，满足大卷重的需要，精轧机列用7机架布置。我国武钢1700mm热连轧、本钢1700mm热连轧均属此类轧机，精轧机组布置属图2-16(b)类布置。

在图2-16(c)布置中，有的工厂在切头飞剪前面或者后面改造后增设 F_0 轧机，相当精轧机组为7架轧机，太钢1549mm、梅钢1422mm精轧机组均属此类布置。

由于用户对热轧带钢质量要求愈来愈高，特别是生产薄规格产品、深冲用汽车板，生产厂为了提高成材率和产品质量，增大市场竞争能力，对精轧机组的布置不断进行完善。

20世纪80年代后建设的新热带钢轧机精轧机组

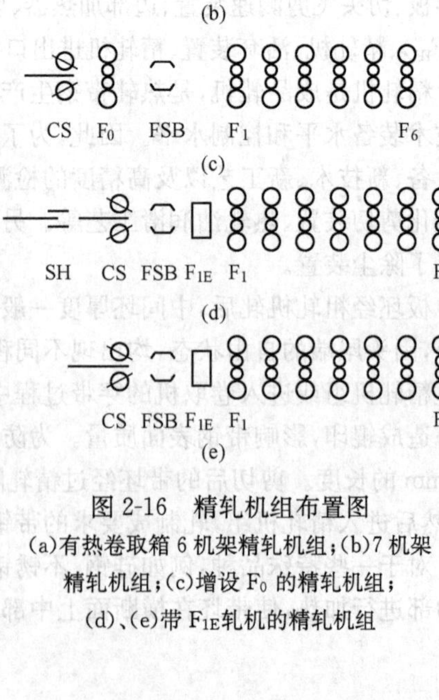

图2-16　精轧机组布置图

(a)有热卷取箱6机架精轧机组；(b)7机架精轧机组；(c)增设 F_0 的精轧机组；(d)、(e)带 F_{1E} 轧机的精轧机组

的布置属图 2-16(d)或图 2-16(e)类布置，带 F_{1E}轧机。我国宝钢 2050mm、1580mm，鞍钢 1780mm 精轧机组均属此类布置。

2.2.3 精轧机组设备

2.2.3.1 边部加热器

边部加热器的功能是将中间带坯的边部温度加热补偿到与中部温度一致。带坯在轧制过程中，边部温降大于中部温降，温差大约为 100℃左右。边部温降大，在带钢横断面上晶粒组织不均匀，性能差异大，同时，还将造成轧制中边部裂纹和对轧辊严重的不均匀磨损。

边部加热器的形式有两大类。一类是保温罩带煤气烧嘴的火焰型边部加热器，这种边部加热器在国外生产硅钢的热带轧机精轧机组前可见。比如日本的八幡厂，意大利的特尔尼厂均有这种形式的边部加热器。另一类是电磁感应加热型边部加热器，这种边部加热器在国外普遍采用，效果更好，因加热温度可以调节，适用各类钢种。我国宝钢 1580mm 热带轧机精轧机组，设有此类边部加热器。鞍钢 1780mm 和武钢 2250mm 精轧机组预留了边部加热器的基础。

电磁感应型边部加热器结构形式有三种：固定型、地面小车移动型、悬挂式移动型。普遍采用地面小车移动型，如宝钢 1580mm，因为它维护方便。悬挂式边部加热器的形式如图 2-17 所示。

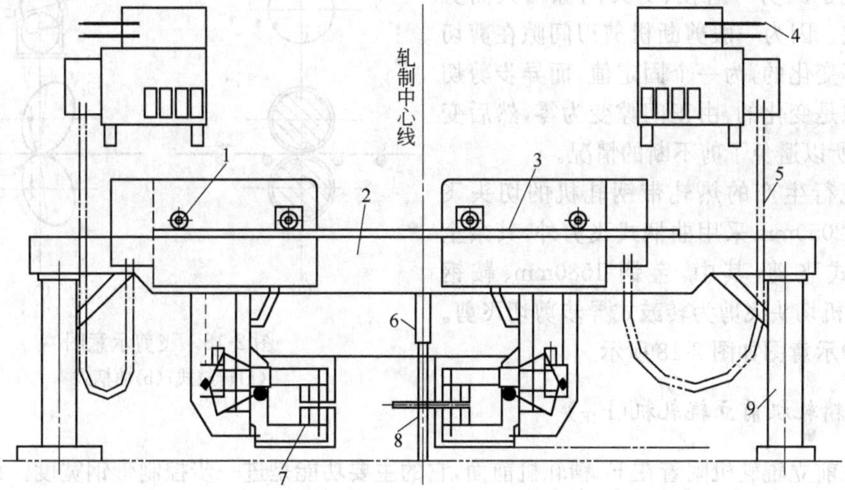

图 2-17 悬挂式移动型边部加热器

1—轮子；2—框架；3—轨道；4—电缆入口；5—电缆软管；6—接触式探测器；7—感应器；8—中心挡板；9—边部加热器支架

边部加热器加热带坯厚度范围为 20～60mm，带坯运行速度为 20～120m/min，边部加热范围为 80～150mm，边部增高温度最多可达 263℃，一般在距边部 25mm 处增加温度 80℃左右。

边部加热器的安装位置，若是火焰型则安装在飞剪前的中间辊道上；若是电磁感应型则大多数安装在切头飞剪前，少数安装在切头飞剪后，极个别安装在 F_1 和 F_2 精轧机之间，如日本新日铁名古屋厂。我国各热轧带钢厂的边部加热器均安装在飞剪前，原因是此处环境条件好。

边部加热器加热的钢种主要有冷轧深冲钢、硅钢、不锈钢、合金钢等。

电磁感应边部加热器是一个机电一体化设备，由一台 PLC 控制，与过程控制计算机相连。

该设备包括供电、变频、冷却等辅助设备，是一个独立的单元，全自动化运行。

2.2.3.2 切头飞剪

切头飞剪位于粗轧机组出口侧，精轧除鳞箱前。它的功能是将进入精轧机的中间带坯的低温和形状不良的头尾端剪切掉，以便带坯顺利通过精轧机组和输出辊道，送到卷取机，防止穿带过程中卡钢和低温头尾在轧辊表面产生辊印。

热轧带钢轧机的切头飞剪，一般采用转鼓式飞剪，少数采用曲柄式飞剪。转鼓式飞剪又分为单侧传动、双侧传动和异步剪切三种形式，它们的主要优点是结构较简单，可同时安装两对不同形状的剪刃，分别进行切头、切尾。曲柄式飞剪的主要优点是剪刃垂直剪切，剪切厚度范围大，最厚可达 80mm，缺点是只能安装一对直刃剪。

转鼓式飞剪结构在不断改进，开始的转鼓式飞剪是单侧传动，因当时中间坯厚度小，材质较软，剪切效果较好。随着中间带坯厚度不断增大，材料强度提高，单侧传动剪切出现扭曲，剪切质量不好，为此，在转鼓两侧均采用齿轮传动，减小了转鼓剪切时的扭曲，提高了剪切质量。异步剪切即为上下转鼓刀刃的线速度不一致，上刀刃比下刀刃线速度快。实现异步剪切的方法是上转鼓直径大于下转鼓直径约 5.6%，两转鼓的角速度相同，形成异步剪切。该剪切方式的主要优点是剪切断面质量好，剪切带坯厚度可增大到 60mm，避免了因剪刃磨损、剪刃间隙增大而剪不断的事故。因为一般剪断机剪刃间隙在剪切过程中是不变化的，为一个固定值，而异步剪切的剪刃间隙是变化的，由正间隙变为零，然后变为负间隙，所以避免了剪不断的情况。

我国现行生产的热轧带钢轧机的切头飞剪，除宝钢 2050mm 采用曲柄式飞剪外，其余全部为转鼓式飞剪，其中，宝钢 1580mm、鞍钢 1780mm 轧机切头飞剪为转鼓式异步剪切飞剪。各种飞剪的示意图如图 2-18 所示。

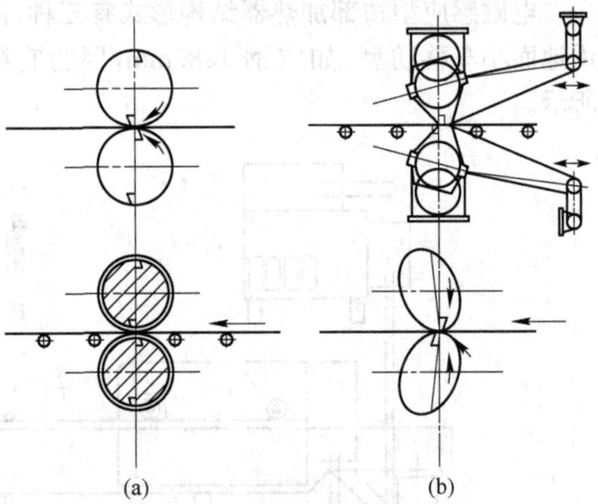

图 2-18　飞剪示意图
(a)转鼓式；(b)曲柄式

2.2.3.3 精轧机前立辊轧机(F_{1E})

精轧机前立辊轧机附着在 F_1 精轧机前面，它的主要功能是进一步控制带钢宽度。该轧机具有一定的控宽能力，它的侧压能力最大可达 20mm(带坯厚度为 60mm)，轧制力最大可达 1MN。在该轧机上配置了 AWC 的反馈功能、前馈功能以及卷取产生缩颈的补偿功能。

F_{1E}立辊轧机距 F_1 轧机中心线约 2800mm。轧机结构为上传动，由两台卧式电机经减速机与十字形传动轴相连，传动轧辊。轧辊开口度由两台电机经减速机与螺丝螺母相连，通过丝杆调节轧辊开口度。在丝杆端部与立辊轴承箱之间设有 AWC 油缸，实现带钢的宽度自动控制。

我国现有的热轧带钢轧机精轧机组，除宝钢 1580mm、鞍钢 1780mm 设有立辊轧机并具有 AWC 功能外，其他热带钢轧机均未设置带 AWC 功能的立辊轧机。

2.2.3.4 精轧机列设备

A　传动装置

传动装置是将电动机转矩传递给工作轧辊的机械设备。其传递过程如下：电动机→减速机→中间轴→齿轮机座→传动轴→工作轧辊。

减速机一般设在精轧机组的前3架轧机，减速比一般在1∶5～1∶1.8之间。精轧机组后4架一般为直接传动，但也有少数轧机仍采用减速机。在我国，精轧机组前3架减速比在1∶6.85～1∶1.97之间，宝钢的2050mm轧机，在F_4、F_5轧机上仍有减速机，其减速比为1.78和1.3。减速机对传动系统的响应速度有影响，应减少有减速机的机架。但是，采用减速机可以减少主电机的规格数量，可减少备件，扩大主电机共用性，还可降低主电机造价。因此，带减速机的机架数量，应根据具体条件来确定。

齿轮机座是将减速机或者主电机提供的单轴转矩分配给上下工作辊的装置。它由一组两个相同直径的人字齿轮构成，传动比为1∶1。对成对交叉轧机(PC)而言，齿轮座上下齿轮轴的中心线不在同一垂直平面内，有一个偏角。新近还出现了上下工作辊单独传动的精轧机，没有齿轮机座，此种传动方式的精轧机可实现精轧异步轧制。

传动轴是将齿轮机座分配的双轴转矩，分别传递给上下工作辊的装置。传动轴有十字形、扁头形、齿形三种。旧轧机传动轴均用扁头形传动轴，随着轧制速度的增高，精轧机后段传动轴将扁头形改为齿形，保证了传动系统的平稳运行。新轧机由于中间坯增厚，轧机负荷增大，精轧机传动轴广泛采用十字形接手和齿形接手。

精轧机传动装置示意图如图2-19所示。传动轴形式示意图如图2-20所示。

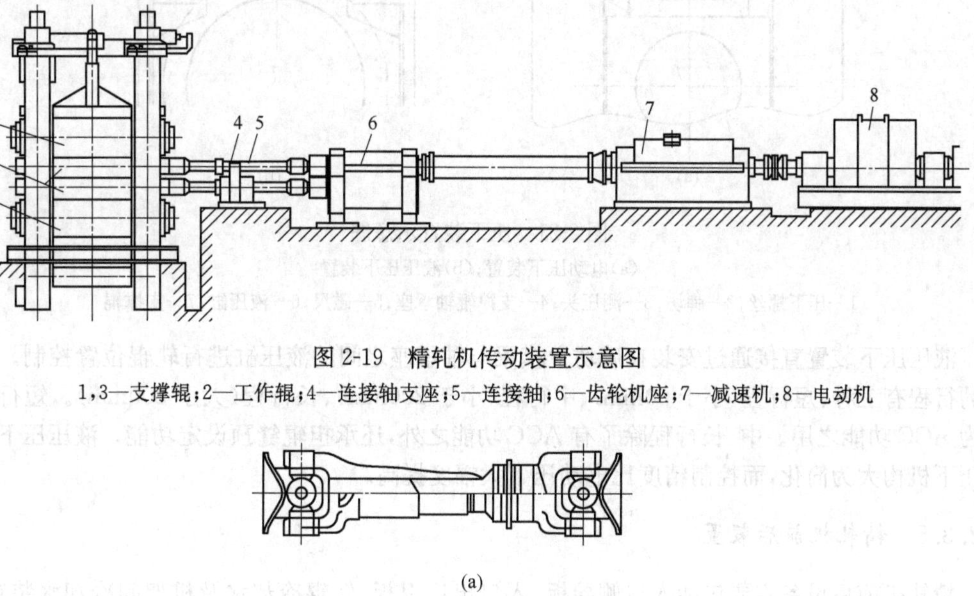

图2-19 精轧机传动装置示意图

1,3—支撑辊；2—工作辊；4—连接轴支座；5—连接轴；6—齿轮机座；7—减速机；8—电动机

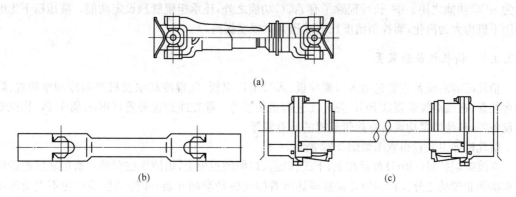

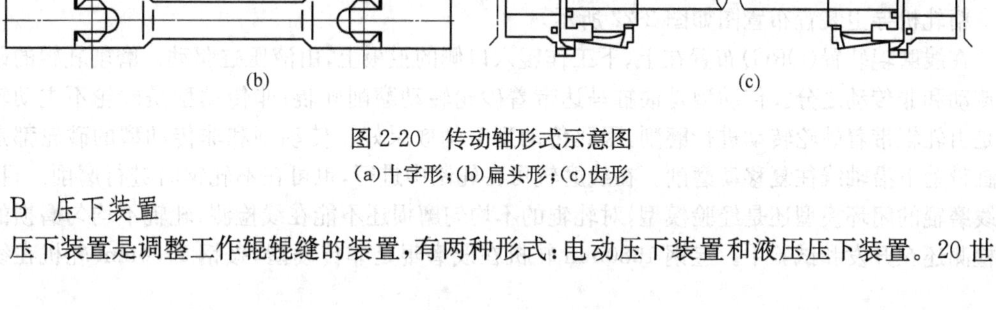

图2-20 传动轴形式示意图

(a)十字形；(b)扁头形；(c)齿形

B 压下装置

压下装置是调整工作辊辊缝的装置，有两种形式：电动压下装置和液压压下装置。20世纪

80 年代前的热轧带钢轧机，基本上全部为电动压下装置，极少数为液压压下装置。在 90 年代建设的新热带钢轧机，基本上采用液压压下装置，少数轧机采用电动压下＋液压 AGC 装置。

电动压下装置是将螺母固定在牌坊横梁上，压下螺丝是通过轧机平台上的电动机、减速机、蜗轮蜗杆减速机进行传动。两侧牌坊上的压下经离合器进行连接，因此，可单侧或两侧同时动作。电动压下装置因齿轮系统多、速比大，而传动效率低、齿间隙多、系统惯性大、响应速度慢、加速度小，因此控制精度较低。为了获得高精度的辊缝控制值，在压下螺丝和支撑辊轴承座之间增设一个液压压下缸，此液压缸通过内藏式高精度磁尺和液压伺服系统，获得高响应性及高精度的位置控制，即为液压 AGC 装置，使板厚精度大幅度提高。压下装置示意图如图 2-21 所示。

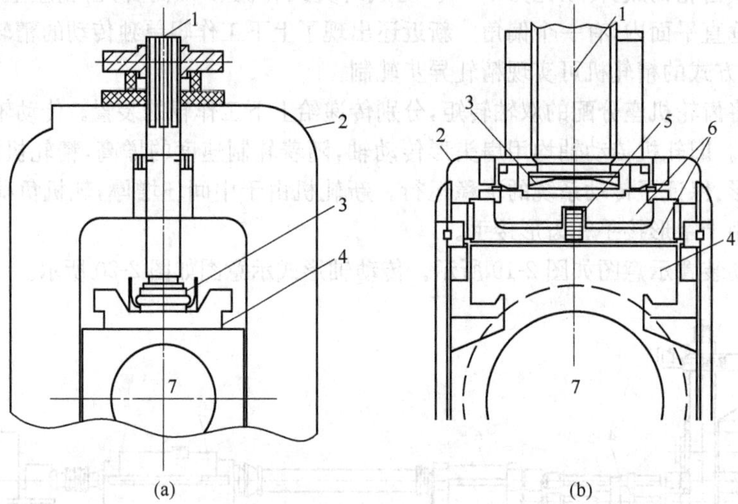

图 2-21 压下装置示意图

(a)电动压下装置；(b)液压压下装置

1—压下螺丝；2—牌坊；3—测压头；4—支撑辊轴承座；5—磁尺；6—液压缸；7—支撑辊

液压压下装置直接通过安装在牌坊上横梁与轴承座之间的液压缸进行轧辊位置控制。液压缸的行程有三种：短行程(小于 50mm)、中行程(小于 200mm)、长行程(大于 200mm)。短行程仅作为 AGC 功能之用。中、长行程除了有 AGC 功能之外，还承担辊缝预设定功能。液压压下比电动压下机构大为简化，而控制精度比电动压下大幅度提高。

2.2.3.5 精轧机前后装置

精轧机前后设备主要包括入口侧导板、入口出口卫板、轧辊冷却水及机架间冷却水装置、除鳞水装置、在线磨辊装置(ORG)、热轧工艺润滑装置等。除在线磨辊装置(ORG)属于 PC 轧机专配设备外，其他装置均属所有热带轧机的共有装置。

精轧机导卫装置布置图如图 2-22 所示。

在线磨辊装置(ORG)布置在上、下工作辊入口侧的卫板上，由液压缸驱动。磨削轧辊的砂轮有传动和非传动之分。传动型是油缸马达带着砂轮转动磨削轧辊；非传动型是砂轮不主动转动而是由轧辊带着砂轮转动进行磨削，因此传动型磨削效果好。传动型和非传动型的砂轮都是在油缸带动下沿轴线往复移动磨削。在线磨辊可在轧制中进行，也可在不轧钢时进行磨削。目前，在线磨辊的闭环模型还是经验模型，对轧辊的不均匀磨损还不能在线检测，轧辊不均匀磨损的在线检测还在开发和试验中。宝钢 1580mm 轧机在线磨辊是非传动型，鞍钢 1780mm 轧机在线磨

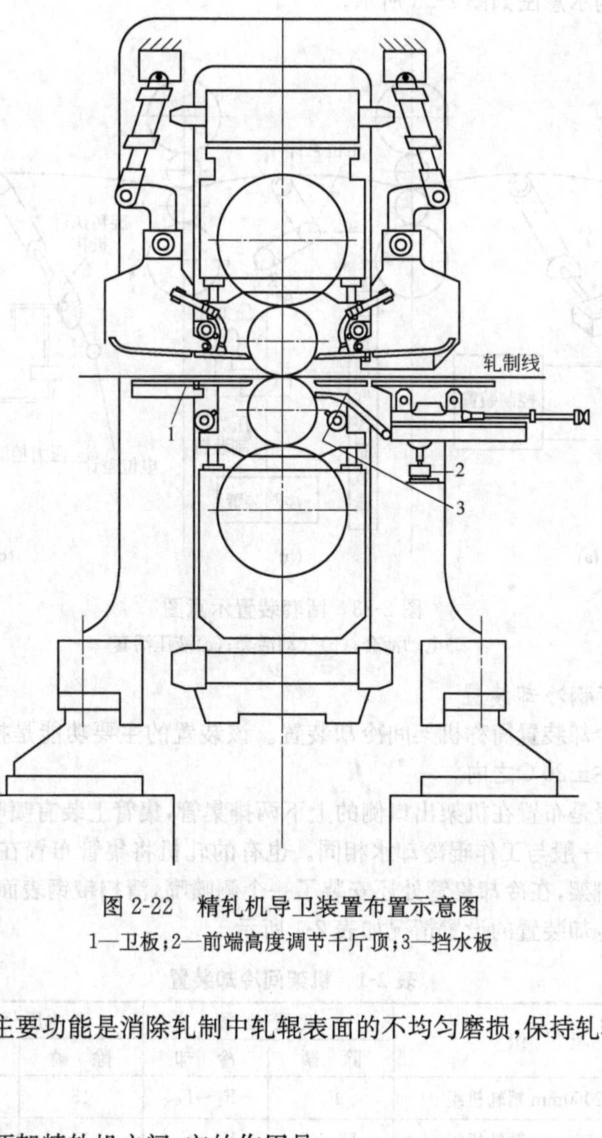

图 2-22 精轧机导卫装置布置示意图

1—卫板；2—前端高度调节千斤顶；3—挡水板

辊是传动型。

在线磨辊装置的主要功能是消除轧制中轧辊表面的不均匀磨损，保持轧辊表面光洁平滑，实现自由程序轧制。

A 活套装置

活套装置设置在两架精轧机之间，它的作用是：

(1) 对带钢头部进入下机架时产生的活套量起支撑作用；

(2) 轧制中通过活套装置的角位移变化吸收秒流量波动时引起的套量变化，保持轧制状态稳定；

(3) 对机架间的带钢施加一定的张力值，保持恒定小张力轧制。

活套装置有三种形式：气动型、电动型、液压型，目前使用最普遍的是电动型和液压型。我国热带轧机精轧机组的活套装置有液压型和电动型。

活套装置要求响应速度快、惯性小、启动快且运行平稳，以适应瞬间张力变化。气动型活套装置现已基本淘汰。电动型活套装置为减小转动惯量，提高响应速度，由过去带减速机改为电机直接驱动活套辊，电机也由一般直流电机改为特殊低惯量直流电机。有的厂家为进一步提高活套响应速度采用了液压型活套，由液压缸直接驱动活套辊，如武钢 2250mm 精轧机活套为液压活套。

随着机架间张力控制技术的进步，精轧机组前面部分机架采用无活套微张力轧制控制。如宝钢 2050mm 精轧机组 $F_1 \sim F_2$ 机架就采用了上述张力控制技术。

活套装置的结构示意图如图 2-23 所示。

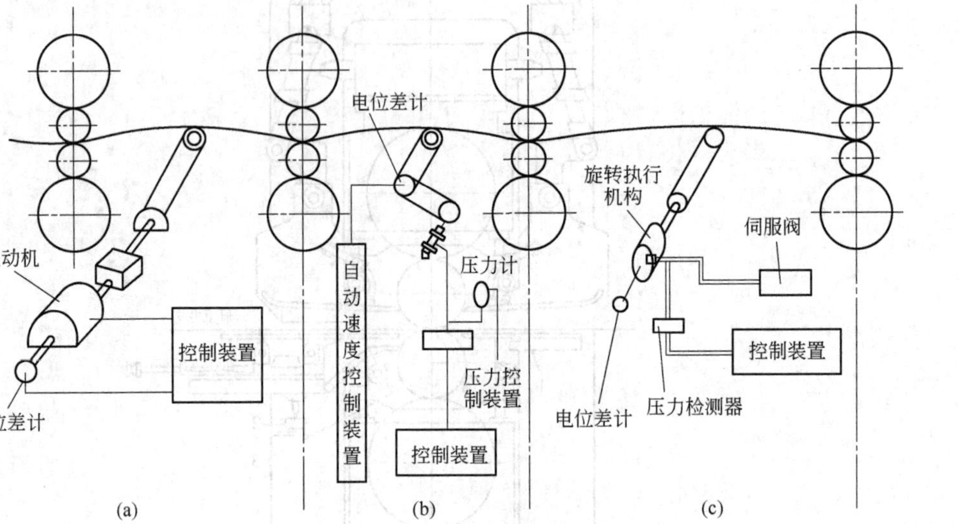

图 2-23　活套装置示意图

(a)电动活套；(b)气动活套；(c)液压活套

B　精轧机间带钢冷却装置

精轧机间带钢冷却装置简称机架间冷却装置。该装置的主要功能是控制终轧温度，保证精轧机终轧温度控制在±20℃之内。

机架间冷却装置是布置在机架出口侧的上下两排集管，集管上装有喷嘴，每根集管的流量为100～150m³/h，水压一般与工作辊冷却水相同。也有的轧机将集管布置在轧机入口侧。为了防止冷却水进入下一机架，在冷却集管处还安装了一个侧喷嘴，清扫带钢表面的水和杂物等。国内各精轧机组机架间冷却装置的设置情况如表 2-1 所示。

表 2-1　机架间冷却装置

序　号	机　　组	设置位置		水压/MPa		备　注
		除　鳞	冷　却	除　鳞	冷　却	
1	宝钢 2050mm 精轧机组	F_1	F_2～F_6	15	0.4	
2	宝钢 1580mm 精轧机组	F_1、F_2	F_1～F_6	15	2.0	
3	鞍钢 1780mm 精轧机组	F_1、F_2	F_3～F_6	10	1.0	
4	武钢 1700mm 精轧机组	F_1	F_2～F_6	15	2.3	
5	武钢 2250mm 精轧机组	F_1	F_2～F_6	16	1～0.4	
6	本钢 1700mm 精轧机组		F_1～F_6			
7	攀钢 1450mm 精轧机组		F_1～F_5		1.0	改造中
8	梅钢 1422mm 精轧机组		F_1～F_6		1.0	改造中
9	太钢 1549mm 精轧机组		F_0～F_5		1.0	改造中

C　润滑轧制

在精轧机组中采用润滑轧制的目的是为了降低轧制力，减少轧制能耗，减少轧辊磨损，降低辊耗，改善轧辊表面状态，提高带钢表面质量。

轧制时润滑油的供油方式有两种：一是直接供油，二是间接供油。直接供油是润滑油通过毛毡之类物品将油涂在轧辊上，或者通过喷嘴将油直接喷在轧辊表面上，工作辊、支撑辊均可喷油，直接供油法耗油量大。间接供油方式是采用油水混喷方式或蒸汽雾化喷吹方式。蒸汽雾化是用高压蒸汽将轧制油雾化，经喷嘴向轧辊表面喷涂。雾化方式的油浓度为7%～10%。油水混喷方式是在供油管的中途加入水，使油水混合，将混合后的油水用喷嘴喷向轧辊表面。油水混喷油浓度为0.1%～0.8%。

润滑油喷嘴与轧辊冷却水必须用刮水板分开(即入口上下卫板分开)。喷嘴安装位置在入口侧，混合油用水为过滤水，润滑油因轧辊材质不同应有区别。一般前3架为一种油，后4架为另一种油。

根据各种润滑方式使用结果的分析可以看出，间接供油方式比直接供油方式效果好，又省油，因此使用较普遍。我国宝钢1580mm和鞍钢1780mm精轧机组的润滑轧制，均为间接供油的油水混合方式。

润滑轧制的好处表现在以下几个方面：

(1) 减少轧辊磨损，降低轧辊单耗，延长换辊周期和轧制公里数。轧辊消耗量可降低40%～50%，轧制公里数可增加20%～40%。

(2) 降低轧制力，减少电能消耗并可实现更薄规格带钢的轧制。轧制力可降低8%～15%，电流降低8%左右。

(3) 改善轧辊表面状况，提高带钢表面质量。

润滑轧制原理示意图如图2-24所示。

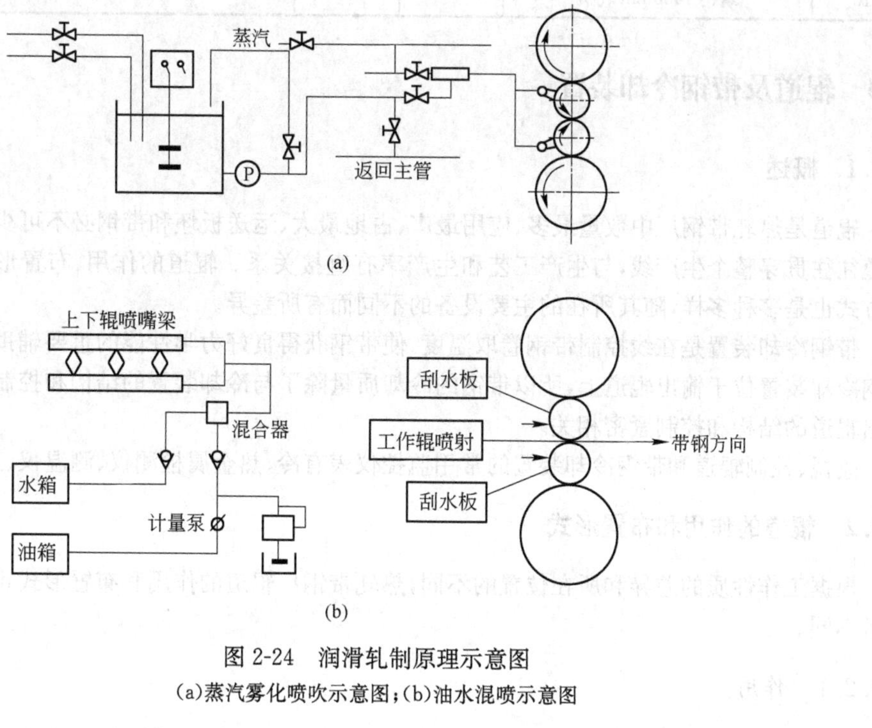

图2-24 润滑轧制原理示意图

(a)蒸汽雾化喷吹示意图；(b)油水混喷示意图

2.2.4 精轧机组板形控制

在20世纪80年代以前，精轧机组均采用四辊式轧机。之后，由于市场对带钢的板形质量要求愈来愈高，为了适应市场需要，增大板形控制能力，实现自由程序轧制技术，研制出了许多新型轧机，如工作辊和中间辊可轴向移动的六辊轧机（HC）、成对轧辊交叉轧机（PC）、连续可变凸度轧机（CVC）、弯辊和轴向移动轧机（WRB＋WRS）以及支撑辊凸度可变轧机（VC）等。因此精轧机组出现了单一或多种轧机形式的组合，比如，四辊轧机与 HC 轧机组合；四辊轧机与 PC 轧机、弯辊轧机 WRB 组合；CVC 与 WRB＋WRS 组合等等。目前我国热轧带钢轧机精轧机组的组合方式如表 2-2 所示。

表 2-2 我国热轧带钢轧机精轧机组的组合方式

序 号	机 组	精轧机组组合形式					机架数量
		四辊	PC	CVC	WRB	WRS	
1	宝钢 2050mm 轧机			7			7
2	宝钢 1580mm 轧机	1	6				7
3	武钢 1700mm 轧机				7	4	7
4	武钢 2250mm 轧机			4		3	7
5	鞍钢 1780mm 轧机	1	3		3		7
6	鞍钢 1700mm 轧机	6					6
7	本钢 1700mm 轧机	1		3	3		7
8	太钢 1549mm 轧机				7	3	7
9	梅钢 1422mm 轧机			3		3	6
10	攀钢 1450mm 轧机				6		6

2.3 辊道及带钢冷却装置

2.3.1 概述

辊道是热轧带钢厂中数量最多、应用最广、占地最大、运送板坯和带钢必不可少的辅助设备。辊道往往贯穿整个生产线，与生产工艺和生产率有直接关系。辊道的作用、布置形式、结构和传动方式也是多种多样，随其所在的主要设备的不同而有所差异。

带钢冷却装置是在线控制带钢卷取温度，使带钢获得良好力学性能的重要辅助设备。通常，带钢冷却装置位于输出辊道上，所以带钢的冷却质量除了与冷却装置的结构和控制有关外，还与输出辊道的结构和控制紧密相关。

监视、控制辊道和带钢冷却装置的常用监控仪表有冷、热金属检测仪、测温仪、工业电视等。

2.3.2 辊道的作用和布置形式

根据工作性质的差异和所在位置的不同，热轧带钢厂辊道的作用和布置形式也是大相径庭，有所不同。

2.3.2.1 作用

热轧带钢生产线上的辊道一般根据工作性质和所在位置的主要设备来分类，从板坯上料到带钢卷取通常分为：上料辊道、运输辊道、装炉辊道、出炉辊道、延伸辊道、工作辊道、中间辊道、输出辊道、机上辊道和特殊辊道。

辊道因种类的不同，其作用也有所不同，但主要作用有：

(1) 运送轧件；

(2) 辅助主要设备工作，将轧件运入或运出主要设备；

(3) 调节轧件温度。

2.3.2.2 布置形式

各个带钢厂热轧带钢生产线的辊道布置形式大同小异，一般辊道位于加热炉、粗轧机、精轧机和卷取机之间，以及卷取机上，主要差别在于辊道分组方式略有不同。

具有代表性的热轧带钢厂的辊道布置如图 2-25 和图 2-26 所示。

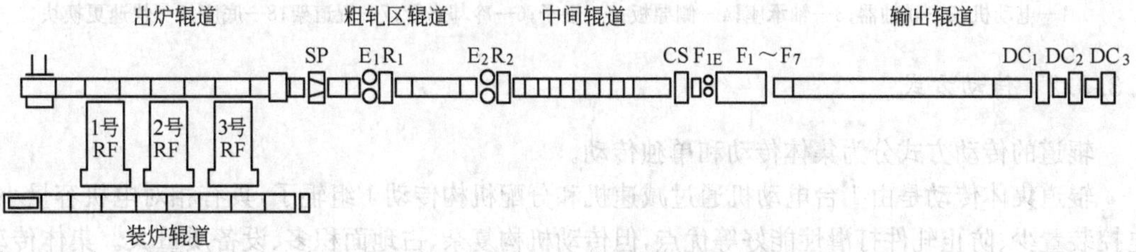

图 2-25 宝钢 1580mm 热轧带钢厂辊道布置图

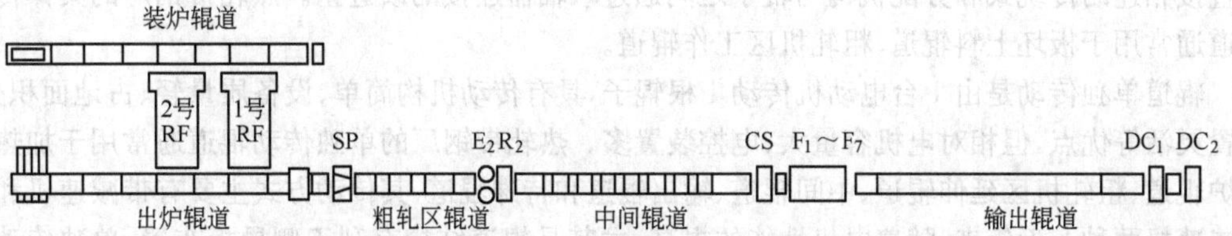

图 2-26 武钢 2250mm 热轧带钢厂辊道布置图

2.3.3 结构和传动方式

辊道的结构和传动方式与工作状态、负荷情况、环境状况及生产要求等有关。辊道的结构和传动方式不仅关系到设备的使用性和可靠性，而且对生产效率和产品质量有直接影响。

2.3.3.1 结构

热轧带钢厂的轧件质量大、温度高、氧化铁皮多，要求辊道结构既要抗冲击、耐高温、有利于氧化铁皮脱落，又要实现系列化、组合化，有利于维护检修和减少备品备件，降低生产成本。

辊道由辊子、辊道架、侧导板、盖板和传动装置组成。辊道的结构形式有固定辊道、升降辊道、倾斜辊道、旋转辊道和摆动辊道等。

辊子结构形状有实心辊、空心辊、圆盘辊。辊子材质有锻钢、铸钢、厚壁钢管、铸铁。辊子冷却方式有外部冷却、内部冷却、辊颈冷却。

辊道的结构与用途有关，如上料辊道、出炉辊道、粗轧机工作辊道，轧件运行速度慢，但温度高、冲击负荷大，通常采用实心锻钢辊；而输出辊道，轧件负荷轻，但运行速度快，辊子易磨损，通常采用表面喷涂空心锻钢辊或空心铸钢辊。大多数辊子采用外部冷却，只有特殊场合使用的辊子，才采用内部冷却或辊颈冷却。

典型的辊道结构如图 2-27 所示。

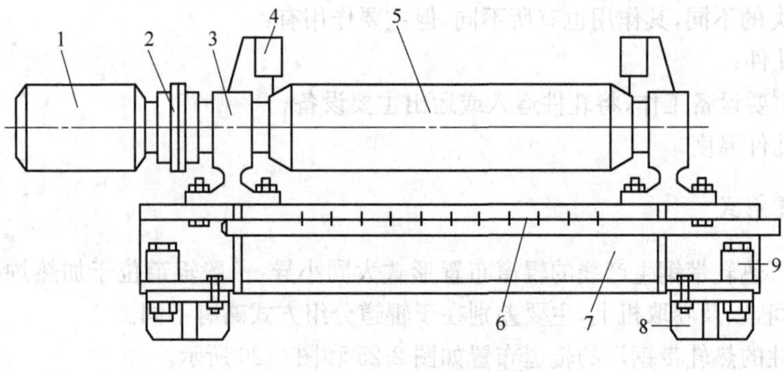

图 2-27 典型的辊道结构

1—电动机；2—联轴器；3—轴承座；4—侧导板；5—辊子；6—冷却水管；7—辊道架；8—底座；9—快速更换块

2.3.3.2 传动方式

辊道的传动方式分为集体传动和单独传动。

辊道集体传动是由1台电动机通过减速机和分配机构传动1组辊子，具有相对电机容量小、电控装置少、防止轧件打滑性能好等优点，但传动机构复杂、占地面积多、设备质量大。集体传动辊道的分配机构主要有圆锥齿轮箱和圆柱齿轮箱两种，其分配机构与辊子的连接方式又有与辊子直接相连的传统式和分配机构与辊子之间通过联轴器连接的改进型。热轧带钢厂的集体传动辊道通常用于板坯上料辊道、粗轧机区工作辊道。

辊道单独传动是由1台电动机传动1根辊子，具有传动机构简单、设备质量轻、占地面积少、布置灵活等优点，但相对电机容量大、电控装置多。热轧带钢厂的单独传动辊道通常用于加热炉出炉辊道、粗轧机区延伸辊道、中间辊道、输出辊道和特殊辊道，其传动方式主要有带减速机和不带减速机两种。近年来，随着电机性能的提高，尤其是辊道结构有利于侧导板布置，单独传动辊道也逐渐用于粗轧机工作辊道。

典型的辊道传动方式如图 2-28～图 2-30 所示。

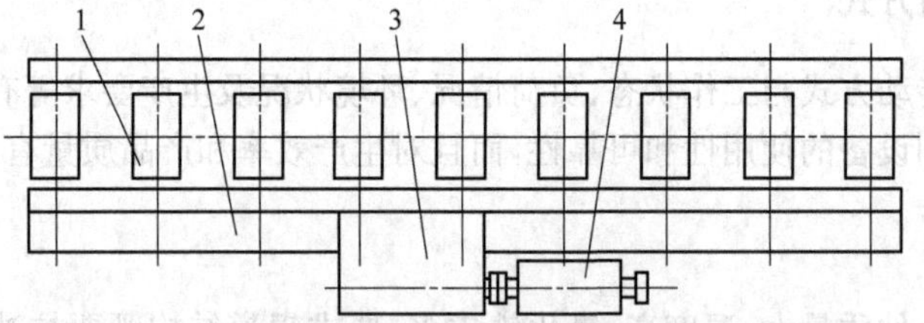

图 2-28 传统的集体传动辊道

1—辊道；2—分配齿轮箱；3—减速机；4—电动机

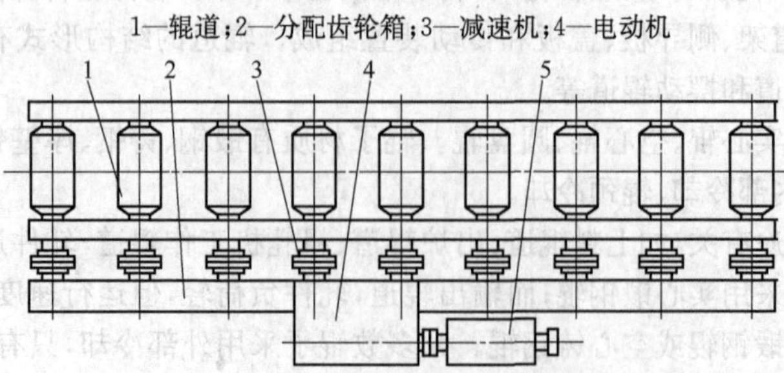

图 2-29 改进型集体传动辊道

1—辊道；2—分配齿轮箱；3—联轴器；4—减速机；5—电动机

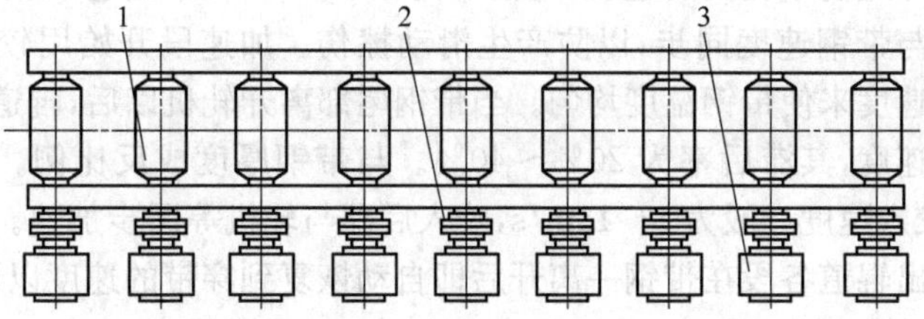

图 2-30　单独传动辊道

1—辊道；2—联轴器；3—电动机

2.3.4　辊道速度的确定和控制

辊道速度的确定和控制与生产工艺和前后的主要设备有关。

辊道速度控制方式分为调速和不调速两种。辊道调速方式主要有直流调速和交流变频调速。因交流变频调速装置比直流调速装置简单，所以交流变频调速辊道的应用越来越广泛。

调速辊道的控制方式主要取决于生产工艺要求，比如加热炉装炉辊道要求定位精度高，可逆式粗轧机前后工作辊道要与轧制方向和速度一致，中间辊道需要有游动功能，输出辊道要与精轧和卷取速度相匹配。

2.3.4.1　轧机前后辊道的速度确定

轧机前后辊道的速度，不仅与轧辊线速度有关，而且与轧制过程中的前滑和后滑有关。如果辊道速度与轧件速度不匹配，辊道与轧件之间产生相对滑动，就会出现轧件拖着辊道走或轧件冲击辊道的现象，造成轧件表面划伤，加剧辊道磨损。为了避免辊道与轧件之间产生相对滑动，轧机前后辊道的速度应考虑前滑和后滑，使之与轧机入口、出口轧件的速度同步。

轧机前后辊道速度与前滑、后滑的关系如下：

轧机入口轧件速度：$v_H=(1-S_H)v$

轧机出口轧件速度：$v_h=(1+S_h)v$

式中　v_H——轧机入口轧件速度；

v_h——轧机出口轧件速度；

v——轧辊线速度；

S_H——后滑率，$S_H=1-(1-\varepsilon)(1+S_h)$；

S_h——前滑率，$S_h=(v_h-v)/v$；

ε——压下率。

轧机前后辊道速度的确定一般是以轧辊名义直径的线速度为基准，再根据轧辊最大和最小直径的线速度并考虑前滑、后滑进行修正。

2.3.4.2　输出辊道的速度控制

输出辊道的速度控制是热轧带钢轧机所有辊道的速度控制中最典型、最复杂的控制。输出辊道的速度控制不但涉及到精轧速度和卷取速度，而且涉及到轧制、卷取及辊道本身的加速和减速，其辊道速度的设定和控制精度直接关系到轧制和卷取能否顺畅，直接影响生产率和产品质量。

带钢出精轧末架以后和在被卷取机咬入以前，为了在输出辊道上运行时能够“拉直”，辊道速度应比轧制速度高，即超前于轧机的速度，超前率为10%～20%。当卷取机咬入带钢卷上2～3圈以后，辊道速度应与带钢速度同步，以防产生滑动擦伤。加速段开始用较高加速度以提高产量，然后用适当的加速度来使带钢温度均匀。当带钢尾部离开轧机以后，辊道速度应比卷取速度低，亦即滞后于带钢速度，其滞后率为20%～40%。与带钢厚度成反比例。这样可以使带钢尾部"拉直"。卷取机咬入速度一般为8～12m/s，咬入后即与轧机等同步加速。考虑到下一块带钢将紧接着轧出，故输出辊道各段在带钢一离开后即自动恢复到穿带的速度以迎接下一块带钢。

2.3.5　带钢冷却装置

热轧带钢的终轧温度一般为800～900℃，卷取温度通常为550～650℃。从精轧机末架到卷取机之间必须对带钢进行冷却，以便缩短这一段生产线。从终轧到卷取这个温度区间，带钢金相组织转变很复杂，对带钢实行控制冷却有利于获得所需的金相组织，改善和提高带钢力学性能。

常用的带钢冷却装置有层流冷却、水幕冷却、高压喷水冷却等多种形式。高压喷水冷却装置结构简单，但冷却不均匀、水易飞溅，新建厂已很少采用。水幕冷却装置水量大、控制简单，但冷却精度不高，有许多厂在使用。层流冷却装置，设备多、控制复杂，但冷却精度高，目前广泛使用。

2.3.5.1　*层流冷却装置*

层流冷却装置位于精轧出口和卷取入口之间的输出辊道上，用于带钢控制冷却。层流冷却的水压稳定，水流为层流，通常采用计算机控制，控制精度高，冷却效果好。层流冷却装置主要由上集管、下集管、侧喷、控制阀、供水系统及检测仪表和控制系统组成。

上集管控制方式有：U形管有阀控制和直管无阀控制。两种控制方式都能满足控制要求，主要区别在于冷却水的开闭速度、结构和投资不同。U形管有阀控制冷却水的开闭速度比直管无阀控制冷却水的开闭速度慢，但其结构简单、投资少，所以U形管有阀控制应用较广。

层流冷却装置布置和上集管结构示意图如图2-31和图2-32所示。

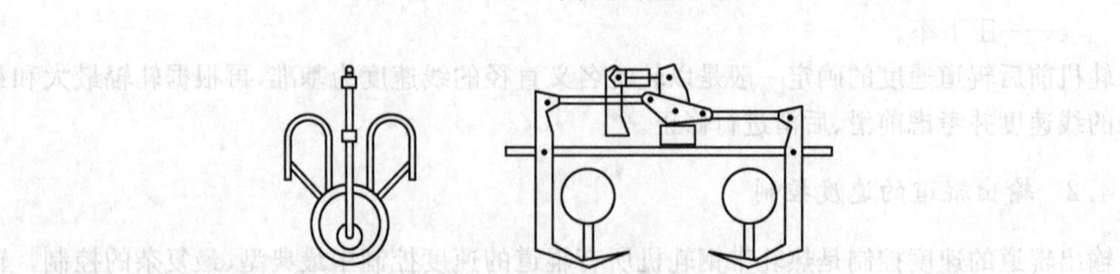

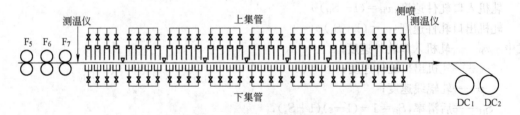

图2-31　层流冷却装置布置示意图

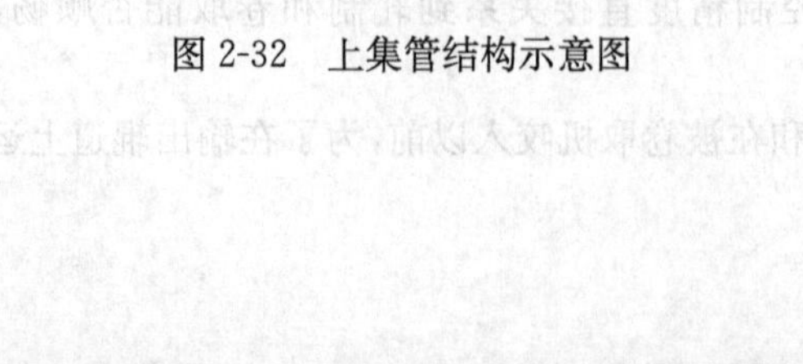

图2-32　上集管结构示意图

2.3.5.2　层流冷却供水系统配置

层流冷却用水特点是水压低、流量大、水压稳定、水流为层流。因此，供水系统应根据层流冷却的特点来配置。

常用的层流冷却供水系统配置方式有：泵＋机旁水箱、泵＋高位水箱＋机旁水箱、泵＋减压阀。泵＋机旁水箱的供水系统，通过水箱稳定水压和调节水量，系统配置简单，节能效果明显。泵＋高位水箱＋机旁水箱的供水系统，通过高位水箱调节水量，机旁水箱稳压，水压更稳定，节能效果明显，但系统配置复杂。泵＋减压阀的供水系统，水压相对稳定，水量不能调节，系统配置简单，但不节能。

通常供水系统选用的水泵电动机是电压高、功率大、启动时间长，不允许频繁启动。根据轧制品种规格合理配置层流冷却供水系统水箱，利用轧制间隙时间蓄水，调节带钢冷却的尖峰用水，相应把泵的能力减小，以节约能源。

水箱调节带钢冷却尖峰水量原理图如图 2-33 所示。

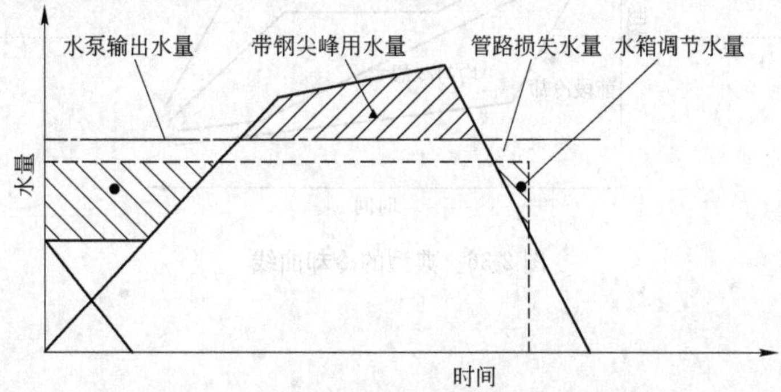

图 2-33　水箱调节带钢冷却尖峰水量原理图

2.3.5.3　冷却方式

层流冷却系统依据带钢钢种、规格、温度、速度等工艺参数的变化，对冷却的物理模型进行预设定，并对适应模型更新，从而控制冷却集管的开闭，调节冷却水量，实现带钢冷却温度的精确控制。

通常层流冷却装置分为主冷却段和精调段。典型的冷却方式有：前段冷却、后段冷却、均匀冷却和两段冷却。

层流冷却的控制原理、冷却方式和冷却曲线如图 2-34～图 2-36 所示。

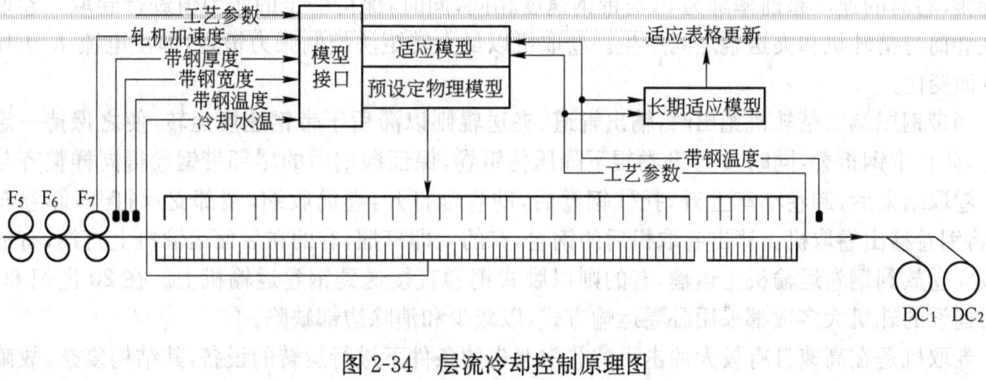

图 2-34　层流冷却控制原理图

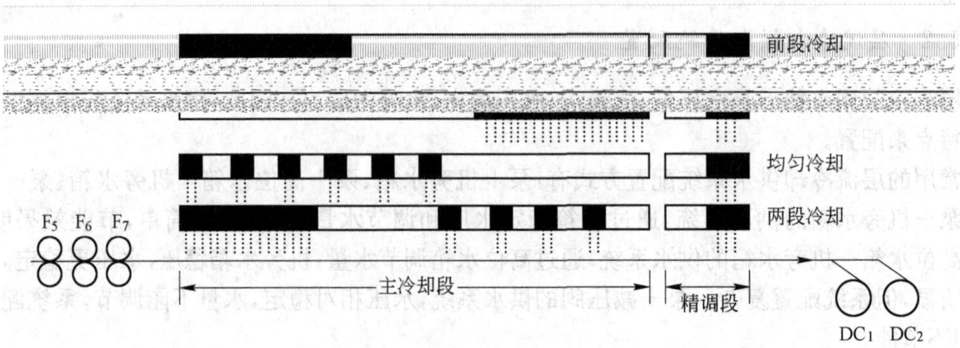

图 2-35 典型的层流冷却方式

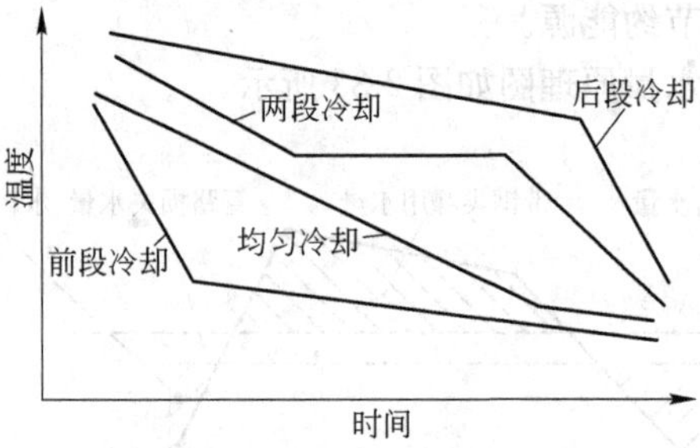

图 2-36 典型的冷却曲线

2.4 卷取机

2.4.1 概述

卷取机位于精轧机输出辊道末端,由卷取机入口侧导板、夹送辊、助卷辊、卷筒等设备组成。它的功能是将精轧机组轧制的带钢以良好的卷形,紧紧地无擦伤地卷成钢卷。卷取机的数量一般 2~3 台就能满足生产要求。

卷取机的作业过程如下:带钢头部进入卷取机前,输出辊道、夹送辊、助卷辊、卷筒均以不同的速度超前率进行运转。带钢头部进入夹送辊后,借助上下夹送辊的力量,迫使带钢头部向下弯曲,并沿着导板进入由助卷辊及导板和卷筒形成的间隙前进,同时,借助卷筒和助卷辊的超前率作用,将带钢紧紧地缠绕在卷筒上。当头部在卷筒上缠紧后(大约 3~4 圈),输出辊道、夹送辊、助卷辊、卷筒的速度超前率降为 0,与带钢速度相同,同时,保持一定的张力值进行卷取。卷取张力在卷筒与精轧机和夹送辊之间产生。卷取机以最大转矩法控制张力恒定,即使电流 I_a 正比于 D/ϕ 而变化。

当带钢尾端由精轧机抛出时,输出辊道、夹送辊则以滞后于带钢速度运转,使之保持一定的张力,防止带钢折叠,同时,1 号助卷辊下降压住钢卷,保证抛钢后的尾部带钢卷得同样整齐与紧密。卷取结束后,卸卷小车上升,托住钢卷后,助卷辊打开,卷筒收缩,端部支承打开,卸卷车移动,将钢卷移出卷取机。移出卷取机后的钢卷,有的立即打捆,有的在后面运输机上打捆,有的翻转成立卷放到钢卷运输机上运输,有的则以卧式钢卷直接送到钢卷运输机上。在 20 世纪 80 年代后建设的轧机大多数都采用卧卷运输方式,以减少和消除边部缺陷。

卷取机是在高速且有较大冲击力的非常恶劣的条件下进行运转的设备,其结构复杂,故障率高。要想保持稳定的良好卷取形状，设备制造精度、设备管理制度及设备维护非常重要。

根据卷取机的工作特点及环境条件，对卷取机的性能有特殊要求，如：

(1) 卷取机刚度高，不易变形；

(2) 耐反复冲击的高强度结构；

(3) 保持高机械精度的结构；

(4) 设备结构应利于检修和维护；

(5) 发生故障率低的机械结构。

为满足上述要求，设计出了各种形式的卷取机，如卷筒有固定式和移动式；夹送辊有摆动式、牌坊式、双牌坊式等各种形式；助卷辊有 8 辊、4 辊、3 辊及 2 辊等多种形式。卷取机的结构示意图如图 2-37 所示。

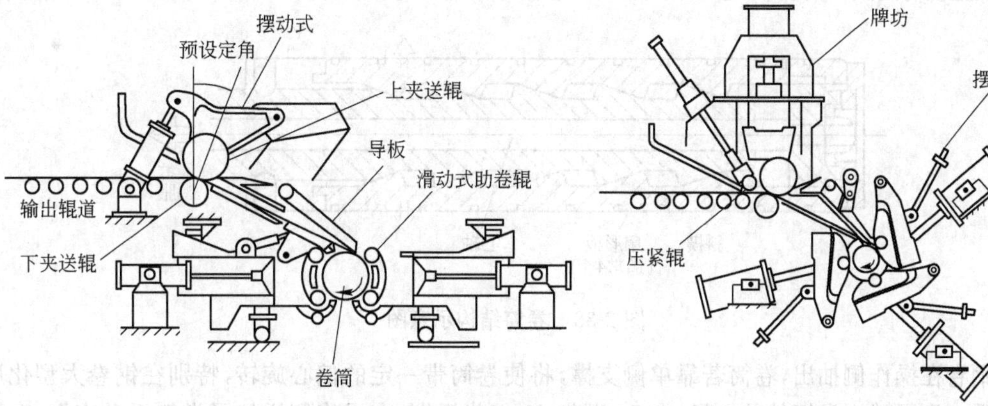

图 2-37 卷取机结构示意图

2.4.2 卷取机设备

2.4.2.1 卷取机的发展

最初的卷取机，卷筒有移动式和固定式两种。目前广泛采用的是固定式地下卷取机。移动式卷筒卷取机是卷筒高度与轧制线高度一致，随着卷径增大，卷筒逐渐下移。这种卷取机结构比较复杂。移动式卷取机的主要作用是改善卷取形状。但是由于轧制速度高速化、钢卷单重大型化、超厚高强度带钢的数量增多等原因，卷取机一般均采用刚度高的固定式卷取机，移动式卷取机目前已不存在了。卷取机的能力也由于前述的原因而增强，带材的卷取厚度由过去的 13mm 增加到 25mm，在 1983 年最大卷取厚度达到 30mm。

由于卷取机工作繁重，结构复杂，发生故障的频率比其他设备多，为了经常维持稳定的卷取操作，保持设备的完好性，有的工厂采用了卷取机从轧制线移出进行维修的方式。

从 20 世纪 80 年代开始，出现了气-液型和液压型卷取机。这两种卷取机的卷取能力和设备精度均高于气动式卷取机。

气-液型卷取机夹送辊、助卷辊的辊缝设定由液压缸完成，咬钢时产生的冲击振动，由气缸吸收。液压型卷取机夹送辊和助卷辊辊缝由液压伺服系统完成，设定精度极高，冲击和振动也由液压缸吸收。为避免和减轻带钢头部在卷第二、三圈时产生压痕，助卷辊采用了跳跃控制(AJC)技术。

20 世纪 90 年代以来，我国新建或改造卷取机，均采用液压型卷取机，对旧有的气动式卷取机逐步淘汰。

另外，对薄规格带钢，由于在输出辊道上运行不稳定，易飘浮，限制了穿带速度，为了缩短穿带时间，减少故障，提高产量和确保终轧温度，国外已出现了近距离卷取机。它与精轧末架距离40～70m。卷取时，卷取张力在夹送辊与卷筒之间建立。近距离卷取机适用于高温卷取的带钢和希望获得良好卷形的薄带钢。

2.4.2.2　卷筒

卷筒主要部件为扇形块、斜楔、心轴、液压缸等，图2-38为卷筒结构示意图。为了使卷取后的钢卷能顺利抽出，扇形板在斜楔的作用下移动，卷筒直径可随之变化。斜楔称为胀缩机构。为了使带钢在卷筒上卷紧，胀缩机构有过扩胀功能。卷筒的胀缩是由液压缸带动心轴，通过胀缩机构实现的。卷筒扇形块直接与高温带钢接触，它要求具有高耐磨性、耐热性，通常采用Cr-Mo耐热钢。

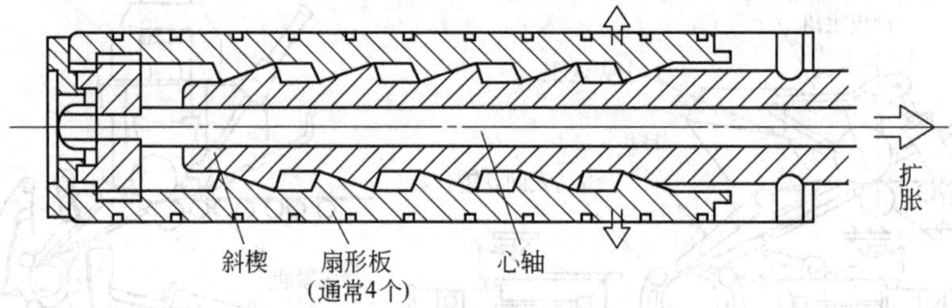

图2-38　卷筒结构示意图

钢卷在操作侧抽出，卷筒若靠单侧支撑，将使卷筒带一定的偏心旋转，特别在钢卷大型化后更严重。为了减少卷筒的偏心量，在20世纪60年代后期，在操作侧增加了卷筒活动支撑，有单支撑和双支撑两种形式。

卷筒传动是由电机通过减速机进行的。当包括传动系统在内的转动惯量(GD^2)大、卷取薄规格带钢时，由于头部卷紧时的冲击，在精轧和卷筒之间，屈服应力最小处会产生拉窄(缩颈)。为了减小转动惯量，采用两台电机切换工作，减速机进行速比切换工作。例如厚带钢用两台电机高速比工作，薄带钢用一台电机低速比工作。

2.4.2.3　助卷辊

助卷辊的作用是：

(1) 准确地将带钢头部送到卷筒周围；

(2) 以适当压紧力将带钢压在卷筒上，增加卷紧度；

(3) 对带钢施加弯曲加工，使其变成容易卷取的形状；

(4) 压尾部防止带钢尾部上翘和松卷。

要完成上述功能，助卷辊的布置十分重要，同时助卷辊的布置也是卷取机进行分类的依据。

助卷辊数量多，卷附性能好，但结构复杂故障多，辊缝调整困难。例如8助卷辊已经淘汰，我国鞍钢2800/1700mm半连轧厂卷取机原是8助卷辊，改建后现已拆除，目前主要采用3辊式卷取机，厚带钢卷取采用4辊卷取机。我国目前采用的卷取机基本上均为3辊式卷取机。液压卷取机助卷辊辊缝设定采用高响应特性的液压伺服系统，因此，可以实现助卷辊的跳跃控制(AJC)，大幅度减轻头部压痕的深度。自动跳跃控制的构成图如图2-39所示。

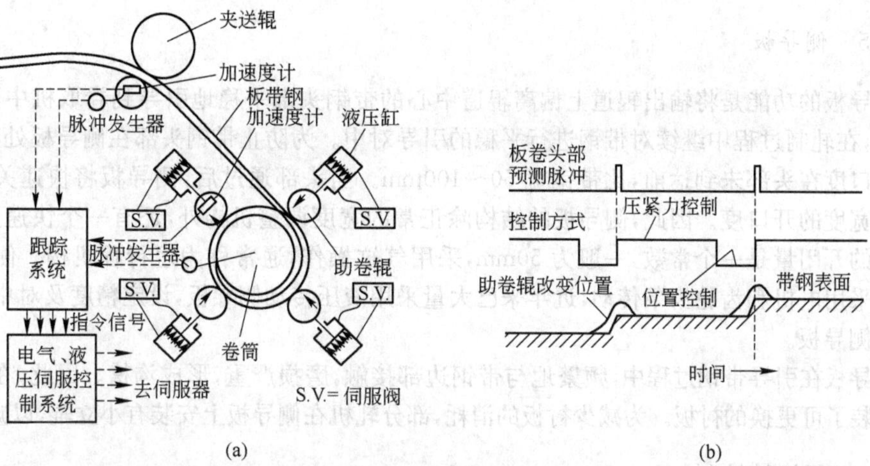

图 2-39 自动跳跃控制系统原理图

(a)跟踪系统;(b)液压式助卷辊跳跃动作

助卷辊工作条件恶劣,在高温、高压、高速并且在冲击负荷下工作。因此,要求助卷辊有高硬度、耐磨、耐高温性能。通常都使用特殊铸钢辊。现在,对助卷辊采用表面硬化处理非常广泛,即在一般辊子表面堆焊或喷涂一层耐磨、耐热且硬度高的合金,满足助卷辊的性能要求。这种助卷辊磨损后还可以进行再处理。

2.4.2.4 夹送辊

夹送辊设置在卷取机入口处,它的主要功能是:

(1) 将带钢头部引入卷取机入口导板;

(2) 在带钢尾端抛出精轧机时,对带钢施加所需要的张力,以便得到良好的卷取形状;

(3) 通过对夹送辊的水平调整,获得良好的卷形。

夹送辊是一对上大下小的辊子,上下辊之间有 10°~20°的偏角,带钢头部进入夹送辊后,头部被迫下弯,进入卷取机入口导板。

夹送辊上下辊都带有凸度,以便在卷取时带钢对中和延长辊子寿命。夹送辊对带钢施加后张力是由夹送辊的压紧力和传动马达决定的。第一代轧机的轧制速度低,夹送辊的马达只有 200kW 左右。随着轧制高速化,带钢厚度增大和材质高强度化,夹送辊的马达和压紧力也增大,马达容量最大已达 800kW,压紧力也由最早 100kN 增大到现在 1600kN。为此,夹送辊的形式也发生了变化,由摆动式发展为牌坊式、双牌坊式。卷取张力有卷筒与精轧机形成张力、有卷筒与精轧机和夹送辊形成张力、卷筒与夹送辊形成张力三种形式。各种张力控制方式对卷形的影响是不同的,特别是厚度大、强度高的带钢差异更明显。为此,采用双牌坊式夹送辊。前夹送辊起末架精轧机作用,建立张力,后夹送辊起正常夹送辊作用,而且在夹送辊前增加了一个压辊,防止带钢上翘。我国卷取机夹送辊还没有双牌坊式夹送辊,现采用的夹送辊多数为摆动式,其他为牌坊式。双夹送辊的组成如图 2-40 所示。

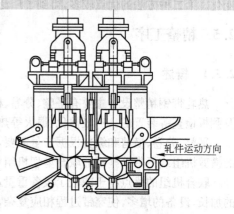

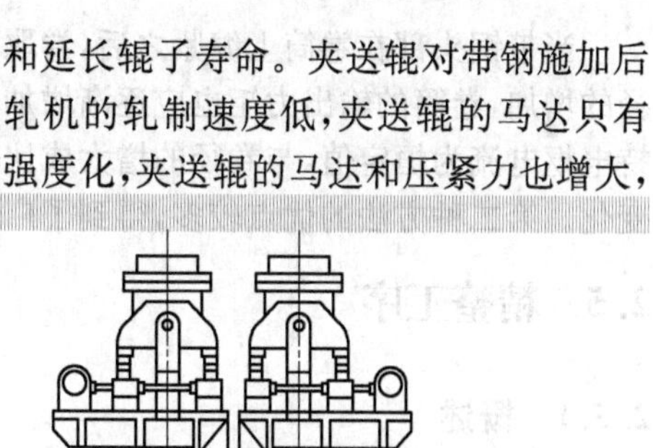

图 2-40 双夹送辊组成图

2.4.2.5　侧导板

侧导板的功能是将输出辊道上偏离辊道中心的带钢头部平稳地引导到卷取机中心线，送入卷取机，在轧制过程中继续对带钢进行平稳的引导对中。为防止带钢头部在侧导板处卡钢，侧导板的开口度在头部未到达前，比带钢宽 50～100mm。当头部通过后，侧导板将快速关闭到稍大于带钢宽度的开口度。因此，侧导板的结构除正常的宽度调整机构外，还有一个快速开闭机构，该机构的开闭量是一个常数，一般为 50mm，采用气缸操作，通常称为短行程机构。侧导板的传动一般采用电机和齿轮齿条传动，近年来已大量采用液压传动侧导板，设定精度及对中效果均优于电动侧导板。

侧导板在引导带钢过程中，频繁地与带钢边部接触，磨损严重，形成沟槽。因此，在侧导板的面上安装了可更换的衬板。为减少衬板的消耗，部分轧机在侧导板上安装有小立辊，以减小磨损。

2.4.3　卷取机的控制

2.4.3.1　卷取机速度控制

在卷取时，卷取机速度控制装置对输出辊道、夹送辊、助卷辊和卷筒的速度进行设定和控制。此设备进行速度设定和控制的依据是精轧机末架速度。为了使带钢头部在输出辊道上运行时有一定的前拉力，输出辊道的设定速度比精轧机末架的速度有 10%～20%的超前率；夹送辊应吸收带钢的松弛，也应有 10%～15%的超前率；卷筒为了把卷取转矩传递给带钢造成卷附状态，同时又需考虑卷取时的缩颈缺陷，因此薄带钢卷筒速度超前率应为 10%，厚带钢超前率应在 35%以内。助卷辊卷取时对带钢头部有弯曲作用，并移送带钢，应具有比卷筒大的超前率，约为 15%～40%。头部卷紧后，卷筒切换到张力卷取。助卷辊打开，卷筒转为电流控制。另外，带尾从精轧机出来至卷取结束，为得到好的卷形，此时卷筒转为速度控制，而夹送辊转为电流控制，对带钢尾部施加一定的张力。

2.4.3.2　卷筒的转矩控制

当带钢头部在卷筒上缠紧之后，卷取是在一定的张力下进行的。为保持恒张力卷取，随着卷径的增加，卷筒的输出力矩也应逐渐增加。为了实现这一控制目的，通常采用两种方法：其一，保持电枢电流为恒定值，与卷径的增大成比例地增大励磁电流；其二，使电枢电流 I_a 与 D/ϕ 成比例变化。第二种方法的优点较多，得到了广泛采用。

2.5　精整工序

2.5.1　概述

热轧带钢精整设备主要有平整、分卷、横剪和纵剪等机组，也有设置常化、退火等热处理设施及翻板检查等装置的。一般常化、退火等热处理工艺和翻板检查都是单张进行的。

平整、分卷、横剪和纵剪根据产量需要，可以单独自成机组，也可组成联合机组，如带平整机的横剪机组或不带平整机的联合剪切机组等。典型的机组组成如图 2-41 和图 2-42 所示。

联合机组的优点在于减轻了设备重量，简化了工艺流程，节省了中间仓库面积。但由于机组的加长，设备的增多，使穿带过程相应复杂，穿带时间相对增长，因此也给机组作业率和产量带来了一定的影响。

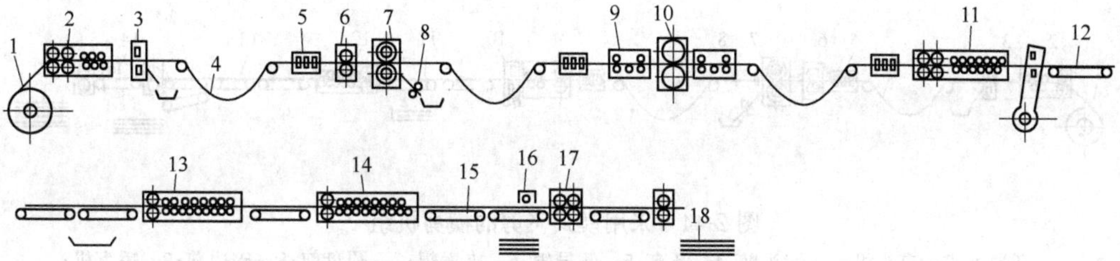

图 2-41 带平整机的横剪机组

1—开卷机；2—直头机；3—切头剪；4—活套；5—侧导辊；6—夹送辊；7—圆盘剪；8—碎边剪；9—张紧辊；10—平整机；11—带矫直机的飞剪；12—剪后运输带及试样收集；13—厚板成品矫直机；14—薄板成品矫直机；15—检查运输带及次品垛板台；16—滚印机；17—涂油机；18—成品垛板台

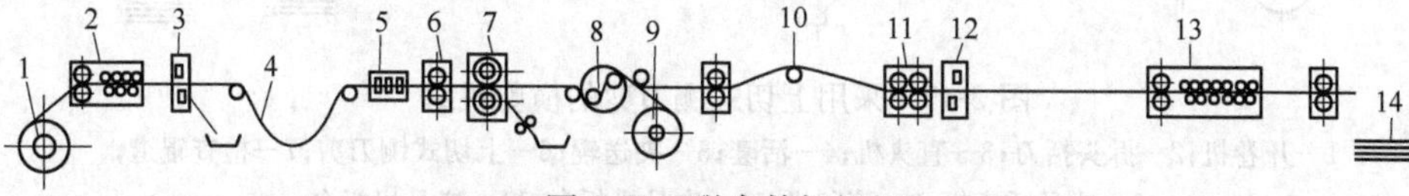

图 2-42 联合剪切机组

1—开卷机；2—直头机；3—切头剪；4—活套；5—侧导辊；6—夹送辊；7—圆盘剪；8—张紧装置；9—卷取机；10—活套；11—夹送辊；12—上切式定尺剪；13—成品矫直机；14—成品垛板台

2.5.2 横剪机组

横剪机组的剪切厚度应与轧机产品规格相适应，一般横剪机组由于飞剪和矫直机等设备性能的限制，厚度范围限于 2.5～4 倍之间。近年来，由于飞剪结构的改进，剪刃间隙可根据剪切厚度灵活调节，使飞剪的适应性大大提高，在分别设置矫直厚带和薄带的矫直机后，机组的剪切厚度范围可扩大到 6 倍左右。但由于横剪钢板的需要量较大，因此应多分设剪切较厚和较薄钢带的机组。

武钢 1700mm 有两条横切线，其剪切厚度分别为 1.2～6.35mm 和 4.5～12.7mm；宝钢 2050mm 有三条横切线，其剪切厚度分别为 1.2～6.35mm、2.5～9mm 和 6～25.4mm。

热轧钢板的定尺应根据用途而定，一般为 2～8m，最长不超过 12m。当钢板长度大时，会给垛板收集装置的设计造成困难，吊装、运输也不方便。

机组的穿带速度一般为 0.5m/s。当正常剪切时，速度为 0.5～2m/s。最高剪切速度主要受飞剪结构的限制。对于摆式飞剪，剪切时的速度限于 2m/s 以下，对于铡刀剪或模式飞剪，不超过 1m/s。

较典型横剪机组的设备组成如图 2-43、图 2-44、图 2-45 所示。这类机组一般由上料准备、拆头、开卷、直头、切头、切边、废边清理、活套存贮、切定尺、成品矫直、分选、打印、涂油、垛板及称量等设备组成。

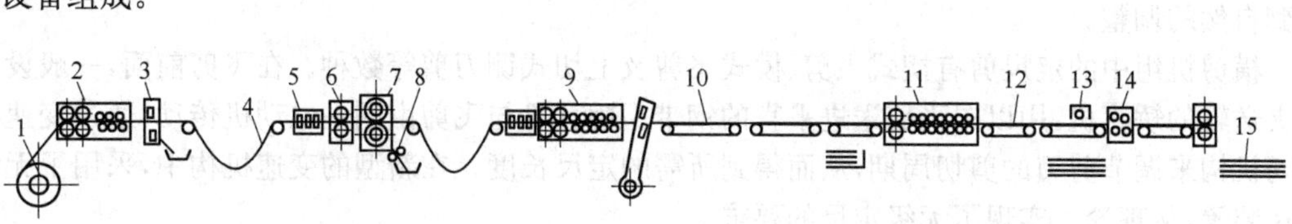

图 2-43 采用摆式飞剪的横剪机组

1—开卷机；2—直头机；3—切头剪；4—活套；5—侧导辊；6—夹送辊；7—圆盘剪；8—碎边剪；9—带矫直机的摆式飞剪；10—剪后运输带及试样收集；11—成品矫直机；12—检查运输带及次品垛板台；13—滚印机；14—涂油机；15—成品垛板台

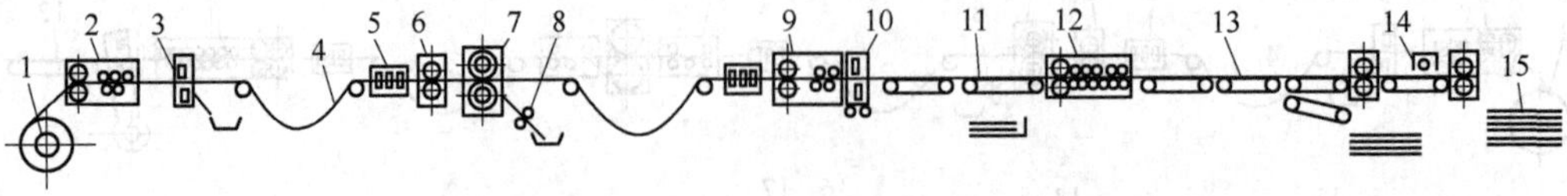

图 2-44　采用模式飞剪的横剪机组

1—开卷机；2—直头机；3—切头剪；4—活套；5—侧导辊；6—夹送辊；7—圆盘剪；8—碎边剪；9—矫直机；10—模式飞剪；11—剪后运输带及试样收集；12—成品矫直机；13—检查运输带及次品垛板台；14—滚印机；15—成品垛板台

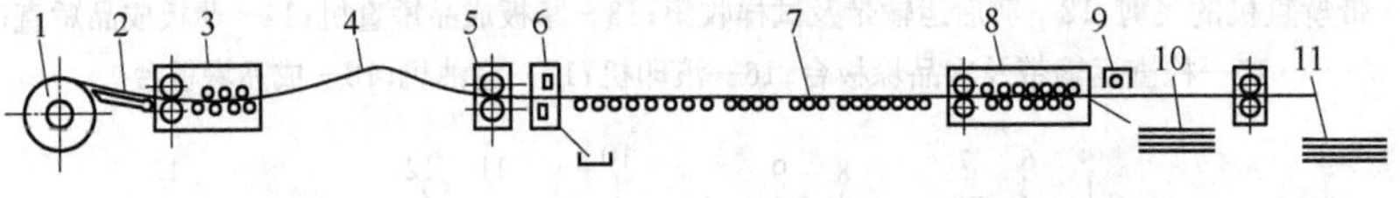

图 2-45　采用上切式铡刀剪的横剪机组

1—开卷机；2—拆头括刀；3—直头机；4—活套；5—夹送辊；6—上切式铡刀剪；7—检查辊道；8—成品矫直机；9—滚印机；10—次品垛板台；11—成品垛板台

上料准备由立卷运输链、翻卷机、卧卷运输链、钢卷吊运机及带升降的钢卷车等设备组成。拆头常采用专设的拆头机，在钢卷进入开卷机前预先拆头，以节约开卷时间；也有不设拆头机，待钢卷在开卷机上夹住后才拆头的。以上设备的装备水平对机组的产量影响很大，应根据机组产量、来料情况和吊车负荷来综合考虑。

常用的开卷机有双锥头式、悬臂卷筒式和双柱头式等。双锥头式结构比较简单，但易夹伤板边，且产生张力不大，在生产过程中易使钢板产生折痕和表面擦伤等缺陷。因此，近年来多改用带胀缩的卷筒式开卷机，以提高开卷质量。

直头机由压紧辊、压力辊、导板、夹送辊和矫直机等组成。它的作用是导入并矫直带钢端头。夹送辊和矫直辊一般都能快速打开，以便喂入不规整的带钢头部。由于工作条件较差，为保证足够的强度，矫直辊辊径比后面的矫直机的辊径大。

带钢由直头机送入切头剪，切去不规整的端头，以顺利通过作业线。切头剪一般采用下切式电动或液压剪，切头长度控制在 0.5～1.0m 之间，以利收集。

切头后的带钢通过活套台进入剪边圆盘剪前的夹送辊，由夹送辊将带钢送入圆盘剪，剪边最大宽度为 30～50mm。剪下的板边用碎边剪切成小块落入收集筐，也有不经碎断成卷收集的。剪边的目的是为了得到整齐的板边，但会直接影响金属的收得率。随着轧制技术的发展，带钢边缘质量不断改善，宽度公差得到愈来愈严格的控制，为成品钢板不剪边提供了可能性。

活套的作用有两个：一是调节、补偿设备之间的速度差，二是带钢因镰刀弯而引起的偏移可得到自然的调整。

横剪机组中的定尺剪有摆式飞剪、模式飞剪及上切式铡刀剪等数种。在飞剪前面，一般设有带夹送辊的矫直机，用以向飞剪送进平直的钢带。矫直机与飞剪由同一电动机传动，通过变速与空切机构来调节剪刃的剪切周期，从而得到所需的定尺长度。在新型的变速机构中，采用了无级变速装置，从理论上实现了无级定尺的要求。

当采用铡刀剪剪切定尺时，定尺长度由剪前夹送辊的间歇供料而确定，因此定尺精度取决于夹送辊的运转精度。除了要求夹送辊动作迅速、行程长度准确外，还要求夹送辊辊面与带钢间无相对滑动。由于活套的存在，夹送辊负荷变化很大，因此多采用双夹送辊并用无传动的测速辊来控制定尺长度。

飞剪后设有检查运输带,运输带的运送速度略高于剪切时的带钢速度(15%~25%),使钢板间拉开一定距离,以利操作。

在剪机后设有辊式矫直机,用以最后矫直成品板材。在矫直机后的运输带上,设有打印,涂油及分选装置,将钢板按质量分别运送到成品或次品垛板台上进行堆垛。钢板垛成垛板后,由它下面的垛板运输设备运出,并分别进行称量及打捆。

2.5.3 纵剪机组

为满足电焊管、冷弯型钢等机组对带钢宽度的要求,一般都设有纵剪机组,除剪边外,尚可分剪成不同数量和宽度的带钢卷。

纵剪机组的速度较横剪机组略高,除了穿带速度一般定为 0.5m/s 外,剪切时的正常速度一般为 1~3m/s。

纵剪机组的设备组成如图 2-46 所示,头部设备与横剪机组相似,直到圆盘剪以后才不相同,因此在产量要求不高的地方,常将纵剪和横剪合为一个联合机组,共用头部设备。

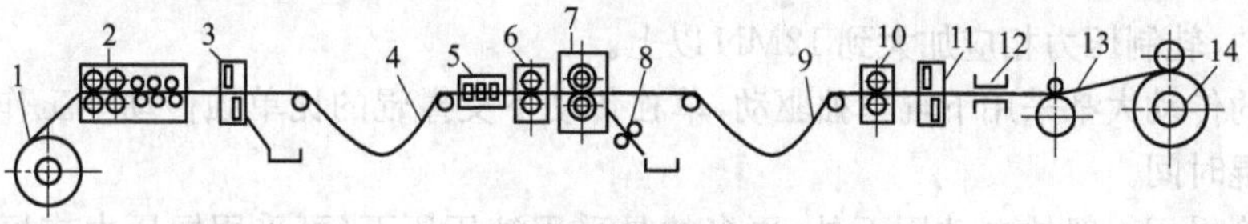

图 2-46 纵剪机组

1—开卷机;2—直头机;3—切头剪;4—活套;5—侧导辊;6—夹送辊;7—圆盘剪;8—碎边剪;
9—活套;10—夹送辊;11—分切剪;12—张紧装置;13—导辊;14—张力卷取机

纵剪机组的圆盘剪上可以装设多对刀片,可将一条带钢剪成若干条带钢(一般可多达 10 条以上)。热轧带钢纵剪时的条数取决于剪切设备的能力。

圆盘剪后面设有张紧装置和成品卷取机,卷取时带有一定的张力,张应力值为 5~20MPa,张紧装置的类型有辊式或压力导板式等。此外,经常有在卷取机前设置分切剪来切分带钢的,这样就在分剪大钢卷时省去了重新穿带。

在成品卷取机后,设有专门的卸卷设备,用以卸下成串的窄带钢卷。卸卷前,在卷筒上的钢卷,均需沿圆周方向捆扎,特别是厚带钢卷。

纵剪机组也有设计成不带活套的(即"拉剪")。在圆盘剪前、后设置活套,可使带钢自动定心和使切分后的多条带钢容易分开,但由于活套的存在既增加了机组的长度,又给圆盘剪后的穿带工作增加困难。无活套的纵剪机组,除克服了上述缺点外,还可提高机组的剪切速度。剪前无活套时,对带镰刀弯的带钢,由于失去了自动定心能力,故要求采用浮动型式的开卷机;剪后无活套时,为使机组实现同步运转,一般采用"拉剪"的方式,即在剪切过程中,圆盘剪刀盘不传动或仅有不大的动力,以弥补卷取张力的不足。此时卷取张力是由开卷和剪切两部分阻力合成的,因此三者之间的动力分配应有适当的比例。圆盘剪传动时,为减少刀盘的磨损,刀盘的圆周速度略高于带钢的移动速度。此外,在卷取机上需有分离压辊等设施,来控制每条带钢的张力,达到理想的剪切质量和卷取质量。

2.5.4 平整机组

2.5.4.1 概述

热轧带钢平整时的压缩率一般不大于 3%~5%。平整的目的是改善钢板的板形和消除局部的厚度超差。不大的压缩率(1%左右)还能降低屈服极限,改善深冲性能。但是并非所有热轧钢带都需进行平整。因此,除单独设置平整机外,常有在横剪机组上附设平整机的。单独设置的平整机组还可兼作分剪大钢卷用(标准规定热轧宽钢带最大卷重一般为10t)。

平整机组的组成如图2-47所示。开卷设备与横剪机组相类似,不同的是在线外拆头、切头。平整机后设有液压剪、张力装置和卷取机等设备。

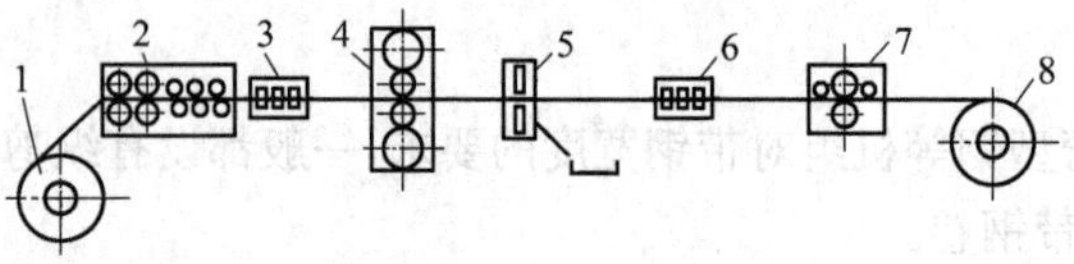

图2-47　平整机组

1—开卷机;2—直头机;3—侧导辊;4—四辊式平整机;5—下切剪;6—侧导辊;7—导辊;8—张力卷取机

平整机有二辊或四辊式结构。二辊平整机轧辊直径为600～800mm,轧制压力不超过5MN。近年来,为了得到较大的压缩率,有采用工作辊径500～600mm,支撑辊辊径1150～1350mm的四辊平整机的,轧制压力相应加大到12MN以上。

平整机的传动大都采用下辊单独驱动,单独传动下支撑辊的比单独传动下工作辊的可有效缩短换工作辊时间。

平整机除采用一般的电动压下外,更多的是采用液压压下(可采用恒压力或恒辊缝控制方式)。为矫直板形还设置了正、负弯辊装置。

热轧平整机组的工作速度可达8～10m/s,机组的穿带速度通常采用0.5m/s。

两个擦辊机构装在出口侧牌坊间,擦辊器由液压缸顶在支撑辊上,由气动缸进行调节,清除的粉尘通过一个真空吸附装置及有关粉尘分离系统进行收集。

2.5.4.2　平整分卷线的主要控制功能

平整分卷线的主要控制功能有:轧制压力控制、辊缝控制、弯辊控制、伸长率控制。

A　轧制压力控制

恒轧制压力控制是平整机的主要控制功能,穿带完成后操作员按"辊缝关闭"键,平整机开始压下并达到最小轧制压力,操作员按"确认"键后,平整机轧制压力自动升至设定的轧制压力,然后机组将带钢头部引入到卷取机。在平整过程的恒压力控制中,通过压力传感器实测值和设定压力值的比较进行闭环压力调整。

B　辊缝控制

辊缝控制主要在平整机穿带、甩尾、停止过程中使用。穿带时平整机辊缝打开,带钢头穿过平整机后,液压辊缝设定系统将工作辊平行压下到预设定的辊缝位置(辊缝关闭),当带钢头部到达规定位置时,液压辊缝系统由位置控制切换到压力控制。甩尾时,液压辊缝设定系统自动将压力降到零,并且由压力控制切换到位置控制。甩尾完成后辊缝自动打开到穿带位置。

C　弯辊控制

平整分卷线具有正负弯辊控制功能。弯辊控制用于补偿由轧制压力变化而引起的辊缝变化。弯辊力预给定,在平整过程中操作员可根据平整后的带钢板形调节弯辊力,以获得良好的成品带钢板形。

D　伸长率控制

伸长率控制有两种控制方式:轧制压力控制和带钢张力控制。当通过轧制压力控制伸长率时，控制特性为线性关系，即 $\mu=KP$（K 为控制因子，P 为轧制压力）。当通过带钢张力控制伸长率时，控制特性为较复杂的数学模型。

复习思考题

2-1 如何根据粗轧机的布置来划分热连轧带钢的形式？
2-2 进行板坯宽度控制时，有哪些设备？
2-3 为什么要采取保温措施，具体有哪些装置？
2-4 为什么要进行除鳞？
2-5 常见的精轧机组的布置形式有哪些？
2-6 切头飞剪的作用有哪些？
2-7 精轧机列的传动装置有哪些设备？
2-8 压下装置的类型有哪些？
2-9 润滑轧制有什么好处？
2-10 简述辊道的作用和布置形式。
2-11 热连轧带钢采用哪种冷却方式？
2-12 对卷取机的性能有什么特殊要求？
2-13 卷取机各部分在卷取前和卷取后速度如何控制？
2-14 简述平整分卷线的主要控制功能。
2-15 活套装置的作用是什么？
2-16 助卷辊的作用是什么，跳跃控制是什么意思？

3 厚度和宽度控制

3.1 概述

厚度和宽度是板带钢最主要的尺寸质量指标。20世纪50年代后期，已经出现了闭环模拟厚度控制系统，是热轧带钢自动化最先实现的功能，20世纪70年代厚度采用电动AGC，宽度只有预设定，20世纪80年代，出现了粗轧宽度自动控制，厚度广泛采用液压AGC，使带钢的厚度、宽度质量指标得到了很大提高，厚度偏差为±50μm，宽度偏差为+2～15mm，厚度、宽度全长命中率95%；20世纪90年代到现在，热轧带钢控制技术又有新的进展，厚度偏差±40μm，全长命中率99%，宽度偏差+2～6mm，全长命中率95%。厚度、宽度自动控制是现代化板带钢生产中不可以缺少的重要组成部分。

需要说明的是不同企业对头尾不统计的长度有不同要求，对换辊后及换规格后第几卷钢是否统计入内亦有不同要求。以上所列的百分比一般都不包括头10m和尾10m，减少头尾不考核长度是当前努力的方向。

热带厚度精度可分为：一批同规格带钢的厚度异板差和每一条带钢的厚度同板差。为此可将厚度精度分解为带钢头部厚度命中率和带钢全长厚度偏差。

头部厚度命中率决定于厚度设定模型的精度，当一批同规格带钢在进入精轧机组前由于粗轧轧出的坯料厚度、宽度，特别是带坯温度有所不同时，厚度设定模型为每一根带坯计算各机架辊缝（速度），保证轧出的每一条带钢头部厚度与要求的成品厚度之差不超出允许精度范围。

带钢全长厚差则需由AGC根据头部厚度（相对AGC采用头部锁定）或根据设定的厚度（绝对AGC）使全长各点厚度与锁定值或设定值之差小于允许范围，应该说头部精度对AGC工作有明显影响。同样，也可将宽度精度分解为带钢头部宽度偏差和带钢全长宽度偏差。

头部宽度偏差除了决定于宽度设定模型的精度外，还取决于变形条件及是否采用短行程控制（SSC）。

控制带钢全长宽度偏差，需在以下各方面着手：

(1) 改善卷取机咬钢后由速度控制向张力控制模式转换的平滑性，以免拉窄带钢。

(2) 改善精轧机组活套起套状态，实现活套起套软接触技术，以免拉窄带钢。

(3) 改善活套高度及张力控制减少活套快速摆动。

(4) 采用调宽压力机以加大调宽能力，并改善带坯头尾形状。

(5) 采用VSB时，为了避免头尾宽度变窄，可采用短行程（SSC）控制。

(6) 立辊采用电动机构设定，用液压微调缸调节宽度，以加强宽度控制能力。

(7) 粗轧区立辊以及F_E采用自动宽度控制（AWC）系统。

3.2 厚度设定

3.2.1 粗轧压下规程制定

粗轧机组一般不采用多机连续式轧制，其主要任务只是开坯压缩，将板坯轧成带坯，故质量要求不高，而相对于轧件厚度和压下量来说，轧机的弹跳影响也较小，故其压下规程的设定计算便可以采用比较简单的方法进行。

压下规程计算的内容包括确定中间带坯厚度 H_{RC} 及粗轧各个道次的轧出厚度 H_{Rij}（i 为粗轧机机架号，j 为道次号）。

带钢热连轧由于有粗轧和精轧两个区，厚度分配的第一个任务是确定粗轧区出口厚度 H_{RC}。H_{RC} 的确定实际上是确定了粗轧和精轧间的负荷分配。H_{RC} 值大时粗轧负荷减轻，精轧负荷加重。H_{RC} 值小时则相反。

原则上说，只要精轧机组有足够的能力，H_{RC} 应取大一些。

带坯厚度加大有利于减少粗轧道次，缩短粗轧轧制时间，提高精轧开轧温度，但可能加大精轧机组负荷(对精轧轧制时间影响不大)。带坯厚度应首先根据成品厚度来定，一般说如需轧制较薄的成品，带坯厚度亦需相应减薄，但太薄的带坯又无法保证轧制薄规格成品所需的精轧开轧温度，即使保证了精轧开轧温度，由于轧制温度较低，精轧机的负荷也不会降低太多，甚至有可能增大。

带坯厚度需根据轧机的实际布置和粗精轧设备能力通过优化设计加以确定。

从减少温降保证精轧开轧温度出发，亦为了降低出炉温度节省能源，现代热连轧发展了以下技术：

(1) 采用强力粗轧机及强力精轧机(特别是 $F_0 \sim F_3$)。以 1700mm 热连轧为例，允许轧制力从过去的 20MN 提高到 30MN，粗轧主传动功率从 5000kW 提高到 10000kW，精轧主传动由 3500kW 提高到 8000kW。因此可加大压下量以及加大送精轧的带坯厚度。

(2) 粗轧机前后及粗精轧间采用保温罩。

(3) 对产量不十分高的恒速精轧机组采用粗轧后设置热卷取箱以减少温降，特别是使带钢温度均匀化，减少头尾温降。

(4) 薄板坯连铸连轧采用长隧道炉提高进入粗精轧的带坯温度。

表 3-1 列出了某 1700mm 轧机所采用的 H_{RC} 值，由于不同轧机其粗精轧轧机能力不同，表 3-1仅能作为参考。

表 3-1 某 1700mm 热连轧 H_{RC} 的选用值

成品厚度/mm	<3.89	3.9～5.29	5.3～6.99	7.0～9.49	9.5～12.7
H_{RC}/mm	32	34	36	38	38～40

H_{RC} 值确定后，厚度分配的任务为：根据粗轧原料厚度 H_S 及 H_{RC} 确定粗轧道次数及各道次压下量(各道次轧出厚度)。

粗轧机组厚度分配的第一个任务是确定道次数，对单机架可逆粗轧机来说可按下式计算其平均压下量 ΔH_m

$$\Delta H_m = \frac{1}{R}\left(\frac{1.9 \times 971N}{n_m P_m}\right)^2$$

式中 n_m——各道次轧辊平均转速，r/s；

P_m——各道次平均轧制力，kN；

N——电机功率，粗轧机允许过载 2.1～2.25 倍，此处取 1.9 以留有余地(N 的单位 kW)；

R——轧辊半径，mm。

道次数为

$$RN = \frac{H_S - H_{RC}}{\Delta H_m}$$

归整为奇数后即为道次数。对两台粗轧机的情况，则应归整为偶数。各道次压下量分配可参考表 3-2 所列的分配系数 β_i（总压下量的分配比例），对各道次负荷进行计算后再适当进行调整。

表 3-2　粗轧压下量分配系数 β_i

轧制道次 / 道次	3	5	7	轧制道次 / 道次	3	5	7
1	0.375	0.227	0.172	5		0.173	0.132
2	0.320	0.207	0.162	6			0.126
3	0.305	0.202	0.152	7			0.114
4		0.191	0.142				

3.2.2　精轧压下规程制定

连轧机组制定轧制规程的中心问题是合理分配各架的压下量，确定各架实际轧出厚度，亦即确定各架的压下规程。制定连轧机组压下规程的方法很多，最常用的是利用现场经验资料直接分配各架压下率或厚度以及分配各架能耗负荷两种方法。这些都是经验方法。国内外实用的负荷分配方法主要是分配系数法，例如我国武钢 1700mm 热连轧机是用能耗分配系数法；宝钢 2050mm 热连轧机和鞍钢 1700mm 热连轧机则有压下率、压力、功率三种分配系数法，常用的是压下率分配系数法；本钢 1700mm 热连轧机则应用由德国 AEG 公司提出的快速分析算法。这些方法都是按分配系数法求得压下量分配，用数学模型计算力能参数，以校核机电设备和工艺等限制条件，校核通过后算出辊缝、速度等控制系统设定值，并无在线优化轧制规程的功能。国内外在优化规程方面有大量研究，主要有目标函数的非线性规划法和动态规划法。但这些方法计算量太大，难以在线实时应用，只能对分配系数做一些改进。我国张进之等人利用轧制负荷函数的单调性，证明等负荷分配存在并唯一，形成综合等储备设定轧制规程的方法，将几维非线性最优化问题转化为几个一维最优化问题，实现了在线实时优化规程的计算，已成功应用于可逆式轧机，即将在连轧机上开发应用。常用的能耗法也只是通过能耗负荷分配来达到分配各架压下量、确定各架轧出厚度的目的。连轧机组分配各架压下量的原则，一般也是充分利用高温的有利条件，把压下量尽量集中在前几架。对于薄规格产品，在后几架轧机上为了保证板形、厚度精度及表面质量，压下量逐渐减小。但对于厚规格产品，后几架压下量也不宜过小，否则对板形不利。在具体分配压下量时，习惯上一般考虑：

(1) 第一架可以留有适当余量，即是考虑到带坯厚度的可能波动和可能产生咬入困难等，而使压下量略小于设备允许的最大压下量；

(2) 第二、三架要充分利用设备能力，给予尽可能大的压下量；

(3) 以后各架逐渐减小压下量，到最末一架一般在 10%～15%左右，以保证板形、厚度精度及性能质量。连轧机组各架压下率一般分配范围如表 3-3 所示。

表 3-3　连轧机组各架压下率分配范围

机架号数		1	2	3	4	5	6	7
压下率/%	六机架	40～50	35～45	30～40	25～35	15～25	10～15	
	七机架	40～50	35～45	30～40	25～40	25～35	20～28	10～15

现代连轧机组轧制规程设定最常用的还是“能耗法”或称“能量参数的组合确定法”。这就是从电机能量（功率）合理消耗观点出发，按经验能耗资料推算出各架压下量。对于轧机强度日益

增大、轧制速度日益提高的现代连轧机而言，由于电机功率往往成为提高生产能力的限制因素，采用这种方法是比较合理的。为了便于按能耗资料推算出各架压下量，必须找出能量消耗，即功率消耗(或马达电流)与压下量(或轧件厚度)之间的定量关系。这就是所谓单位能耗曲线。这种曲线靠单纯理论推导计算十分复杂而又很难符合实际，故主要都是靠工厂实测经验资料来建立。在生产条件下，根据实际测得的电压与电流值便可求出轧制时实际需要的功率，再经过加工整理，绘成所轧规格的能耗曲线。当轧机型式、原料与产品规格及轧制温度与压下制度一定时，轧制功率与轧机的小时产量有关，亦即与轧制速度有关。为便于比较和应用，通常采用单位小时产量的轧制功耗 a，即所谓单位能耗，单位为 MJ/kN，相当于单位时间轧制 1kN 钢材所消耗的功率或能量，即令轧机单位时间产量为 Q，功率消耗为 N(MJ)，则

$$a=\frac{N}{Q}=\frac{UI}{Q}$$

可见只要实测出电流(I)与电压(U)的数值，便不难求出 a 值。多年来各种轧钢机，尤其是带钢连轧机在轧制各种规格和钢种的钢材生产过程中已作了许多试验，积累了相当丰富的能耗实测资料。为了使试验数据具有通用性，从所测电机功率消耗中扣除了空转功率及电机铁损等非轧制功率，并将其画成曲线或整理成表格，以便于实际应用。我们常见到的能耗曲线形式如图 3-1 所示，其中图 3-1(a)常用于初轧机、型钢轧机；图 3-1(b)常用于钢板轧机。

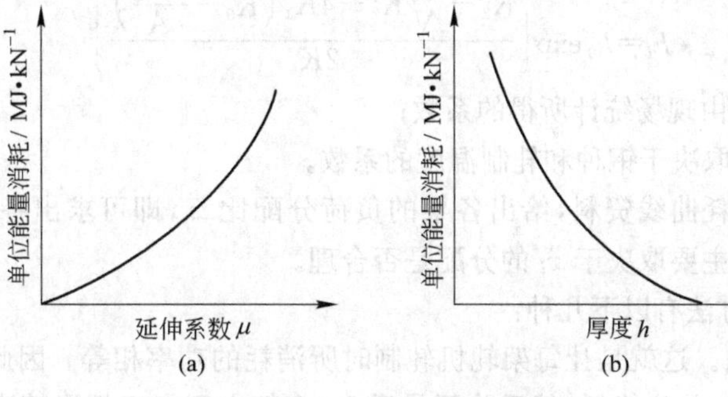

图 3-1 几种形式的能耗曲线

(a)常用于初轧机、型钢轧机；(b)常用于钢板轧机

理论推导可以证明，单位能耗是延伸系数的函数。由于延伸系数 $\mu=H_0/h$，当坯厚 H_0 一定时，轧制厚度愈小，即延伸愈大，所以习惯上用 h 表示横坐标，这样在使用上也比较方便。实际应用这些曲线时，应指出这种曲线对于每套轧机都不可能完全一样，即使情况基本相同的轧机，也会有10%或更多一点的差异；并且轧制规程特别是温度规程对能耗的影响很大。例如轧不锈钢时，带钢温度若比标准温度降低 55℃，就会使轧机能耗增大约 25%；降低 166℃，则几乎增加 100%。因此，为便于实际应用，每套轧机最好要积累自己的实验资料，作出自己的单位能耗曲线。

能耗曲线除可用来制订压下规程以外，还可用以选择轧钢机的电机容量：

$$N=aQ=3600vbh\gamma a$$

式中 v、γ——轧制速度及钢的比重；

b、h——轧件的宽度和厚度。

已知总的单位能耗，便可求得总的电机功率，然后再根据需要分配到各架轧机上去，得到各架轧机的功率。

为了计算方便，有人还力图将能耗曲线数式化。例如，日本今井一郎提出

$$a_i=a_0(\mu_i^m-1)$$

$$m=0.031+\frac{0.21}{h}$$

根据 $\mu_\Sigma=\dfrac{H}{h}$，$\mu_i=\dfrac{H}{h_i}$ 及 $a_i=x_i a_\Sigma$，可推导出

$$h_i=\frac{Hh}{[h^m+x_i(H^m-h^m)]^{1/m}}$$

式中 μ_i、a_i——i 架的累积延伸系数及累积能耗；

μ_Σ、a_Σ——总延伸系数及总能耗；

x_i——i 架的累积能耗分配系数或负荷分配比，即

$$x_i=\sum_{j=1}^{i}a_i\Big/\sum_{j=1}^{n}a_j=a_i/a_\Sigma$$

所以 $a_i=x_i a_\Sigma$。根据能耗经验资料，给出各架的 x_i 值，即可算出各架的厚度 h_i 值。

我们还可以将能耗曲线写成

$$x_i a_\Sigma=A\left[K_1\left(\ln\frac{h_0}{h_i}\right)^2+K_2\left(\ln\frac{h_0}{h_i}\right)+K_3\right]$$

则得

$$h_i=h_0\exp\left(\frac{K_2-\sqrt{K_2^2-4K_1\left(K_3-\dfrac{x_i a_\Sigma}{A}\right)}}{2K_1}\right)$$

式中 K_1、K_2、K_3——由现场统计所得的系数；

A——取决于钢种和轧制温度的系数。

同样，只要根据能耗曲线资料，给出各架的负荷分配比 x_i，即可求出各架的厚度 h_i 值。因此，厚度分配是否合理主要取决于 x_i 的分配是否合理。

常用的负荷分配方法有以下几种：

(1) 等功耗分配法。这就是让每架轧机轧制时所消耗的功率相等。因此只要求出轧制该种产品时在连轧机组的总单位能耗，然后除开最后 1～2 架由于考虑板形精度而采用较小的能耗(即较小压下量)以外，将所剩的全部能耗平均分配到其余各架轧机上去，便可求得其余各架的轧后厚度。这种方法在冷连轧机组上，当各架电动机容量相等时，常用来作为确定压下规程的方法。对于热连轧机组，在前几架电机容量相等时，也可用作初分配的方法。

(2) 等相对功率分配法。假如连轧机组各轧机的主电机容量并不相等，则能耗的分配就不能按等功耗原则，而必须按各架轧机的相对电机容量来进行。设连轧机组的总电机功率为 $\sum_{i=1}^{n}N_i$，相应的单位总能耗为 a_Σ，则应分配到各架轧机的能耗为

$$a_i=a_\Sigma N_i\Big/\sum_{i=1}^{n}N_i$$

这样，对于各架轧机的电动机来说，实际就是等相对负荷分配的原则。而当各架电机容量相等时，实际上就是等功耗的原则。

(3) 按负荷分配系数或负荷分配比进行分配的方法。这也是根据生产实践的能耗经验资料总结归纳出来的比较实用和可靠的方法，生产中经常采用。这里负荷分配比是指累积负荷分配比，但有时也指单道的负荷分配比。在电子计算机控制的现代化轧机上，按各类规格品种的产品制订有标准负荷分配比表，例如，表 3-4 为某厂轧制厚度 1.8～2.3mm、宽度 900～1200mm 的普碳带钢的标准负荷分配比，根据这些负荷分配比，即可求出各架的轧后厚度和压下量。

表 3-4 标准负荷分配比表举例

各机架号	1	2	3	4	5	6	7
累积 α_i/%	14	28	46	64	78	90	100
单道 α_i'/%	14	14	18	18	14	12	10

以上用经验法进行压下制度制定，具有一定的合理性，但不是最优的，随着对板形要求的提高，精轧负荷分配时对后 3～4 个机架的轧制力分配更为注意，因此，提出了精轧最优负荷分配的课题(即理论法)，详见板形控制部分。

3.2.3 精轧厚度设定

3.2.3.1 弹跳方程

轧机弹跳量一般可达 2～5mm，对粗轧机组来说，由于每道压下往往达几十毫米以上，一般可不考虑轧机的弹跳量。但对于精轧机组来说，由于压下量仅为几个毫米甚至小于 1mm，轧机的弹跳量与压下量属同一数量级，甚至弹跳量超过钢板厚度，因此必须考虑弹跳影响，并需对弹跳值进行精确的计算。

轧机操作时所能调节的只是轧辊空载辊缝 S'，而薄板轧机操作中一个最大的困难是如何通过调节 S' 来达到所需要的板厚。

根据弹跳现象，可写出以下关系式：

$$h = S' + \frac{P}{K_m'} \tag{3-1}$$

式中 h——轧件厚度；

S'——空载辊缝；

K_m'——机座总刚度。

试验表明，机座弹性变形的特性如图 3-2 所示。从图3-2中可以看出，机座的弹性变形与压力并非呈线性关系，而是在小压力区为一曲线，当压力大到一定值以后，压力和变形才近似呈线性关系。这一现象的产生可用零件之间存在接触变形和轴承间隙等来解释。这一非线性区并不稳定，每次换辊后都有所变化，特别是接近于零变形(实际上是间隙)时，很难精确确定，亦即辊缝的实际零位很难确定，因此上面的关系式很难供实际应用。

在现场实际操作中，为了消除上述不稳定的影响，都采用了所谓人工零位的方法，即先让轧辊以一定速度旋转，然后将轧辊预压靠达到一定的力 P_0，此时将辊缝仪的指示清零(作为零位)，这样可克服不稳定段的影响。

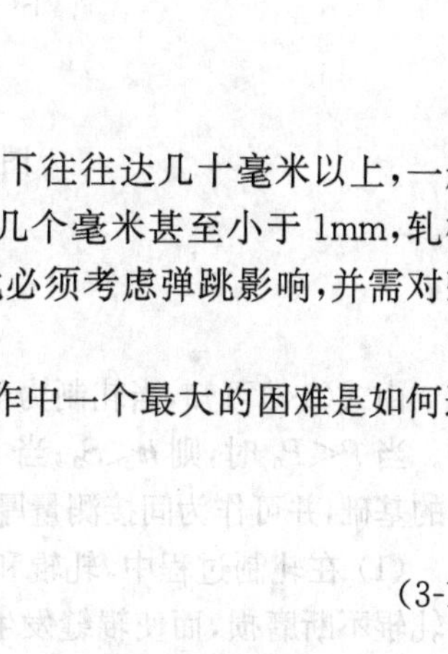

图 3-2 弹跳变形特性

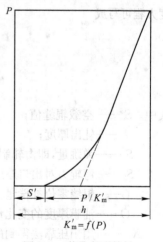

图 3-3 表示了压靠零位过程。$Ok'l'$ 线为预压靠曲线，在 O 处轧辊受力开始变形，压靠力为 P_0 时变形(负值)为 Of'，此时将辊缝仪清零，然后抬辊，如抬到 g 点，此时辊缝仪指示值为 $f'g = S_0$(g 点不稳定，实际上不易确定)，由于 gkl 曲线和 $Ok'l'$ 完全对称，因此 $Of' = gf$，所以 Of 即为 S_0，如此时轧入厚度为 H 的轧件产生轧制力 P(轧件塑性变形特性为 Hnq 曲线)，轧出厚度为 h(gkl 弹性线和 Hnq 塑性线相交点 n 的纵坐标为 P，横坐标为 h)。从图3-3可得到以下关系：前者为塑性方程，即轧前厚度为 H，

随不同的压下量轧制力的变化曲线，式中 M 为轧件塑性刚度；后者为弹跳方程，即在不同的轧制力下轧机弹跳的变化曲线，式中 K_m 为轧机弹性刚度。

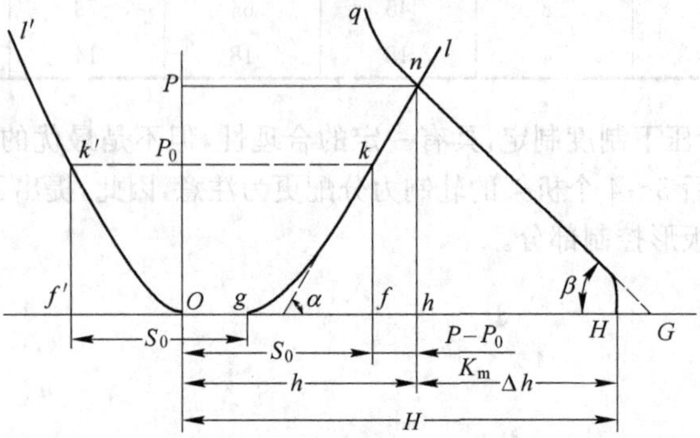

图 3-3 压靠零位和轧制时的弹性变形曲线

$$M(\Delta h+HG)=P \quad (M=\tan\beta) \tag{3-2}$$

$$h=S_0+\frac{P-P_0}{K_m} \quad (K_m=\tan\alpha) \tag{3-3}$$

由式(3-3)可知，当轧制力等于预压靠力 P_0 时，$h=S_0$，即轧件出口厚度和辊缝仪指示值相吻合。当 $P<P_0$ 时，则 $h<S_0$；当 $P>P_0$ 时，则 $h>S_0$；此关系式为目前热连轧厚度设定和厚度自动控制的基础，并可作为间接测量厚度的一种方式，但用它表示轧件厚度时精度不很高，其原因是：

(1) 在轧制过程中，轧辊和机架的温度都有升高（直到某一稳定状态），产生热膨胀，同时由于轧辊不断磨损，而使辊缝发生“漂移”。因此在上述公式中，应增加辊缝零位补偿量 G。

(2) 当支撑辊采用油膜轴承时，其油膜厚度与轧辊转速和轧制力大小有关，因此在加速过程中，油膜厚度的变化影响辊缝的精度，其变化量为 O。

(3) 当辊系被加上弯辊力后，不仅带钢出口断面形状将改变，并且将影响出口厚度，因此厚度方程可写成

$$h=S_0+S_p+S_F+G+O \tag{3-4}$$

$$S_p=\frac{P\xi}{K_{m0}-\beta(L-B)}-\frac{P_0}{K_{m0}}$$

$$S_F=\frac{F}{K_W}$$

式中 S_0——空载辊缝值；

h——轧出厚度；

S_p——弹跳量，即由轧制力造成的厚度变化；

S_F——弯辊力对出口厚度的影响；

G——辊缝零位补偿量；

O——油膜厚度的变化量；

K_{m0}——用预压靠法得到的刚性系数（相当于 $B=L$，L 为轧辊辊身长度）；

P_0——调零时的轧制压力；

β——轧机刚度的宽度修正系数；

ξ——比例系数；

F——弯辊力；

K_W——弯辊力对厚度影响系数。

厚度方程是精确确定空载辊缝和设计厚度自动控制系统不可缺少的基本方程，其精度主要取决于轧制力 P 的精度、机座总刚度系数 K_m（或直接用弹跳量 S_p）、弯辊力对厚度影响系数 K_W 以及 G 和 O 值的精度，这是目前提高控制精度所要着重解决的问题。

由于轧辊弹跳是许多零件变形的总和，因此用理论计算各零件变形的方法来求机座总刚度比较困难，而且不易保证精度。目前一般采用对具体轧机进行实际测量的办法来确定 K_m 值与弯辊力对厚度影响系数 K_W。

A 试验方法确定轧机刚度

试验方法确定轧机刚度有以下两种方法：

(1) 用轧铝板（对冷连轧机则可直接用钢板进行试验）的方法求 K_m。此时，可固定一个 S_0，然后用不同厚度的铝板轧入，测出轧制力和轧出厚度（应尽量使轧制力变动范围大一些），用回归法可求出 K_m 值或分几段折线来回归，此法只需实测轧制力 P 和轧出厚度 h，而不必知道精确的 S_0 值，但在一般情况下，要找到一组不同厚度的铝板往往不太容易，如只有一种厚度的铝板，可在试验时首先预压靠轧辊，在预压靠力 P_0 时辊缝仪清零，然后用不同 S_0 值来轧铝板，使产生变化范围尽可能宽的轧制力，在测得每一道次的轧制力和轧出厚度后，可用下式求 K_m：

$$(h-S_0)K_m=(P-P_0)$$

试验时应注意不使轧辊发热，以免影响辊缝值。轧铝板法由于试验条件和实际生产情况最为相近，因此能测得较精确的 K_m 值，同时由于采用不同宽度的铝板进行试验，因此是取得板宽对 K_m 的影响的基本方法。

但这种方法不能经常使用，特别在实际生产中不可能每次换辊后都进行，因此还必须采用第二种方法。

(2) 自压靠法。当轧辊接触后继续压下，压下螺杆的行程必将都转化为机座零件的弹性变形，因此如能测出不同压下行程时的预压靠力，即可算出 K_m 值。

由于轧辊开始压靠的点不易测量，可以以某一轧制力值 P'（如 3000kN）为基点，如此时的辊缝值为 S_0'，则在测得各 S_0 和 P 值后用下式计算（回归法）：

$$(S_0-S_0')K_m=(P-3000)$$

自压靠时相当于板宽为轧辊辊身长度，其所测得的 K_m 值可用 K_{m0} 表示。用预压靠法可在每次换辊后，实际测量在此辊径下的 K_{m0} 值。

考虑到轧辊偏心的影响，P_0 和 P'，都需多点测量（在相当于轧辊转一周的时间内采样6～12次），求其平均值。

B 轧机弹性变形量 S_p 的确定

它取决于轧制压力 P、预压靠力 P_0、轧机刚度系数 K_m 和带钢宽度 B 的变化，其计算公式为：

$$S_p=\frac{P\xi}{K_m-\beta(L-B)}-\frac{P_0}{K_m} \tag{3-5}$$

前面分析问题时都是将轧机的弹性曲线看成是线性的，但是实际上它并不是完全的直线关系。为了抵消用直线代替曲线所引起的误差，所以在确定轧机的弹性变形量时必须加以修正。一般是采用折线代替曲线的方法进行修正，如图 3-4 所示，$K_1<K_2<K_3$，各段折线刚度

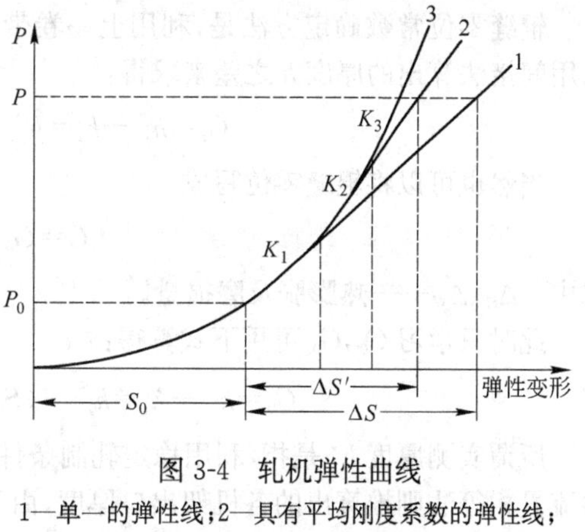

图 3-4 轧机弹性曲线

1—单一的弹性线；2—具有平均刚度系数的弹性线；3—轧机实际的弹性变形曲线

系数的平均值要比单一直线的刚度系数 K_1 大，结果就相当于使轧机的弹性变形有所减小，所以，在式(3-5)中乘上一个小于 1 的系数 ξ，其具体数值由实验确定，例如 1700mm 热连轧轧机采用 $\xi=0.9$。

C 油膜厚度 O 的确定

油膜厚度 O 是轧制速度 v 和轧制压力 P 的函数，即 $O=f(v,P)$。随着轧制速度和轧制压力的变化，在厚度自动控制过程中要进行油膜厚度变化量的补偿。在计算机控制的条件下，经实验测定的在基准压力 P_s 下的油膜厚度 O_s 随轧辊转速变化的曲线，如图 3-5 所示。其以表格的形式存放在内存储器中，根据实际速度插值调用。而不同压力下的油膜厚度 O 则利用油膜厚度压力系数 K 修正：

$$O=O_s\times K$$

式中 O——油膜厚度；

O_s——轧制压力一定时，速度不同情况下的油膜厚度；

K——油膜厚度的压力系数，当 $P<P_s$ 时，$K>1$；当 $P>P_s$ 时，$K<1$。

轧制压力与油膜厚度压力系数的关系曲线，如图 3-6 所示。

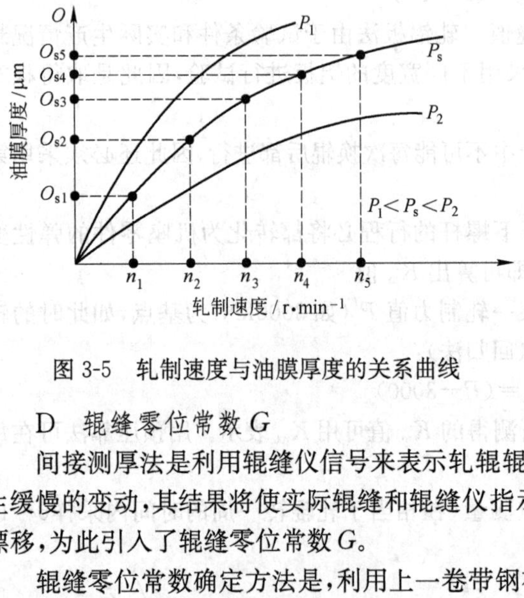

图 3-5 轧制速度与油膜厚度的关系曲线

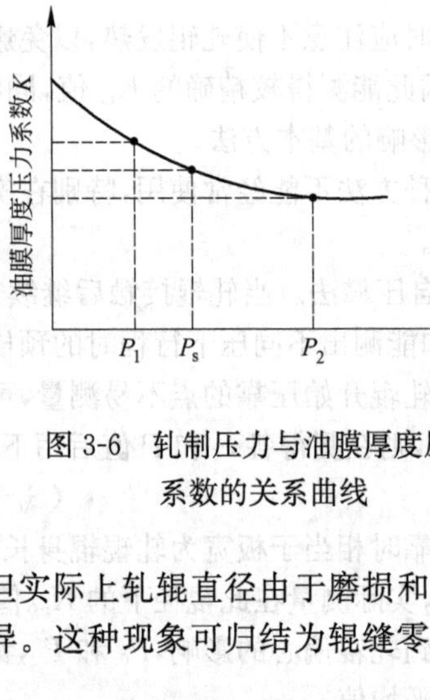

图 3-6 轧制压力与油膜厚度压力系数的关系曲线

D 辊缝零位常数 G

间接测厚法是利用辊缝仪信号来表示轧辊辊缝的，但实际上轧辊直径由于磨损和热膨胀产生缓慢的变动，其结果将使实际辊缝和辊缝仪指示有差异。这种现象可归结为辊缝零位发生了漂移，为此引入了辊缝零位常数 G。

辊缝零位常数确定方法是，利用上一卷带钢在稳定轧制条件时，各机架“实测”出口厚度 h^* 和用间接法算出的厚度 h 之差来求得：

$$G_i=h_i^*-h_i=h_i^*-(S_{0i}+S_p+S_F+O) \tag{3-6}$$

当然也可以将辊缝零位写成

$$G=G_0+\Delta_H-\Delta_W$$

式中 Δ_H、Δ_W——热膨胀及磨损量。

此时只学习 G_0，G_0 可用下式算得：

$$G_0=h_i^*-h_i=h_i^*-(S_{0i}+S_p+S_F+O+\Delta_H-\Delta_W) \tag{3-7}$$

所谓实测厚度 h^* 是指，利用稳定轧制条件时，以 X 射线测厚仪所实测的成品厚度为依据，用秒流量相等法则推算出的各机架出口厚度，由于稳定轧制是指轧件已全部通过各机架，活套动作已基本结束，而厚度控制系统尚未开始工作的状态，因此，秒流量相等法则在一定精度的含义下可以认为是成立的：

$$h_i^* = h_m^* \frac{v_{0m}(1+S_{hm})}{v_{0i}(1+S_{hi})}$$

式中 v_{0m}——末机架轧辊线速度；

v_{0i}——第 i 个机架轧辊线速度；

S_{hm}、S_{hi}——末机架和 i 架的前滑量；

h_m^*——X 射线测厚仪实测的成品厚度(以此作为基准数据)；

h_i^*——推算得的各机架“实测”出口厚度。

考虑到辊缝零位漂移是一缓慢过程，因此可用上一卷带钢所求得的零位常数 G(或 G_0)，利用下式求得本卷带钢所用的辊缝零位常数(各个机架都用此形式)：

$$G_{n+1} = G_n + a(G_n^* - G_n)$$

G_n^* 即为 n 根钢用求得的辊缝零位常数，第 $n+1$ 根钢可用 G_{n+1} 作为公式中的辊缝零位常数用于厚度控制系统。

3.2.3.2 辊缝设定计算

利用式(3-4)进行辊缝设定计算：

$$S_0 = h - (S_p + S_F + G + O)$$

3.2.3.3 设定时序

精轧厚度设定的主要任务是根据来料条件(主要是钢坯温度、钢种、带坯厚度及宽度等)和成品要求(主要是厚度和终轧温度)去确定各架轧机的空载辊缝。精轧设定的第一次计算是在粗轧以后根据实际检测结果(厚度、宽度、温度等)和成品规格要求，利用数学模型进行的预测计算，以决定各机架的负荷分配、压下规程，算出轧制力，确定各架空载辊缝即压下螺丝的位置。第二次计算是在带坯到达精轧机入口时，根据从粗轧出口到精轧入口所实际经过的时间，再次利用计算温度降的数学模型算出温度，以进行轧制规程的再整定计算。如果实际经过的时间与第一次计算所用的标准值出入不大，也可不作第二次计算。第三次当带钢进入精轧第一架和第二架后，利用轧制压力等实测数据进行自适应计算，以进一步修正以后各架的设定值。但带钢头部硬度不能代表整个带坯的硬度；穿带时也可能发生不平衡状态。因而虽然计算机有这种功能，但往往并不采用。最后当带钢通过整个精轧机组以后，收集所测得的温度、厚度、压力、速度、电压、电流等各种数据，并将这些信号反馈给计算机作自适应和自学习计算，以改进下一块带钢的设定计算。

3.2.4 粗轧厚度设定

辊缝计算根据弹跳的现象得：

$$h = S_0 + \frac{P - P_0}{K_m}$$

粗轧机组轧机的压下机构一般不具备带负荷压下的能力，因此无法产生足够的预压靠力 P_0 来消除机座刚度曲线非线性段的影响。但考虑到粗轧轧出厚度大，弹跳占的比重小，对厚度精度要求不严格，因此二辊轧机可用：

$$h = S_0 + \frac{P - P_0}{K_m} + \Delta S$$

ΔS为刚度曲线的非线性段用直线代替后的补偿项，其值可由刚度试验求得。由辊缝零位不确定性而造成的ΔS测量误差，此处忽略不计。

对四辊轧机，其压下机构一般可进行几千千牛的预压靠

$$h=S_0'+\frac{P-P_0'}{K_m}+\Delta S_0'$$

式中　P_0'——小预压力(不足以克服非线性段影响)，kN；

S_0'——预压力为P_0'时拨零位的辊缝仪所示的辊缝值，mm；

$\Delta S_0'$——用小预压力后尚剩余的补偿项，mm。

最后一架四辊轧机，其轧出厚度为精轧的来料厚度，因此对精度有一定要求。为了解决上述存在的问题，一般有以下两种方法：

(1) 加强末架粗轧机的压下机构能力，使其能产生大预压力(和精轧相同)，此时则可用：

$$h=S_0+\frac{P-P_0}{K_m}$$

(2) 在粗轧出口处对厚度进行测量，利用测量值H_{RC}^*不断校正弹跳方程中的补偿项：

$$\Delta S_0'^*=H_{RC}^*-\left(S_0'+\frac{P-P_0'}{K_m}\right)$$

3.3　板带钢厚度波动的原因及其厚度的变化规律

3.3.1　板带钢厚度波动的原因

带钢厚差主要决定于精轧机组。为了更好地消除带钢厚度偏差(以下简称为厚差)，需对其产生的原因进行分析，以便针对不同的原因采取不同的对策。

造成带钢厚差的原因可以分为四大类：

(1) 由带钢本身参数波动造成，这包括来料头尾温度不匀、水印、来料厚度宽度不匀以及化学成分偏析等。

(2) 由轧机参数变动造成，这包括支承辊偏心、轧辊热膨胀、轧辊磨损以及轴承油膜厚度变化等。

(3) 由张力变动造成，这包括头部建张、尾部失张及活套冲击等。

(4) 由速度变化造成，速度变化影响摩擦系数和变形抗力，进而影响轧制力大小。

轧机参数变动将使辊缝发生周期变动(偏心)及零位漂移(热膨胀等)。这将使辊缝不调整情况下，轧件厚度发生缓慢变化或周期波动。

自动厚度控制系统用来克服带钢工艺参数波动对厚差的影响，并对轧机参数的变动给予补偿。

对同一根带钢，其厚度变化如图3-7所示。

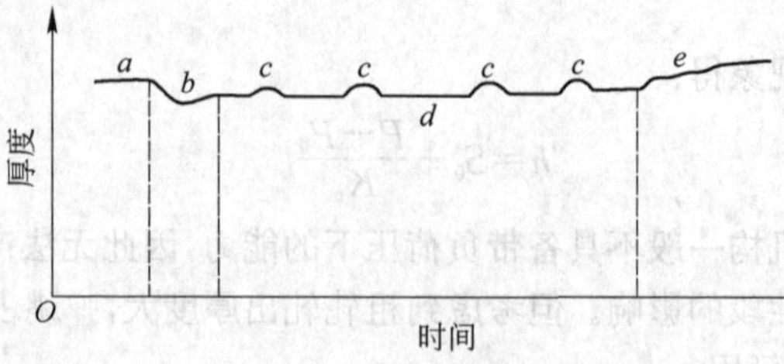

图3-7　厚度变化曲线

a—头部设定精度及建张；*b*—活套起套冲击；*c*—加热炉黑印；*d*—全长温度变化；*e*—尾部张力消失

3.3.2 轧制过程中厚度变化的基本规律

3.3.2.1 实际轧出厚度随辊缝而变化的规律

轧机的原始预调辊缝值 S_0 决定着弹性曲线 A 的起始位置。随着压下螺丝设定位置的改变，S_0 将发生变化。在其他条件相同的情况下，它将按图 3-8 所示的方式引起带钢的实际轧出厚度 h 的改变。例如因压下调整，辊缝变小，则 A 曲线平移，从而使得 A 曲线与 B 曲线的交点，由 O_1 变为 O_2，此时实际轧出厚度便由 h_1 变为 h_2，$\Delta h_2 > \Delta h_1$，带钢便被轧得更薄。

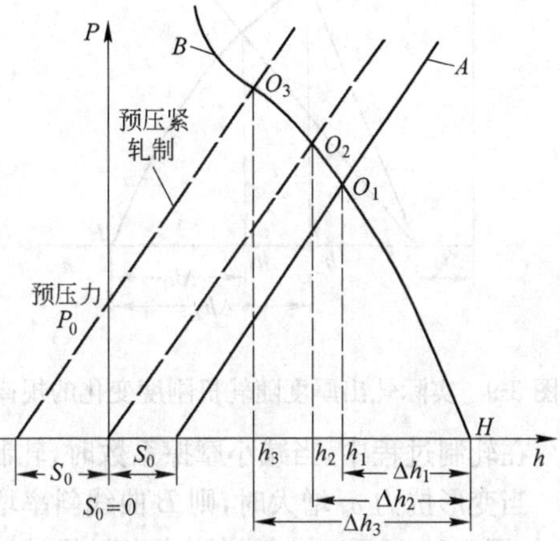

图 3-8 轧出厚度随辊缝而变化的 P-h 图

当采取预压紧轧制时，即在带钢进入轧辊之前，使上下轧辊以一定的预压靠力 P_0 互相压紧，也就相当于辊缝为负值，这样就能使带钢轧得更薄，此时实际轧出厚度变为 h_3，$h_3 < h_2$，其压下量为 Δh_3。

除上述情况之外，在轧制过程中，因轧辊热膨胀、轧辊磨损或轧辊偏心而引起的辊缝变化，也会引起 S_0 改变，从而导致轧出厚度 h 发生变化。

3.3.2.2 实际轧出厚度随轧机刚度而变化的规律

轧机的刚度 K_m 随轧制速度、轧制压力、带钢宽度、轧辊的材质和凸度、工作辊与支承辊接触部分的状况而变化。所以，轧机的刚度系数不是固定的常数，而是由各种轧制条件所决定的数值。

当轧机的刚度系数由 K_{m1} 增加到 K_{m2} 时，则实际轧出厚度由 h_1 减小到 h_2，如图 3-9 所示。可见，提高轧机的刚度有利于轧出更薄的带钢。目前板带钢轧机的刚度通常大于 5000～6000MN/m。

在实际的轧制过程中，由于轧辊的凸度大小不同，轧辊轴承的性质以及润滑油的性质不同，轧辊圆周速度发生变化，也会引起刚度系数发生变化。就使用油膜轴承的轧机而言，当轧辊圆周速度增加时，油膜厚度会增厚，油膜刚性增大，带钢可以轧得更薄。

3.3.2.3 实际轧出厚度随轧制压力而变化的规律

如前所述，所有影响轧制压力的因素都会影响金属塑性曲线 B 的相对位置和斜率，因此，即使在轧机弹性曲线 A 的位置和斜率不变的情况下，所有影响轧制压力的因素都可以通过改变 A 和 B 二曲线的交点位置，而影响着带钢的实际轧出厚度。

当来料厚度 H 发生变化时，便会使 B 曲线的相对位置和斜率都发生变化，如图 3-10 所示。在 S_0 和 K_m 值一定的条件下，来料厚度 H 增大，则 B 曲线的起始位置右移，并且其斜率稍有减小，即材料的塑性刚度稍有减小，故实际轧出厚度增大，反之，实际轧出厚度要减小。所以当来料厚度不均匀时，所轧出的带钢厚度也将出现相应的波动。

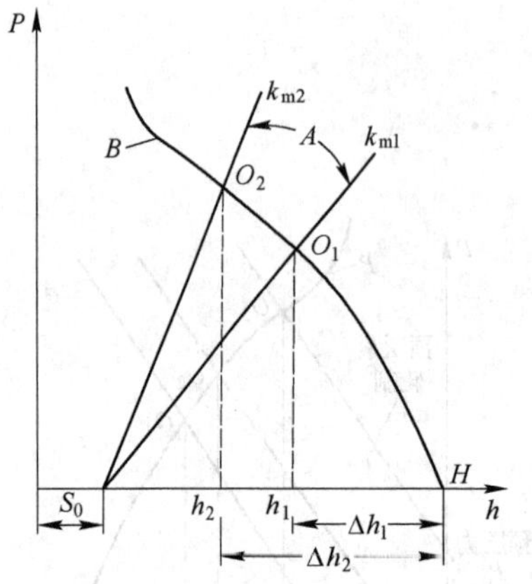

图 3-9　实际轧出厚度随轧机刚度变化的规律

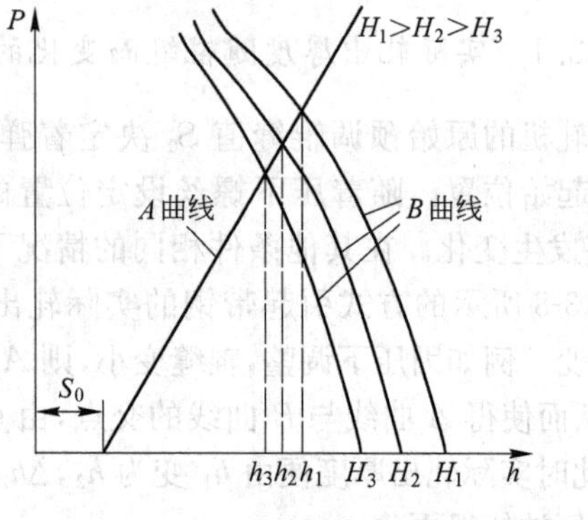

图 3-10　来料厚度对轧出厚度的影响

在轧制过程中，当减小摩擦系数时，轧制压力会降低，可以使带钢轧得更薄，如图 3-11 所示。

当变形抗力 σ_s 增大时，则 B 曲线斜率增大，实际轧出厚度也增厚。反之，则实际轧出厚度变薄，如图 3-12 所示。这就说明当来料机械性能不均或轧制温度发生波动时，金属的变形抗力也会不一样，因此，必然使轧出厚度产生相应的波动。

轧制速度对实际轧出厚度的影响，主要是通过对摩擦系数和变形抗力的影响来起作用，当轧制速度增高时，摩擦系数减小，变形抗力增大。一般热轧时，对变形抗力影响更大一些，故轧制速度增高时，实际轧出厚度也增厚，反之则减小。

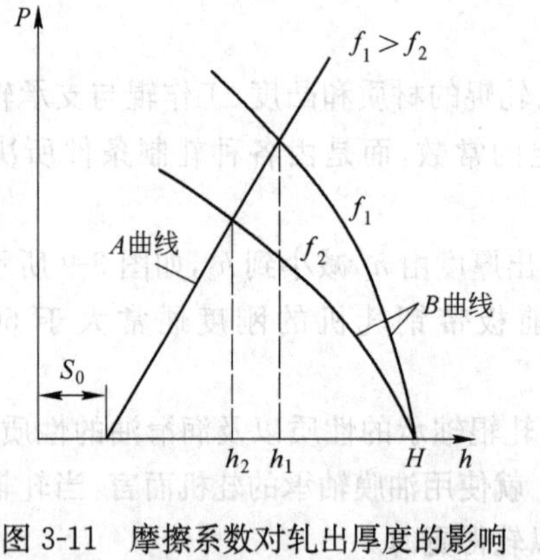

图 3-11　摩擦系数对轧出厚度的影响

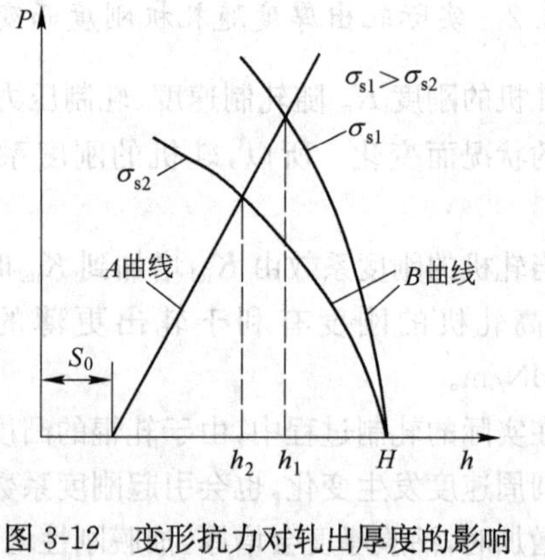

图 3-12　变形抗力对轧出厚度的影响

轧制张力对实际轧出厚度的影响，也是通过改变 B 曲线的斜率来实现的，张力增大时，会使 B 曲线的斜率减小，因而可使带钢轧得更薄，如图 3-13 所示。热连轧时的张力微调，冷轧时采用较大张力的轧制，也都是通过对张力的控制，使带钢轧得更薄和控制厚度精度。

在实际轧制过程中，以上诸因素对带钢实际轧出厚度的影响不是孤立的，而往往是同时对轧出厚度产生作用。所以，在厚度自动控制系统中应考虑各因素的综合影响。

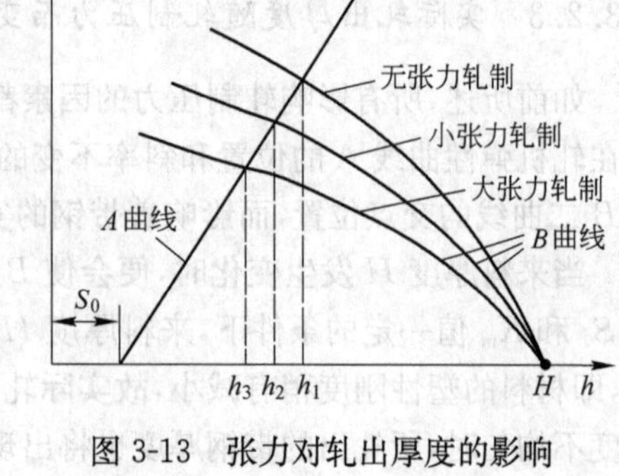

图 3-13　张力对轧出厚度的影响

轧机的弹性曲线 A 和轧件塑性曲线 B，实际上并不是直线，但是由于在轧制过程中实际的轧制压力和轧出厚度都在曲线的直线段部分，为了便于分析问题，常把它们当成直线来处理。

3.4 厚度自动控制的基本形式及其控制原理

厚度自动控制是通过测厚仪或传感器（如辊缝仪和压头等）对带钢实际轧出厚度连续地进行测量，并根据实测值与给定值相比较后的偏差信号，借助于控制回路和装置或计算机的功能程序，改变压下位置或改变机架间带钢张力，把厚度控制在允许偏差范围内的方法。实现厚度自动控制的系统称为“AGC”。传统的AGC通常采用调压下的方式进行厚度控制，对于最后两架轧机之间亦有设置张力厚控的，用于调节小厚度偏差的情况，作为精调，因其调整范围较窄，在现场往往应用较少，尤其是精轧普遍采用液压压下以后，调张力方式应用更少。

3.4.1 用测厚仪测厚的反馈式厚度自动控制系统

图3-14是电动AGC厚度控制系统的框图。带钢从轧机中轧出之后，通过测厚仪测出实际轧出厚度 $h_{实}$ 并与给定厚度值 $h_{给}$ 相比较，得到厚度偏差 $\delta h=h_{给}-h_{实}$，当二者数值相等时，厚度差运算器的输出为零，即 $\delta h=0$。若实测厚度值与给定厚度值相比较出现厚度偏差 δh 时，便将它反馈给厚度自动控制装置，变换为辊缝调节量的控制信号，输出给压下电动机带动压下螺丝作相应的调节，以消除此厚度偏差。

为了消除已知的厚度偏差 δh，所必需的辊缝调节量 δS 应是多大呢？为此，必须找出 δh 与 δS 关系的数学模型。根据图3-15所示的几何关系，可以得到：

$$\delta h=\frac{K_{m}}{M+K_{m}}\delta S \tag{3-8}$$

或

$$\delta S=\frac{K_{m}+M}{K_{m}}\delta h=\left(1+\frac{M}{K_{m}}\right)\delta h \tag{3-9}$$

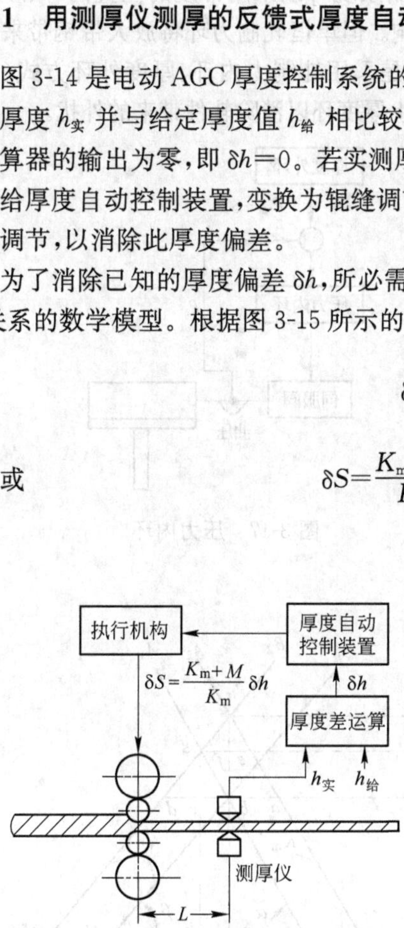

图3-14 反馈式厚度自动控制系统

$h_{实}$—实测厚度；$h_{给}$—给定厚度

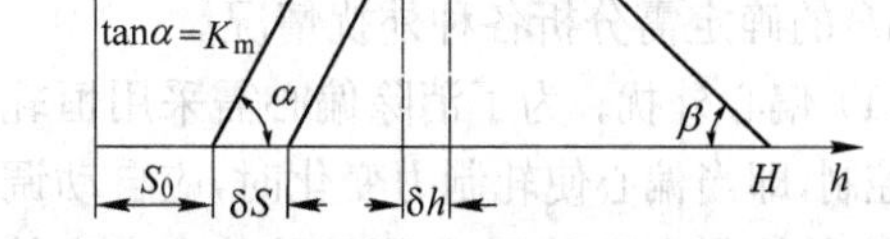

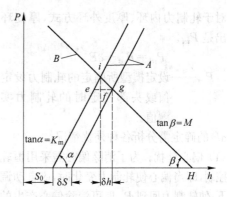

图3-15 δh 与 δS 之间的关系曲线

从式(3-9)可知，为了消除带钢的厚度偏差 δh，则必须调节压下螺丝使辊缝移动 $\left(1+\frac{M}{K_{m}}\right)\delta h$ 的距离，也就是说，要移动比厚度差 δh 还要大 $\frac{M}{K_{m}}\delta h$ 的距离。因此，只有当 K_{m} 越大，而 M 越小，才能使得 δS 与 δh 之间的差别越小。当 K_{m} 和 M 为一定值时，即 $(K_{m}+M)/K_{m}$ 为常数，则 δS 与 δh 便成

正比关系。只要检测到厚度偏差 δh，便可以计算出为消除此厚度偏差应作出的辊缝调节量 δS。

当轧机的空载辊缝 S_0 改变一个 δS 时，它所引起的带钢的实际轧出厚度的变化量 δh 要小于 δS。δh 与 δS 之间的比值 $C=\delta h/\delta S$ 称为"压下有效系数"，它表示压下螺丝位置的改变量究竟有多大的一部分能反映到轧出厚度的变化上。当轧机刚度较小或轧件的塑性刚度较大时，$\delta h/\delta S$ 比值很小，压下效果甚微，换句话说，虽然压下螺丝往下移动了不少，但实际轧出厚度却往往未见减薄多少。因而增大 $\delta h/\delta S$ 的比值对于实现快速厚度自动控制就有极其重大的意义。所以在实际的生产中，增加轧机整体的刚度是增大 $\delta h/\delta S$ 的重要措施。如果能使轧机成为具有超硬性刚度，那么辊缝改变一个 δS，则实际轧出厚度也就能变化一个 δS。

当采用电动压下时，厚度自动控制系统采用的是位置内环、厚度外环方式，即采用的数学模型见式(3-9)。

现代热连轧机普遍采用全液压压下，其自动厚度控制系统可以采用常规的位置内环、厚度外环方式(见图 3-16)，或采用单恒轧制力环来消除偏心影响。但单恒轧制力环将放大带钢带来的外扰(来料厚差等)，因此，一般很少单纯采用轧制力环，而是采用轧制力内环、厚度外环方式(见图 3-17)。轧制力内环用来消除偏心，而在轧制力环外再加上厚度环以消除轧件带来的外扰。

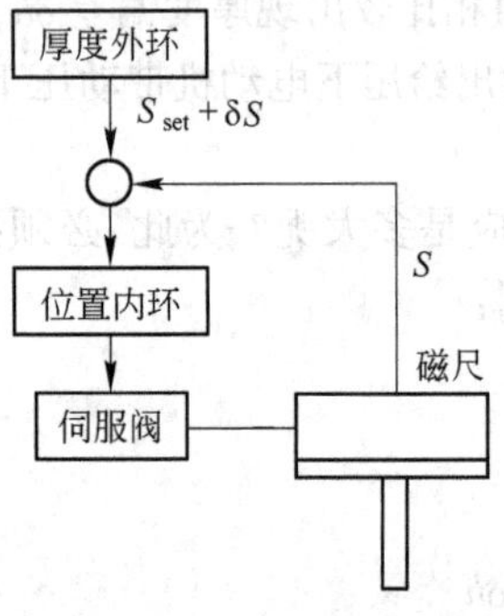

图 3-16　位置内环图

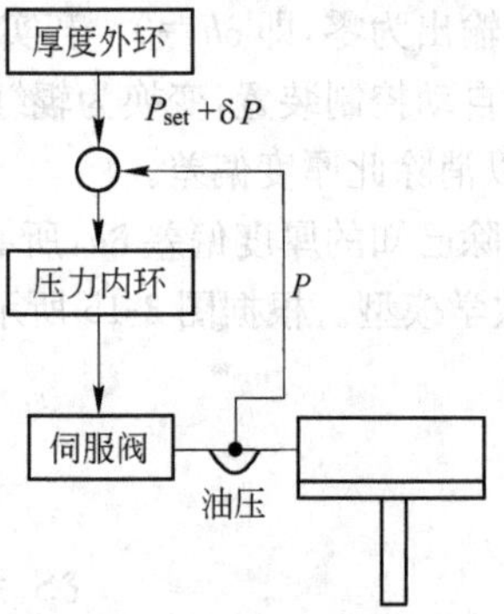

图 3-17　压力内环

对于轧制力内环、厚度外环方式，厚度环的输出是 P_{ref}。

$$P_{ref}=P_{set}+\delta P$$

式中　P_{set}——设定模型所确定的轧制力设定值或头部锁定时的轧制力实测值。

δP 的确定需分析各种外扰情况。

(1) 偏心外扰。为了消除偏心需采用恒轧制力控制，即当偏心使轧制力变化时，应自动调节压下，使轧制力回到 P_{set} 即可消除偏心产生的厚差，因此对偏心外扰来说，应使 $\delta P=0$。

(2) 其他外扰。必须找出 δh 与 δP 关系的数学模型。根据图 3-18 所示的几何关系，可以得到：

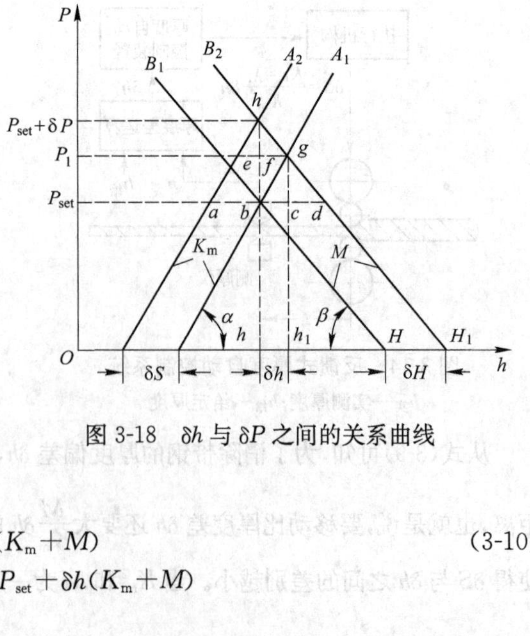

图 3-18　δh 与 δP 之间的关系曲线

$$\delta P=\delta h(K_m+M) \tag{3-10}$$

即　$$P_{ref}=P_{set}+\delta P=P_{set}+\delta h(K_m+M)$$

用测厚仪进行厚度控制时，由于考虑到轧机结构的限制，测厚仪的维护，以及为了防止带钢断裂而损坏测厚仪，测厚仪一般装设在离直接产生厚度变化的辊缝较远的地方，因检出的厚度变化量与辊缝的控制量不是在同一时间内发生的，所以实际轧出厚度的波动不能得到及时的反映，结果使整个厚度控制系统的操作都有一定的时间滞后τ，用下式表示：

$$\tau=\frac{L_{仪}}{v}$$

式中 τ——滞后时间；

v——轧制速度；

$L_{仪}$——轧辊中心线到测厚仪的距离。

由于有时间滞后，所以这种按比值进行厚度控制的系统很难进行稳定的控制。为了防止厚度控制过程中的此种传递时间滞后，因而采用厚度计式的厚度自动控制系统。

3.4.2　厚度计式的厚度自动控制系统

在轧制过程中，任何时刻的轧制压力 P 和空载辊缝 S_0 都可以检测到，因此，可用弹跳方程 $h=S_0+P/K_m$ 计算出任何时刻的实际轧出厚度 h。在此种情况下，就等于把整个机架作为测量厚度的“厚度计”，这种检测厚度的方法称为厚度计方法（简称 GM）以区别于前述用测厚仪检测厚度的方法。根据轧机弹跳方程测得的厚度和厚度偏差信号进行厚度自动控制的系统称为 GM-AGC或称 P-AGC。按此种方法测得的厚差进行厚度自动控制可以克服前述的传递时间滞后，但是对于压下机构的电气和机械系统以及计算机控制时程序运行等的时间滞后仍然不能消除，所以这种控制方式，从本质上讲仍然是反馈式的。因此，为了消除厚度偏差 δh 所必需的辊缝移动量 δS 或 δP 仍可按式(3-8)或式(3-9)来确定。

图 3-19 为厚度计式的厚度自动控制闭环系统示意图。实际的辊缝值由辊缝仪检测，经自整角机将信号送给编码器，由编码器将模拟量变为数字量，通过计算机进行辊缝差的运算。实际的轧制压力由压头检测，经计算机进行压力差运算。然后再将辊缝 S_0' 与轧机的弹跳值($\delta P/K_m$)相加便得实际轧出厚度 h。再经 AGC 运算得消除厚差 δh 所需的辊缝调节量 δS，通过 APC 和可控硅调速系统，调节辊缝来消除此时的厚度偏差 δh。

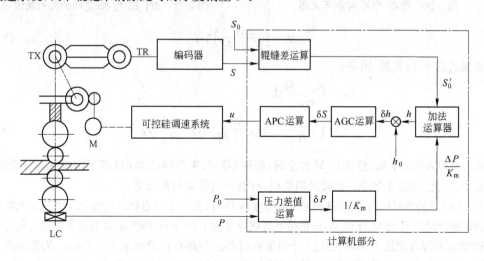

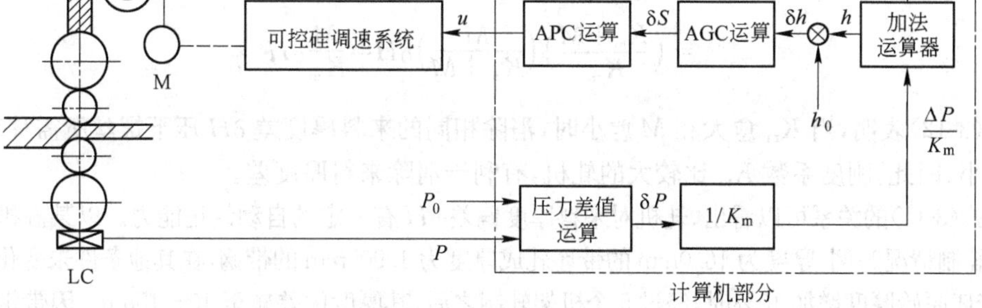

图 3-19　GM-AGC 闭环系统示意图

3.4.3　前馈式厚度自动控制系统

不论用测厚仪还是用“厚度计”测厚的反馈式厚度自动控制系统，都避免不了控制上的传递滞后或过渡过程滞后，因而限制了控制精度的进一步提高。特别是当来料厚度波动较大时，更会影响带钢的实际轧出厚度的精度。为了克服此缺点，在现代化的冷热连轧机上都广泛采用前馈式厚度自动控制系统，简称前馈 AGC。

前馈式 AGC 不是根据本机架（即 F_i 机架）实际轧出厚度的偏差值来进行厚度控制，而是在轧制过程尚未进行之前，预先测定出来料厚度偏差 δH，并往前馈送给下一机架（即 F_i 机架），在预定时间内提前调整压下机构，以便保证获得所要求的轧出厚度 h，如图 3-20 所示。正由于它是往前馈送信号，来实现厚度自动控制，所以称为前馈 AGC，或称为预控 AGC。

它的控制原理就是用测厚仪或以前一机架作为“厚度计”，在带钢未进入本机架之前测量出其入口厚度 H，并与给定厚度值 H_0 相比较，当有厚度偏差 δH 时，便预先估计出可能产生的轧出厚度偏差 δh，从而确定为消除此 δh 值所需的辊缝调节量 δS 或 δP，然后根据该检测点进入本机架的时间和移动 δS 所需的时间，提前对本机架进行厚度控制，使得厚度的控制点正好就是 δH 的检测点。

δH、δh 与 δS 之间的关系，可以根据图 3-21 所示的 P-h 图来确定，由图可知：

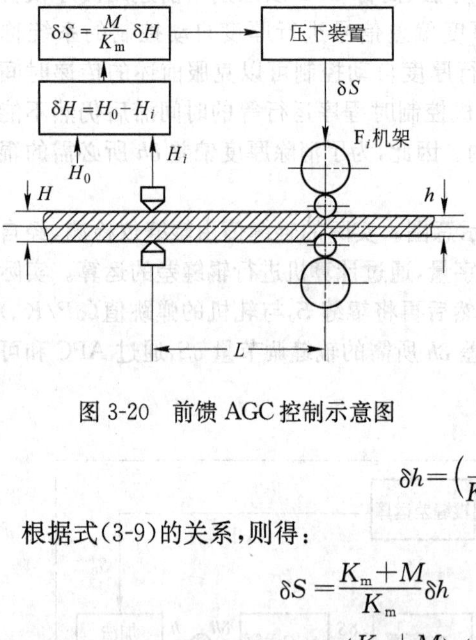

图 3-20　前馈 AGC 控制示意图

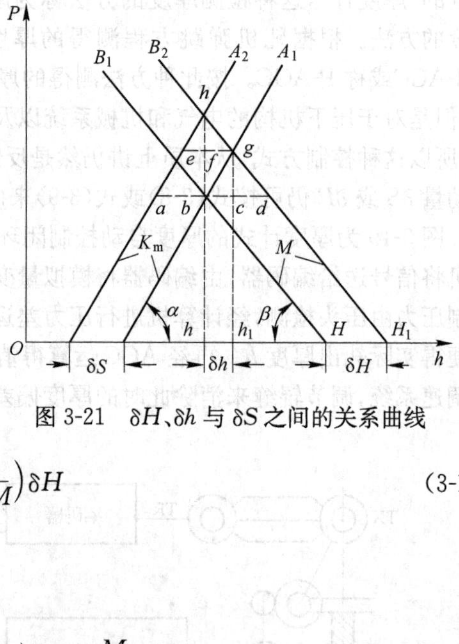

图 3-21　δH、δh 与 δS 之间的关系曲线

$$\delta h=\left(\frac{M}{K_m+M}\right)\delta H \tag{3-11}$$

根据式(3-9)的关系，则得：

$$\delta S=\frac{K_m+M}{K_m}\delta h$$

$$=\left(\frac{K_m+M}{K_m}\right)\left(\frac{M}{K_m+M}\right)\delta H=\frac{M}{K_m}\delta H \tag{3-12}$$

式(3-12)表明，当 K_m 愈大和 M 愈小时，消除相同的来料厚度差 δH 压下螺丝所需移动的 δS 也就愈小，因此，刚度系数 K_m 比较大的轧机，有利于消除来料厚度差。

从式(3-11)的关系可以看出，轧机对来料厚度偏差 δH 有一定的自动纠正能力。以某五机架热连轧机的轧制情况为例，厚度为 16.0mm 的带坯轧成厚度为 1.905mm 的带钢，在其他条件未变化的情况下，当带坯原始厚度增加 10%时，经过 5 个机架轧制之后，其厚度偏差减至 10～15μm。因带钢在头几个机架中的温度比较高，带钢的塑性刚度 M 较小，所以其纠正厚度偏差的能力也就较大。

用上一机架（即 F_{i-1} 机架）的轧出厚度偏差 δh_{i-1} 作为前馈值，经带钢在机架之间的移送时间之后，馈送到下一机架（即 F_i 机架），作为 F_i 机架带钢轧出厚度的控制信号，这在原理上与图 3-20 中采用测厚仪进行前馈控制是相同的，其前馈控制过程如图3-22所示。

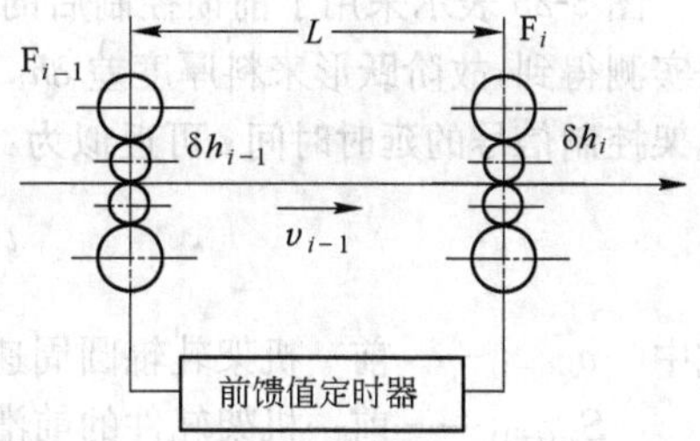

图 3-22　前馈控制过程

由于前馈式厚度控制是属于开环控制系统，因此，其控制效果不单独地进行评定，一般是将前馈式与反馈式厚度控制系统结合使用，所以它的控制效果也只能与反馈式厚度自动控制系统结合在一起进行评定。

根据前馈控制的原理，在锁定情况下，由 F_{i-1} 机架向 F_i 机架馈送的厚度偏差为 δh_{i-1}，它与 F_i 机架因前馈作用而需改变的辊缝 δS_{FF} 之间的关系为：

$$\delta S_{FF}=\frac{M}{K_m}\delta h_{i-1}$$

但在控制过程中，实际的辊缝值 S 与锁定时的辊缝值 S_L 之间已存在一定位置偏差（$S-S_L$），如图 3-23 所示，所以真正的前馈辊缝控制量 $\delta S'_{FF}$ 为：

$$\delta S'_{FF}=\delta S_{FF}-(S-S_L)$$

在进行前馈控制时，除有上述的前馈控制项 $\Delta S'_{FF}$ 之外，还应包括 F_i 机架本身的 GM 控制时的厚度偏差反馈控制项 δS_G 为：

$$\delta S_G=\frac{K_m-M}{K_m}\delta h_i$$

所以整个的总前馈控制量 $\delta S_{FF,总}$ 应为：

$$\delta S_{FF,总}=\frac{K_m+M}{K_m}\delta h_i+\left[\frac{M}{K_m}\delta h_{i-1}-(S-S_L)\right] \tag{3-13}$$

然后通过压下控制系统进行压下的调整，以便达到消除如“黑印”或其他原因所引起的来料厚度差。

前馈控制是根据前一机架的出口厚度差 δh_{i-1}（即后一机架的入口厚度差 δH_i），经延时后来控制后一机架的辊缝 S_i。其延时时间 t 可按下述方法来确定。图 3-24 表示对具有阶跃形来料厚度差 δh_{i-1} 的轧件进入轧机后，在反馈控制系统作用下出口厚度差 δh_i 的消除过程，由于控制系统存在着滞后时间 Δt_1，移动压下螺丝需要时间 Δt_2，因此在较长的一段轧件上有较大的厚度波动。

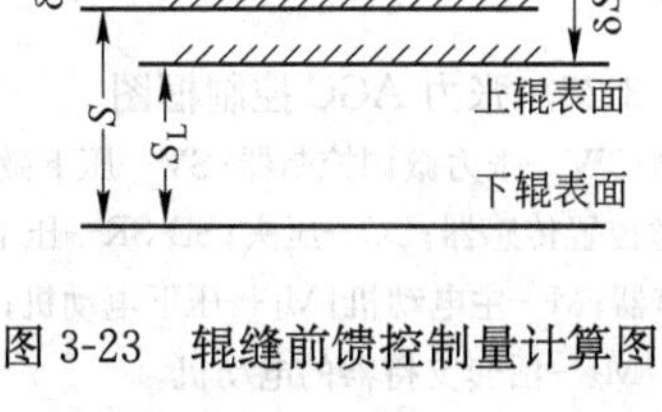

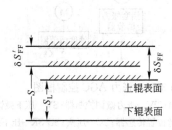

图 3-23　辊缝前馈控制量计算图

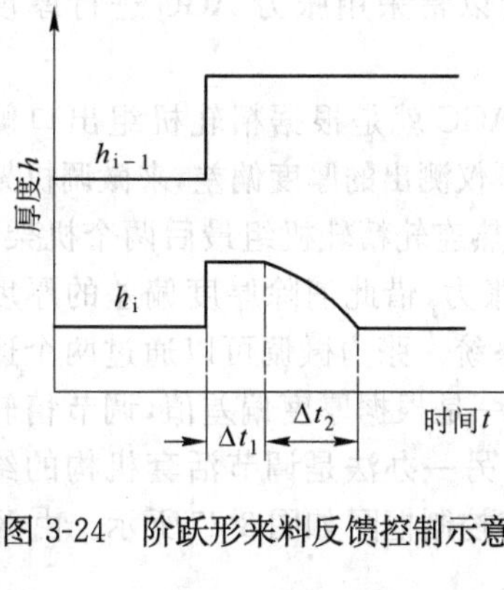

图 3-24　阶跃形来料反馈控制示意图

图 3-25 表示采用了前馈控制后的情况，由于机架间距 L 为定值，而 $i-1$ 机架的轧机速度可以实测得到，故阶跃形来料厚度差 δh_{i-1} 进入下一机架所需的时间，即从测得此 δh_{i-1} 到输出下一机架控制信号的延时时间 t 可近似为：

$$t=\frac{L}{v_{0,(i-1)}(1+S_{h,(i-1)})}$$

式中 $v_{0,(i-1)}$——前一机架轧辊圆周速度；

$S_{h,(i-1)}$——前一机架轧件的前滑。

由于控制信号是提前输出的，消除了反馈系统中的系统滞后时间 Δt_1，从而使得产生厚度波动的带钢长度减少，为了进一步发挥前馈 AGC 的优点，可用下式计算延时时间 t 为：

$$t=\frac{L}{v_{0,(i-1)}(1+S_{h,(i-1)})}-\delta \tag{3-14}$$

δ 为输出控制信号的提前时间，若 δ 取值合适便可以得到如图 3-26 所示的结果，δh_i 的绝对值将进一步降低。

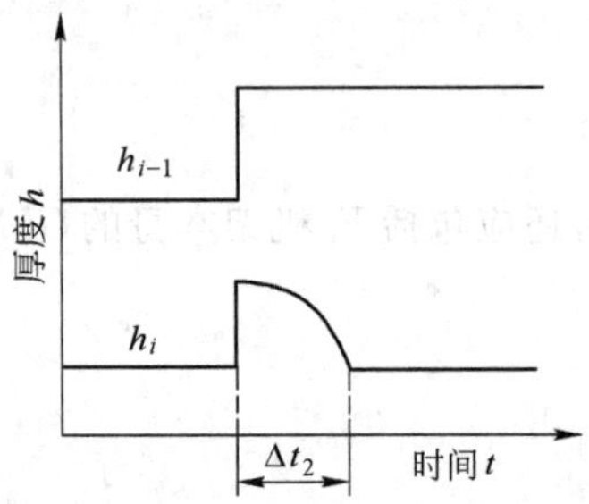

图 3-25 阶跃形来料前馈控制示意图

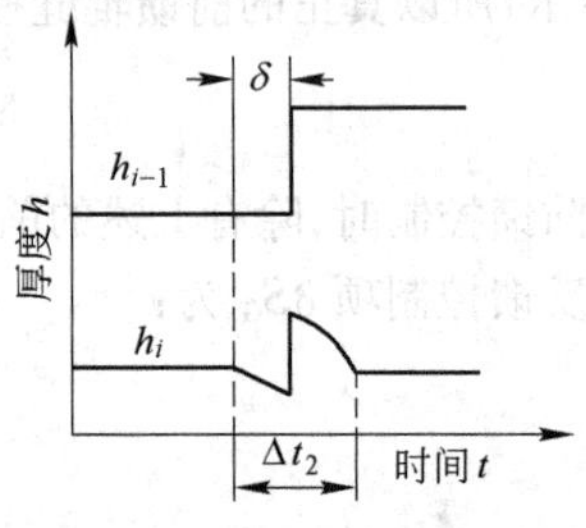

图 3-26 前馈控制时提前 δ 时间的效果示意图

3.4.4 张力式厚度自动控制系统

张力的变化可以显著改变轧制压力，从而能改变轧出厚度。改变张力与改变压下位置控制厚度相比，前者因惯性小反映快并易于稳定，在成品机架，由于轧件的塑性刚度 M 很大，靠调节辊缝进行厚度控制，效果往往很差，为了进一步提高成品带钢的精度，所以常采用张力 AGC 进行厚度微调。

张力 AGC 就是根据精轧机组出口侧 X 射线测厚仪测出的厚度偏差，来微调机架之间（例如热连轧精轧机组最后两个机架）带钢上的张力，借此消除厚度偏差的厚度自动控制系统。张力微调可以通过两个途径来实现：一是根据厚度偏差值，调节精轧机的速度；另一办法是调节活套机构的给定转矩；其控制框图如图 3-27 所示。由 X

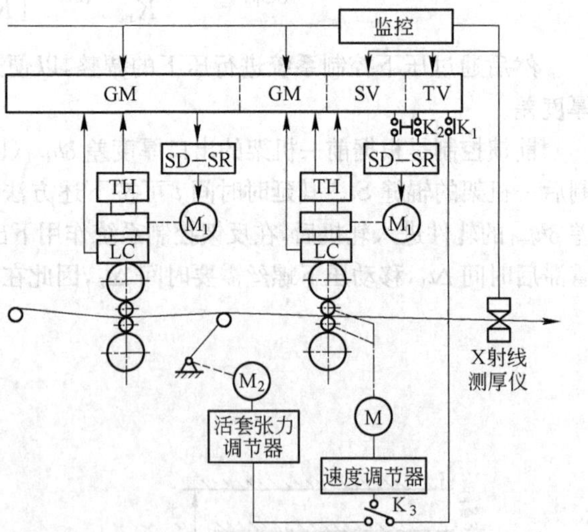

图 3-27 张力 AGC 控制框图

GM—厚度计控制；TV—张力微调控制器；SV—压下微调控制；TH—顶帽螺丝位置传感器；LC—压头；SD-SR—压下螺丝位置调节器；M—主电动机；M_1—压下电动机；M_2—活套支持器的电动机

射线测厚仪测出带钢的厚度偏差之后，通过张力调节器 TV，经开关 K_1 和 K_3，依 K_3 的不同位置将控制信号分别传输给电动机的速度调节器或活套张力调节器。

张力 AGC 的控制原理是利用前后张力来改变轧件塑性曲线 B 的斜率对带钢厚度进行控制，张力与厚度的关系如图 3-28 所示。当来料厚度为 H_0 时，作用在轧件上的张力为 T_0，塑性曲线为 B_1，工作点 a 对应的厚度为 h，压力为 P。当来料厚度有波动时，H_0 变为 H'，塑性曲线由 B_1 变为 B_2，其厚度差为 δH，虽然此时作用于轧件上的张力仍为 T_0，但是因来料有 δH 的厚差，工作点由 a 变为 b，对应的厚度为 h'，压力为 P'，因此便引起了带钢实际轧出厚度有厚度偏差 δh。为了消除此厚度偏差，便可以加大作用于带钢上的张力，由 T_0 变为 T，$T>T_0$，使塑性曲线的状态由 B_2 变为 B_3，工作点又由 b 点拉回到 a 点，从而可以在辊缝 S_0 不变的情况下，使轧出厚度保持在所要求的范围之内。

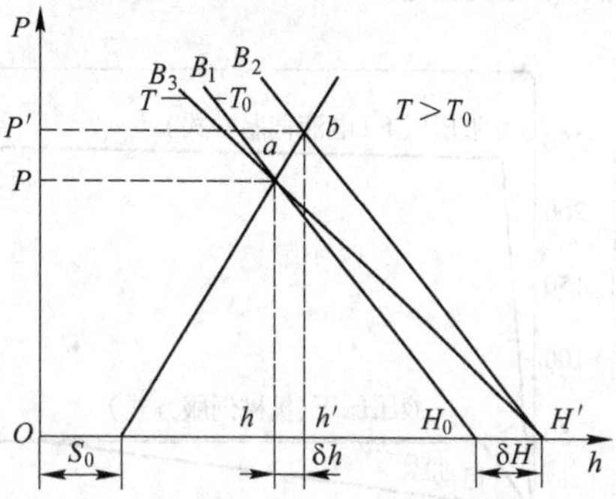

图 3-28　张力与厚度的关系

张力变动所引起的厚度变化，可以用弹跳方程与压力方程的增量形式来表达：

$$\delta P = K_m(\delta h - \delta S) \tag{3-15}$$

$$\delta P = \frac{\partial P}{\partial h}\delta h + \frac{\partial P}{\partial T}\delta T \tag{3-16}$$

联解式(3-15)和式(3-16)得：

$$\delta h = \frac{K_m}{K_m - \left(\frac{\partial P}{\partial h}\right)}\delta S + \frac{\frac{\partial P}{\partial T}}{K_m - \left(\frac{\partial P}{\partial h}\right)}\delta T \tag{3-17}$$

当辊缝保持不变，即 $\delta S=0$ 时，则：

$$\frac{\delta h}{\delta T} = \frac{\frac{\partial P}{\partial T}}{K_m - \left(\frac{\partial P}{\partial h}\right)} \tag{3-18}$$

方程式(3-18)就是张力 AGC 控制系统的控制方程，式中的 $\partial P/\partial T$ 为张力对轧制压力的影响系数。采用张力控制厚度，由于可以使轧制压力 P 不变，因此可以保持板形不变。但是为了得到一定的厚度调节量，应有较大的张力变化，例如欲使冷轧带钢厚度变化 1.0%，而张力可能就需要变动 10%，所以为了保证轧制过程能稳定进行，以及使钢卷能卷得整齐，在厚度变化较大时，不能把张力作为唯一的调节量。一般，张力法只用于调节小厚度偏差的情况，作为精调，或者用于因某种原因不能用辊缝作为调节量的情况，例如冷连轧机的末机架，为了保证板形，以及轧制薄而硬的带钢，因轧辊压扁严重等情况，不宜用辊缝作为调节量，往往是采用张力法来控制厚度。热轧厚度较薄的带钢，为了防止拉窄或拉断，张力的变化也不宜过大，所以热轧厚度控制过程中，张力法往往是与调压下方法配合使用，当厚度波动较大时，就采用调压下的方法，而当厚度波动较小时，便可采用张力微调进行厚度控制。

3.4.5　液压式厚度自动控制系统

轧钢机的压下装置，从电动压下机构，逐渐发展为机械伺服阀的液压压下，近年来由于采用了电-液伺服阀，使压下响应速度得以大幅度提高，厚度控制所需的时间大大缩短，如图 3-29 所示。正由于液压压下具有快速响应的特点，所以它在厚度控制过程中对提高成品带钢的精度具有很大的现实意义。

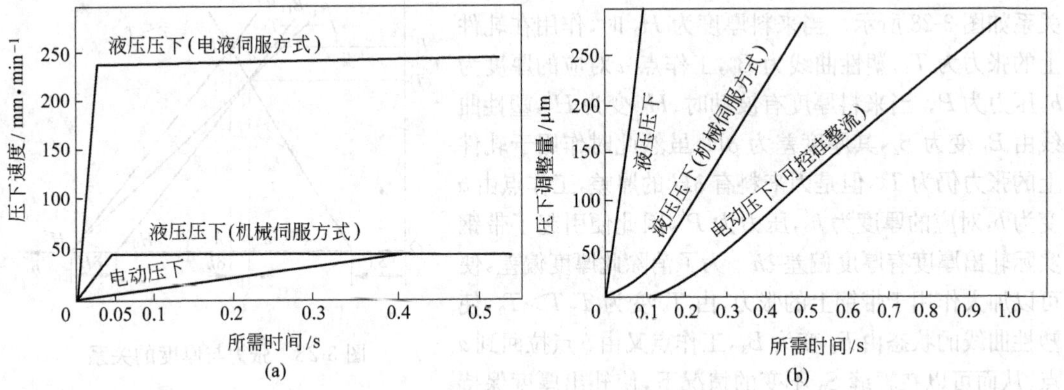

图 3-29　电动压下与液压压下速度的比较

(a)压下速度比较；(b)压下调整量比较

借助液压压下系统还可以实现轧机刚度可调，这样不仅可以做到在轧制过程中的实际辊缝值固定不变，即“恒辊缝控制”，从而就保证了实际轧出厚度不变，并且还可以根据生产实际情况的变化，相应地控制轧机刚度，来获得所要求的轧出厚度。

液压 AGC 就是借助于轧机的液压系统，通过液压伺服阀调节液压缸的油量和压力来控制轧辊的位置，对带钢进行厚度自动控制的系统。

图 3-30 是液压推上装置示意图，为了实现厚度控制，首先应解决实际辊缝值的精确测定问题。在现代化的液压轧机上，都广泛采用位置传感器来检测辊缝位置的变化。轧辊位置传感器装设在机架窗口的内侧，用于检测下支撑辊轴承座上表面的位置，以轧机的中心为基准，在支撑辊轴承座上表面左右两个地方检测其位置的变化量，然后将此二处的位置检测信号送入控制装置 9，并计算其平均值，作为下支撑辊的位置，再与压头 7 检测出的弹跳量的信号进行比较运算，然后根据此运算结果通过伺服阀 8 来调节液压缸 5 的油量和压力对厚度实现控制。

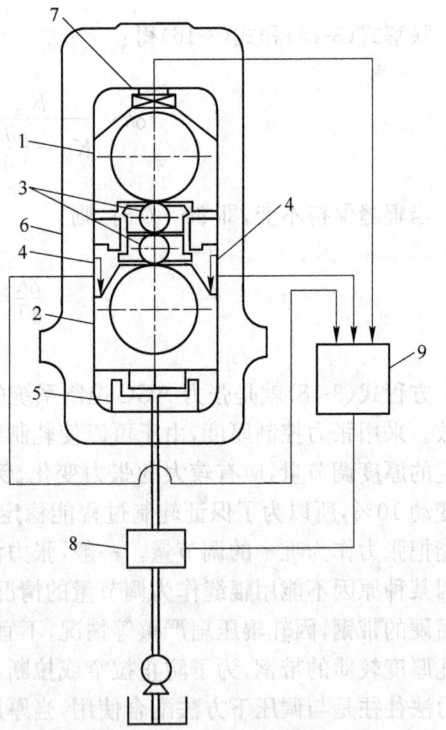

图 3-30　采用位置传感器的液压推上装置示意图

1—上支撑辊轴承座；2—下支撑辊轴承座；3—上下工作辊；4—位置传感器；5—液压缸；6—机架；7—压头；8—伺服阀；9—控制装置

液压 AGC 是按照轧机刚性可变控制

的原理来实现厚度的控制。

假设预调辊缝值为 S_0，轧机的刚度系数为 K_m，来料厚度为 H_0，此时轧制压力为 P_1，如图3-31所示，则实际轧出厚度 h_1 应为：

$$h_1=S_0+\frac{P_1}{K_m} \tag{3-19}$$

当来料厚度因某种原因有变化时，由 H_0 变为 H'，其厚度差为 δH，因而在轧制过程中必然会引起轧制压力和轧出厚度的变化，压力由 P_1 变为 P_2，轧出厚度为：

$$h_2=S_0+\frac{P_2}{K_m} \tag{3-20}$$

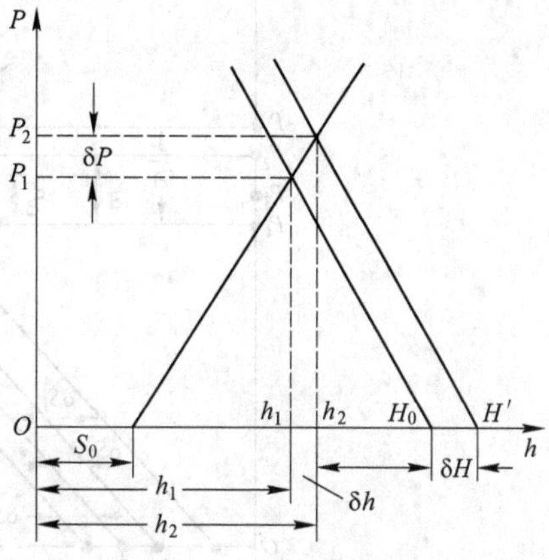

图 3-31 δh 与 δP 之间的关系曲线

当轧制压力由 P_1 变为 P_2 时，则其轧出厚度的厚度偏差 δh 正好等于压力差所引起的弹跳量为：

$$\delta h=h_2-h_1=\frac{1}{K_m}(P_2-P_1)=\frac{1}{K_m}\delta P \tag{3-21}$$

为了消除此厚度偏差，可以通过调节液压缸的流量来控制轧辊位置，补偿因来料厚度差所引起的轧机弹跳变化量，此时液压缸所产生的轧辊位置修正量 δx，应与此弹跳变化量成正比，方向相反，为：

$$\delta x=-C\frac{1}{K_m}\delta P \tag{3-22}$$

轧机经过此种补偿之后，带钢的轧出厚度偏差便不是 δh，而变小了，变为：

$$\begin{aligned}\delta h'&=\delta h+\delta x\\&=\frac{\delta P}{K_m}-C\frac{\delta P}{K_m}=\frac{\delta P}{\dfrac{K_m}{1-C}}=\frac{\delta P}{K_E}\end{aligned} \tag{3-23}$$

式中 $\delta h'$——轧辊位置补偿之后的带钢轧出厚度偏差；

C——轧辊位置补偿系数；

K_E——等效的轧机刚度系数；

δx——轧辊位置修正量。

此式是轧机刚度可变控制的基本方程。由此可知，所谓轧机刚度可变控制，实质也就是改变轧辊位置补偿系数 C，即改变 K_E，液压 AGC 就是通过改变等效的轧机刚度系数 K_E，来实现厚度自动控制。

在某一特定结构的轧机条件下，轧机所固有的刚度系数是 K_m 是一个常数。对式(3-23)可作如下分析：当 $C=1$ 时，则 $K_E=\infty$，$\delta h'=0$，这就意味着轧机的弹跳量被 100％补偿掉了，即不论来料厚度偏差如何，由于此时轧机等效的刚度系数 K_E 是无穷大，完全可以使带钢的实际轧出厚度达到所要的尺寸，没有厚度偏差。此种情况下轧辊的辊缝称为恒定辊缝，其等效的轧机刚度称为超硬刚度，或叫超硬特性，如图 3-32 和表 3-5 所示。

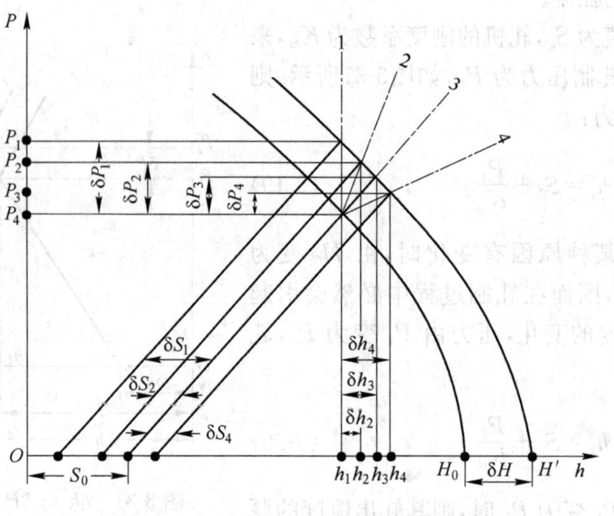

图 3-32　轧机刚度可变控制原理示意图

1—超硬特性；2—硬特性；3—自然特性；4—软特性

表 3-5　轧机刚度系数表

控制方式	系数 C	等效轧机刚度 K_E /MN·m^{-1}	设定值 /MN·m^{-1}	备　注
超硬特性	$C=1$ ($C=0.8\sim0.9$)	25000 以上	33000	为了稳定起见，取 $C=0.8\sim0.9$
硬特性	$0<C<1$ ($C=0\sim0.8$)	5000～25000	14000	硬特性用于开始机架，用来纠正来料厚度差
自然特性	$C=0$	5000		为轧机固有的刚度
软特性	$C<0$ ($C=-1.5\sim0$)	2000～5000	3500	软特性用于最后机架，以保证板形

为了稳定起见，取 $C=0.8\sim0.9$，$K_E\approx25000$MN/m 以上，在计算机控制时，其设定值取为$K_E=33000$MN/m。

若 $C=0$，则 $C\dfrac{\delta P}{K_m}=0$，$\delta h'=\dfrac{\delta P}{K_m}=\delta h$，这就说明实际轧出厚度还具有因来料厚度差 δH 所引起的厚度偏差 δh。此时，轧机的等效刚度系数 K_E 就等于轧机原来所固有的（或称为自然的）轧机刚度系数 K_m，轧机的刚度称为自然刚度，或叫自然特性，一般来说，轧机的自然刚度系数 $K_m=5000\sim6000$MN/m。

当 $0<C<1$ 时，其 K_E 称为硬刚度系数，轧机的刚度称为硬特性，一般 $C=0\sim0.8$，$K_E=5000\sim25000$MN/m，设定时目标值 $K_E=14000$MN/m。

当 $C<0$ 时，其等效刚度系数称为软刚度系数，轧机刚度称为软特性，一般 $C=-1.5\sim0$，$K_E=2000\sim5000$MN/m，设定时的目标值 $K_E=3500$MN/m。

通过以上的分析，可以清楚地看出，只要改变轧辊位置补偿系数 C 的数值，便可以达到轧机刚度可控的目的。

3.5 带钢热连轧精轧机组中的厚度自动控制

厚度自动控制系统是热连轧精轧机组自动控制中的一个极为重要的组成部分。过去一般是采用模拟系统，随着计算机技术的发展，现代化的冷热连轧机都广泛采用直接数字控制计算机(DDC)进行带钢的厚度自动控制，称为 DDC-AGC 系统。它能综合采用多种型式的厚度自动控制系统，以适应不同钢种、规格和工艺参数变化的要求；便于对动态过程中参数的变化进行补偿。

图 3-33 是 DDC-AGC 中采用厚度计式与前馈式厚度自动控制的结构框图。在该系统中还采用了 X 射线厚度偏差监控、速度补偿、宽度补偿、油膜厚度补偿、尾部补偿等措施。现根据前述的厚度自动控制的基本原理，就上述内容进行分析。

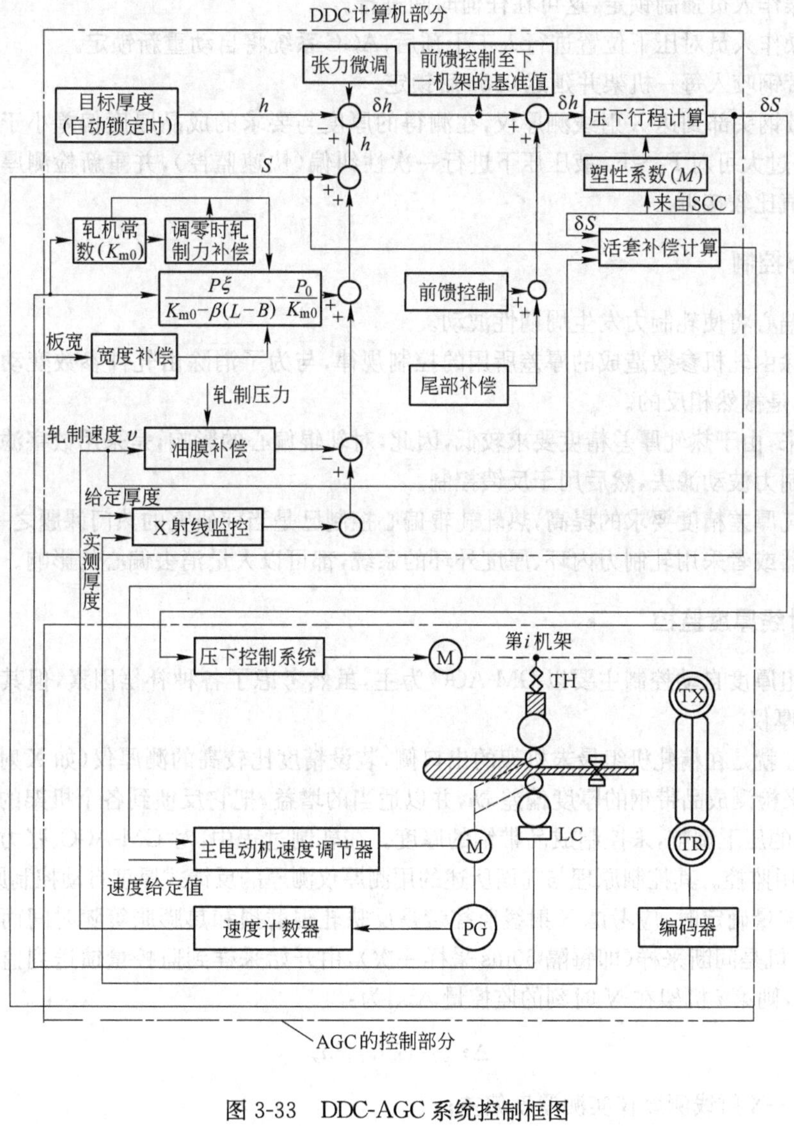

图 3-33 DDC-AGC 系统控制框图

3.5.1 厚度锁定方法

厚度锁定目前有两种方法。第一种方法是以设定值为目标(绝对 AGC)，当轧件轧出后，根据

S_0、P 等反馈实测信号间接计算实测厚度后，与此目标值相比较，如不同，就进行调厚，直到$\delta h=0$为止。这种方法要求将整个带钢的厚度都调到目标值—设定值。但如果由于空载辊缝设定不当，轧件头部的厚度已经与设定值差得较多的情况下，若一定要求压下系统将带钢厚度调到设定值势必会造成压下系统负荷过大，同时亦将把带钢调成楔形厚差。第二种方法（相对 AGC）即不论带钢头部是否符合设定值，厚度控制系统以头部的实际厚度为标准，即用头部的实测厚度作为目标值。厚度控制系统应使带钢各点的厚度向此值看齐，这样有利于得到厚度均匀的带钢，但此带钢的厚度值不一定符合产品所要求的设定值。新设计的系统往往两种方法都采用，由工人根据情况决定采用哪种方法工作；当选用绝对 AGC 时，如设定误差过大，计算机将自动改用相对 AGC。

锁定可以有以下四种时序：

(1) 由操作人员强制锁定，这可在任何时间进行。

(2) 当操作人员对压下位置进行人工干预后，AGC 系统将自动重新锁定。

(3) 当带钢咬入每一机架并延迟 0.5s 后锁定。

(4) 当带钢头部到达 X 射线测厚仪，在测得的厚度与要求的成品厚度偏差小于规定范围时锁定，如偏差过大可对 F_5～F_7 液压压下进行一次性纠偏（快速监控），并重新检测厚度以使锁定值能与设定值比较接近。

3.5.2 偏心控制

支撑辊偏心将使轧制力发生周期性波动。

为了消除由轧机参数造成的厚差所用的控制规律，与为了消除由轧件参数变动所造成厚差的控制规律，是截然相反的。

长期以来，由于热轧厚差精度要求较低，因此，对轧辊偏心的影响，是采用数字滤波方法将偏心造成的轧制力波动滤去，然后用于反馈控制。

随着热轧厚差精度要求的提高，热轧轧辊偏心控制已是当前研究的热门课题之一，采用专门的偏心控制器或者采用轧制力内环、厚度外环的系统，都可以大量消去偏心的影响。

3.5.3 X 射线厚度监控

精轧机组厚度自动控制主要以 GM-AGC 为主，虽然考虑了各种补偿因素，但其精度仍就低于 X 射线测厚仪。

所谓监控就是在精轧机组最末机架的出口侧，装设精度比较高的测厚仪（如 X 射线或同位素测厚仪），用来检测成品带钢的厚度偏差 δh，并以适当的增益，把它反馈到各个机架的厚度控制系统中，作适当的压下调整，来控制成品带钢的厚度。在轧制过程中，对 GM-AGC、张力微调和液压 AGC 均可采用监控。其控制原理与前面所述的用测厚仪测厚的反馈式厚度自动控制原理相同。

进行监控量确定时，应考虑 X 射线监控量是反映轧辊磨损和热膨胀等随时间而缓慢变化的量，而且计算机是间断采样（即每隔 50ms 采样一次），由开始采样到监控量馈送到监控机架要经过 N 个时刻，则第 i 机架在 N 时刻的监控量 Δx_{Ni} 为：

$$\Delta x_{Ni}=G_{0i}G_{Mi}\delta h_x \tag{3-24}$$

式中 δh_x——X 射线测厚仪实测厚度偏差；

G_{Mi}——比例系数，表示为消除单位厚度偏差在第 i 机架所需的辊缝调节量；

G_{0i}——比例系数，由于存在由第 i 机架到测厚仪的传递滞后，若轧件传递时间为 t_{Li}，为使系统稳定 G_{0i}应小于 $1/(2t_{Li})$，考虑到压下机构也存在滞后，故取 $G_{0i}=1/(4t_{Li})$。

在计算机控制的条件下，在第 N 时刻对第 i 机架的累计监控量输出值为：

$$x_{Mi}=\int_0^N \Delta x_{Ni}\,\mathrm{d}t \tag{3-25}$$

若写成数值计算的递推格式则为：

$$x_{Mi}=x_{(N-1)i}+\Delta x_{Ni} \tag{3-26}$$

式中 $x_{(N-1)i}$——对第 i 机架 $N-1$ 时刻的累计监控量输出值。

X 射线测厚仪监视控制 x_M 和上一段介绍的辊缝零位常数 G 自学习的区别在于，G 是不断递推，由 n 根钢测得后递推到 $n+1$ 根钢时应用，而 x_M 仅用于本卷钢，当尾部一离开第一机架即停止工作，并将累积的 x_M 值清零（尾部离开第一机架后转入尾部补偿控制）。

3.5.4 张力微调的运算

张力微调是根据 X 射线测厚仪测出的厚度偏差 δh_x 来修正 F_6 与 F_7 机架之间的活套张力，控制带钢厚度。如前所述，轧机本身有一定的纠正厚度差的能力，那么作用于两相邻机架之间的张力，所应消除的厚度差 δh_n 应为前一机架（即 F_{i-1} 机架）的带钢厚度差 δH 减去后一机架（即 F_i 机架）纠正的厚度差，即为：

$$\delta h_n=\delta H-\alpha(\delta H-\delta h_x) \tag{3-27}$$

式中 δh_n——张力作用应消除的厚度差；

δH——前一机架的轧出厚度差；

α——轧机纠偏能力所决定的系数，$0\leqslant\alpha\leqslant 1$，由试验确定。

要消除此厚度差 δh_n 所需要的张力 ΔT 为：

$$\Delta T=G_0 G_T \delta h_n \tag{3-28}$$

式中 G_T——比例系数，表示为消除单位厚差所需的张力值；

G_0——保持系统稳定而设置的比例系数。

考虑到厚度偏差量 δh_x 是一个滞后的缓慢变化量，N 时刻张力的校正输出值是在 $N-1$ 个时刻累计张力校正输出值的基础上进行的，因此 N 时刻张力的校正输出值为：

$$\Delta T_N=\Delta T_{N-1}+\Delta T \tag{3-29}$$

式中 ΔT_N——N 时刻因厚度波动所需的累计张力校正输出值；

ΔT_{N-1}——$N-1$ 时刻累计张力校正输出值。

3.5.5 速度补偿的计算

速度补偿是当厚度自动控制系统对第 i 机架给出了 δS_i 的调节量的同时，为了保持金属秒流量相等，则对第 $i-1$ 机架的轧辊线速度应给出相应的调节量 $\delta v_{0,(i-1)}$，只有这样才能保证作用于轧件上的张力恒定。因此，应阐明 $\delta v_{0,(i-1)}/v_{0,(i-1)}$ 与 δS_i 之间的关系。

就相邻两机架而言，在稳定轧制情况下，$h_{i-1}v_{i-1}=h_i v_i$，当对第 i 机架给出了 δS_i 的调节量之后，则其出口厚度变化量为 δh_i，为了使得金属秒流量相等，则第 $i-1$ 机架相应的出口速度应变化 δv_{i-1}，于是：

$$h_{i-1}(v_{i-1}+\delta v_{i-1})=(h_i+\delta h_i)v_i \tag{3-30}$$

则 $$h_{i-1}\delta v_{i-1}=v_i\delta h_i$$

或 $$h_{i-1}\delta v_{0,(i-1)}(1+S_{h,(i-1)})=v_i\delta h_i$$

式中 $v_{0,(i-1)}$——第 $i-1$ 机架轧辊的圆周速度；

$S_{h,(i-1)}$——第 $i-1$ 机架中轧件的前滑率。

而 $$v_i=\frac{h_{i-1}v_{i-1}}{h_i}=\frac{h_{i-1}v_{0,(i-1)}(1+S_{h,(i-1)})}{h_i}$$

故 $$h_{i-1}\delta v_{0,(i-1)}(1+S_{h,(i-1)})=\frac{h_{i-1}v_{0,(i-1)}(1+S_{h,(i-1)})}{h_i}\delta h_i$$

所以当第 i 机架的辊缝作了调整之后，则第 $i-1$ 机架的轧辊速度应相应补偿变化为：

$$\frac{\delta v_{0,(i-1)}}{v_{0,(i-1)}}=\frac{1}{h_i}\times\frac{K_m}{K_m+M}\delta S_i \tag{3-31}$$

3.5.6 带钢尾部补偿值的计算

当带钢尾部每离开一个机架时，由于后张力消失，必然导致尾部增厚。为了防止尾部增厚的产生，在带钢尾部离开第 $i-1$ 机架时，应增大第 i 机架的压下量，此种方法称作带钢尾部补偿。所谓压尾就是在带钢的尾部多压下一些，为了达到此目的，一般采用将现有的厚度偏差控制信号 δh 适当放大，此种放大的厚度偏差信号就是压尾的补偿值 δh_T。

带钢尾部越厚就说明它失张得越严重，需要的尾部补偿值 δh_T 也就越大，故第 i 机架的尾部补偿值与带钢尾部厚度 h_{i-1} 成正比。当第 i 机架的轧制速度加快时，则带钢尾部由第 $i-1$机架移向第 i 机架的时间 t 就短，为了消除同样大小的尾部厚度差则要求压下速度加快，也就是应增大压尾补偿量，故压尾补偿值与尾部移送时间成反比。因此，它们之间的关系为：

$$\delta h_T=G_T\frac{h_{i-1}}{t}\delta h \tag{3-32}$$

式中 δh_T——压尾补偿值；

δh——现有的厚度偏差；

h_{i-1}——第 $i-1$ 机架带钢尾部厚度；

G_T——调节增益；

t——带钢尾部由第 $i-1$ 向第 i 机架的移送时间。

当带钢尾部离开第 $i-1$ 机架之后，对应于第 i 机架的压下行程 δS_T 为：

$$\delta S_T=\frac{M+K_m}{K_m}\delta h_T \tag{3-33}$$

尾部补偿也可以采用“拉尾”的方式，即当带钢尾部离开第 $i-1$ 机架时，降低第 i 机架的速度，使第 i 与第 $i+1$ 机架之间的张力加大。以补偿尾部张力消失的影响。

应该指出，并不是精轧机组各个机架都要进行尾部补偿。压尾机架的选择可以通过操作台上的选择开关来选取，例如 1700mm 七机架的热连轧机精轧机组所选择的压尾机架如表 3-6 所示，而对 F_6 和 F_7 机架，考虑到此时轧制速度很高，带钢比较薄，尾部厚度差已较小，故不进行尾部补偿。

表 3-6 压尾机架选择

被选机架数目	补偿机架						
	F_1	F_2	F_3	F_4	F_5	F_6	F_7
1		√					
2		√	√				
3		√	√	√			
4		√	√	√	√		

3.5.7 自动复位

厚度自动控制系统是在辊缝设定基础上对带钢全长厚差进行调节的系统,因此,在带钢尾部轧制时,各机架的辊缝值都已偏离原设定值。为了不影响下一根带钢进入精轧机组,加快辊缝调节的时间,AGC 系统都设有自动复位的功能。为此,在 AGC 系统开始投入工作时,应首先记忆下机架的辊缝设定值,在 AGC 系统工作结束时,应将各机架的辊缝自动恢复到所记忆下的设定值大小,这一功能称为自动复位。

3.6 粗轧立辊开口度设定——宽度设定

粗轧机组中除第 1 机架外,各机架前一般都有立辊用来轧边。粗轧机组第 1 机架前没有立辊,因为已有专门的大立辊轧机,或侧压压力机。考虑到目前有采用连铸坯作为热连轧原料的趋势,为了解决连铸坯宽度规格较少,而成品带钢宽度规格较多的困难,现代热连轧机广泛采用侧压压力机,最大压下量可达 300mm。

整个立辊系统用来解决带钢的宽度控制。但应指出,宽度控制的可能性,首先在于精轧机组采用了恒定小张力控制系统(活套高度控制),使板卷头尾和中部的宽度差很小。这样就可以用粗轧机组的立辊系统来控制粗轧机组出口宽度,亦即控制精轧机组入口宽度,以减少成品宽度公差。粗轧机组出口宽度应为

$$B_R = B_F - \delta B_F \tag{3-34}$$

式中 B_R——粗轧机组出口宽度;

B_F——精轧机组出口宽度(即成品宽度);

δB_F——精轧机组的总宽展量,它可根据测宽仪测得 B_R^* 及 B_F^* 的不断学习求得实际宽展量,由此可对预先给出的经验值不断校正。

$$\delta B_F^* = B_F^* - B_R^*$$

式中 B_F^*——精轧机组出口实测宽度;

B_R^*——粗轧机组出口实测宽度。

然后用下述公式计算预报值:

$$\delta B_{F(n+1)} = \delta B_{F(n)} + a(\delta B_{F(n)}^* - \delta B_{F(n)}) \tag{3-35}$$

式中 下角标 n、$n+1$——第 n 及 $n+1$ 根钢的值;

δB_F——宽展估计量。

在精确预报 $\delta B_{F(n+1)}$ 基础上,即可根据成品要求宽度 B_F 值,计算应保证的 B_R 值。

成品要求的宽度 B_F 为

$$B_F=B_n(1+\alpha t_{FC})+\beta \tag{3-36}$$

式中　B_n——要求的成品宽度；

t_{FC}——精轧机组终轧温度；

α——线膨胀系数，$\alpha=1.43\times10^{-5}$；

β——宽度边缘余量（可由操作工人调整）。

这样，立辊系统需压下的总量为

$$\Delta B_{R\Sigma}=(Q_S B_S-B_R)+\Sigma\delta B_{Rij} \tag{3-37}$$

式中　Q_S——钢坯的热校正系数，约为 1.015；

B_S——板坯宽度；

B_R——中间带坯的宽度；

$\Delta B_{R\Sigma}$——需侧压下的总量；

δB_{Rij}——粗轧第 i 机架第 j 道次的宽展量

$$\delta B_{Rij}=K\Delta h_{Rij} \tag{3-38}$$

K——宽展系数，K 值可由现场实测求得；

Δh_{Rij}——粗轧第 i 机架第 j 道次的宽展量。

各机架立辊的侧压量分配可用下式确定：

$$\Delta B_{Eij}=\Delta B_{R\Sigma}a_{ij} \tag{3-39}$$

式中　i——机架号；

j——道次号（道次号只用于可逆机座）；

a_{ij}——i 机架 j 道次的侧压量分配系数。

由于可逆机架 R_2 的立辊设在 R_2 机架入口侧，且立辊仅当奇道次时才轧边，因此，若当 R_2 机架的道次数为 n 时，则 R_2 机架的立辊轧制道次数为 $(n+1)/2$。a_{ij} 根据具体轧机结构及工艺条件，按工人操作经验而定，例如可采用表 3-7 所列数值（不同轧机，此数值将有所不同）。

根据表 3-7 所列的值（可逆机架轧三道时，$a_1=0.20$，$a_{21}=0.23$，$a_{23}=0.20$，$a_3=0.21$，$a_4=0.16$）即可求出 ΔB_{E1}、ΔB_{E21}、ΔB_{E23} 等侧边压下量。因此大立辊轧出宽度 B_{E1} 为

$$B_{E1}=B_S-\Delta B_{E1}$$

式中　ΔB_{E1}——立辊侧压压下量。

表 3-7　侧压量分配系数

道　　次	大 立 辊	2 号小立辊	3 号小立辊	4 号小立辊
可逆机架三道	0.20	1　0.23 3　0.20	0.21	0.16
可逆机架五道	0.19	1　0.19 3　0.22 5　0.18	0.14	0.08
可逆机架七道	0.16	1　0.16 3　0.16 5　0.15 7　0.15	0.14	0.08

粗轧机组第 1 机架轧出的宽度 B_{R1} 为

$$B_{R1}=B_{E1}+\delta B_{R1}$$

式中 δB_{R1}——水平辊的宽展量。

第 2 机架小立辊轧出宽度 B_{E21}(以三道次为例)为

$$B_{E21}=B_{R1}-\Delta B_{E21}$$

$$B_{R22}=B_{E21}+\delta B_{R21}+\delta B_{R22}$$

$$B_{E23}=B_{R22}-\Delta B_{E23}$$

粗轧机组第 2 机架轧出宽度 B_{R2} 为

$$B_{R2}=B_{E23}+\delta B_{R23}$$

第 3 机架小立辊轧出宽度 B_{E3} 为

$$B_{E3}=B_{R2}-\Delta B_{E3}$$

粗轧机组第 3 机架轧出宽度 B_{R3} 为

$$B_{R3}=B_{E3}+\delta B_{R3}$$

第 4 机架小立辊轧出宽度 B_{E4} 为

$$B_{E4}=B_{R3}-\Delta B_{E4}$$

粗轧机组第 4 机架轧出宽度 B_{R4}(应等于所需的 B_R 值)为

$$B_{R4}=B_{E4}+\delta B_{R4}$$

根据各机架立辊应轧宽度 B_{Eij} 的大小,用下式确定立辊辊缝值 E_{ij}:

$$E_{ij}=B_{Eij}-\frac{P_{Eij}}{K_{Ei}}=B_{Eij}-\eta_{ij} \tag{3-40}$$

考虑到立辊轧边时 $l_c/h_c \ll 1$,因此轧制变形很不均匀,立辊轧出的板坯形状如狗骨形,这使得 P_{Eij} 很难用一般轧制压力公式来计算。由于立辊轧机刚度系数 K_{Ei} 基本为常数,而 $P_{Eij}=f(h_E,\Delta B_{Eij})$($h_E$ 为进入立辊时的板坯厚度),因此建议用下式计算 η_{ij}:

$$\eta_{ij}=C_E h_E \Delta B_{Eij} \tag{3-41}$$

正比系数 C_E 可由实验求出,η_{ij} 和 ΔB_{Eij} 可用下式计算:

$$\eta_{ij}=B_{Eij}^{*}-E_{ij}^{*}$$

B_{Eij}^{*} 采用测量水平辊轧出的实际宽度反推。

$$B_{Eij}^{*}=B_{Rij}^{*}-\delta B_{Rij}$$

δB_{Rij} 用式(3-39)计算,式中系数 K 应在立辊不工作的条件下进行水平辊宽展试验求出。

立辊实际压下量 ΔB_{Eij} 为

$$\Delta B_{Eij}=B_{Ri(j-1)}-B_{Eij}^{*} \quad 或 \quad \Delta B_{Ei}=B_{R(i-1)}-B_{Ei}^{*} \tag{3-42}$$

为了提高宽度控制精度,在轧件进入 3 号立辊前,应根据实测信息,对 3 号和 4 号小立辊进行重新设定计算。

粗轧机组第 2 机架轧出宽度为

$$B_{R2}=B_{E23}+\delta B_{R23}$$

$$B_{E23}=B_{E23}^{*}+\eta_{23}$$

式中　B_{E23}^{*}——立辊开口度实测值。

因此，E_3 和 E_4 需压下的总量为

$$\Delta B_{E34}=B_{R2}+\delta B_{R3}+\delta B_{R4}-B_R+\gamma$$

式中　γ——自适应修正项。

而第 3 机架和第 4 机架的小立辊再整定后的侧向压下量 ΔB_{E3} 和 ΔB_{E4} 则为

$$\Delta B_{E3}'=\delta_3\Delta B_{E34} \tag{3-43}$$

$$\Delta B_{E4}'=\delta_4\Delta B_{E34} \tag{3-44}$$

式中　δ_3、δ_4——再整定分配系数，在一般情况下，$\delta_3=60\%$，$\delta_4=40\%$左右。

因此 3 号和 4 号小立辊辊缝新设定值应为

$$E_3'=B_{R2}-\Delta B_{E3}'-\eta_3 \tag{3-45}$$

$$E_4'=B_{R2}-\Delta B_{E3}'+\delta B_{R3}-\Delta B_{E4}'-\eta_4 \tag{3-46}$$

为了提高控制精度，采用粗轧出口测宽仪的实测值作为自适应校正项 γ，用于下一块料的再设定计算。

$$\gamma_{(n+1)}=\gamma_n+a[B_R^{*}-B_R] \tag{3-47}$$

式中　B_R^{*}——实测值；

B_R——目标值；

γ_n——第 n 根钢用的自适应校正项；

$\gamma_{(n+1)}$——第 $n+1$ 根钢应采用的自适应校正项。

如果粗轧只采用 R_1 和 R_2 两可逆机架，则在 R_2 的末道前奇道次板坯从 R_2 轧出并测得实际宽度后，可用来修正末道次的立辊侧压。

3.7　宽度自动控制 AWC

由于热轧的精轧阶段宽展很小，宽厚比很大，调节宽度很难，因此，宽度控制的任务主要是在热轧的粗轧阶段完成的。考虑到目前有加厚进入精轧机组带坯厚度的趋势，不少新建轧机还设置了 F_E 用于对宽度精调。

3.7.1　板宽变动的原因

板宽变动的原因主要有：

(1) 板坯宽度波动。由于清理板坯缺陷的影响和连铸坯铸造速度的影响，板坯宽度发生波动。

(2) 头尾端失宽。随着立辊轧机宽向压下量的增大，在几十米长的带钢上，头尾部产生五到几十毫米的失宽，如不加以控制，头部轧后宽度沿着轧制方向的变化规律由窄逐渐变宽，尾部是由宽逐渐变窄。

(3) 炉底黑印的影响。在板坯长度方向炉底黑印(或称水印)处温度低,使立轧效果减小,轧出宽度增大。

(4) 精轧机架间张力的影响。由于轧机速度不平衡和活套量变化等干扰的影响,机架间张力发生波动。此外,穿带和抛尾时头尾部分不受机架间张力作用,张力变化会引起宽度的变化。

(5) 卷取机冲击张力的影响。带卷头部卷入卷取机卷筒瞬间产生的冲击张力使得变形抗力低的部分(精轧机组出口附近)发生局部变窄。

3.7.2 几种基本的宽度控制方式

宽度自动控制的方式有以下几种基本方式,不同的立辊轧机采用的宽度控制系统是由这几种基本方式的不同组合而成的。

3.7.2.1 短行程控制(SSC)

头尾部失宽控制可以采用短行程控制,也可以将头尾部的影响加到宽度控制模型中,进行包含头尾部在内的前馈控制。

短行程控制是在板坯使立辊轧机前热金属检测器接通时,液压调宽缸先将开口度加大,待板坯咬入后按计算机内存储的事前统计好的曲线,将开口度收小,并在尾部到来时,逐步按存储曲线加大开口度。为此,必须对板坯长度进行测量,并对头和尾进行跟踪,以提高程序控制的正确性。

立辊开口度(随轧出长度增加)的变化曲线是根据现场统计或模拟所得,并可在实际控制后,在获得粗轧出口测宽仪实测值后进行自学习修正。

3.7.2.2 前馈 AWC 控制(FF-AWC)

稳定轧制部分(除头尾外的部分)宽度采用前馈 AWC 和反馈 AWC 控制,原理与前馈 AGC 和压力 AGC 相似,不同之处在于:侧压时轧件断面变成狗骨形,在随后的水平轧制时会产生回展,因此控制模型必须考虑狗骨的回展量和在水平轧制时的正常展宽量。

前馈 AWC 适用于控制变化较大的宽度偏差,如炉底黑印低温区轧后宽度突然变大,对于这种特点的宽度波动,采用反馈控制效果较差。

某架立辊轧机的前馈 AWC 原理是:根据某架水平辊轧机轧制(轧件出水平辊轧机后进入该架立辊轧机轧制)时或该架立辊轧机前一道次轧制时轧制力和轧后宽度实测值信号,发现并记住宽度偏差突然增大的位置,在该架立辊轧机轧制或下一道轧制轧到该位置时通过修正立辊开口度设定值对此宽度偏差加以克服。

3.7.2.3 反馈 AWC(RF-AWC)

只有采用了快速响应的液压压下,才有可能实现反馈 AWC。板坯咬入立辊后延迟一段时间(以获得正确的头部轧出宽度信息)后,启动 RF-AWC,RF-AWC 首先对头部侧压轧制力进行测定,并加以锁定,然后根据后续部分轧制力的变化,动态地调节立辊开口度,力求使轧出宽度等于该锁定值。

某 2050mm 带钢热连轧机粗轧机组有四架立辊轧机,其宽度控制系统在第一架采用了短行程控制,在第二架采用了短行程控制和反馈 AWC,在第三架采用了前馈 AWC 与反馈 AWC 的结合形式。

复习思考题

3-1 带钢头部和全长尺寸精度如何保证？
3-2 控制带钢全长宽度偏差，需要在哪些方面着手？
3-3 什么叫单位能耗曲线，如何绘制？
3-4 常用的负荷分配方法有哪几种？
3-5 什么叫 P-h 图，有哪些用途？
3-6 如何用试验方法确定轧机刚度？
3-7 板带钢厚度波动的原因有哪些？
3-8 厚度自动控制系统的类型有哪些？
3-9 液压式厚度自动控制系统有什么优缺点？
3-10 如何实现变刚度？
3-11 什么叫厚度锁定，厚度锁定分几种？
3-12 板宽发生变动的原因是什么？
3-13 宽度自动控制的类型有哪些？
3-14 弹跳曲线为什么存在直线段和曲线段？

4 速度控制

在轧钢车间，绝大多数的轧钢机械都采用电力拖动。

过去，在要求快速、高精度的速度自动控制中，大多采用直流电机进行拖动，其原因是直流电机调速性能好、启动转矩较大、控制系统较简单等。但是，由于直流电机制造工艺复杂，消耗有色金属较多，体积较大，制造成本较高，且有机械换向器，可靠性较差，维护比较困难，限制了它向高速大功率方向发展。相对于直流电机来说，交流电机特别是异步电机具有结构简单、运行可靠、维护方便、转动惯量低，可用于恶劣环境下且易于向高压大功率方向发展、制造成本较低等诸多优点。因此，世界各国都在致力于发展性能优异的交流调速系统。随着交流调速理论、半导体变流技术、控制手段和电力半导体器件的发展，各国都研制出了性能优异的各类交流调速系统和伺服控制系统，正逐步取代直流调速系统和直流伺服系统。

4.1 电动机调速原理

4.1.1 直流电动机的机械特性方程式

由电机学知识可知，他励直流电动机的机械特性方程为

$$n=\frac{U}{C_e\Phi}-\frac{TR}{C_eC_\mu\Phi^2}=n_0-\Delta n \tag{4-1}$$

式中 n——电机转速，r/min；

n_0——理想空载转速，$n_0=\frac{U}{C_e\Phi}$；

Δn——相对于 n_0 的转速降，$\Delta n=\frac{\mu R}{C_eC_T\Phi^2}$；

U——电枢回路电压，V；

C_e——取决于电动机结构的电势常数；

C_μ——取决于电动机结构的转矩常数；

Φ——电动机每极的磁通量，Wb；

R——电枢回路电阻，Ω；

μ——电机的电磁力矩，N·m。

由式(4-1)可知：

(1) 当电枢回路电压 U、每极的磁通量 Φ、电枢回路电阻 R 三者一定时，转速 n 与负载转矩 μ_L 有一一对应关系（忽略空载转矩 μ_0，$\mu_L=\mu$），μ_L 增加，n 下降。

(2) 当电枢回路电压 U、每极的磁通量 Φ、电枢回路电阻 R 三者之中的任一个发生改变时，电动机的转速 n 都会改变，最常用的调速方法是改变电枢回路电压 U 或每极的磁通量 Φ。

4.1.2　直流电动机的调速原理

4.1.2.1　改变电枢供电电压调速

采用这种方法调速时，电动机应保持其励磁及电枢回路电阻不变，只改变电枢电路的供电电压。采用这种方法调速，一般不超过额定电压，因此调速只在额定转速 n_N 以下进行。当端电压降低时，机械特性曲线硬度不变（Δn 不变），而理想空载转速 n_0 则随电压 U 成正比的降低。其调节过程如下：

设电动机拖动额定的恒转矩负载运行于固有特性曲线上 n_N 点（见图 4-1），当电压降低至 U_1 时，转速将下降，最终稳定在 n_1 点运行。如果电压再下降至 U_2，转速最终将稳定于 n_2 点。相反，电压升高时，转速将依次上升。

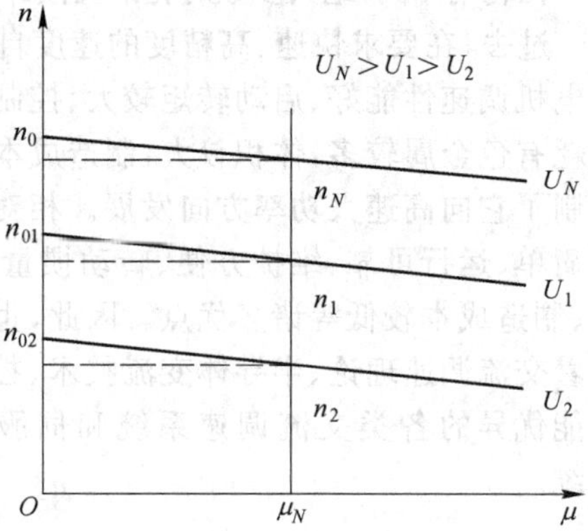

图 4-1　改变电枢供电电压调速机械特性

这种调速方法优点很多，主要是：可以实现无级调速，平滑性良好；由于特性没有变软，所以稳定性比较好；可以调节至较低的转速，调速范围较广。因为电动机的转速差不多与端电压成正比例变化，所以在新的稳定点运行时，效率基本不变。

4.1.2.2　改变电动机的磁通调速

直流电动机改变磁通方法比较简便，在励磁电路串接调节电阻，改变励磁电流，即可改变磁通。通常改变磁通只能在额定磁通下减弱磁通，所以这种方法调速是在额定转速以上进行的。

由机械特性方程式知，改变磁通调速时，人为机械特性曲线的理想空载转速与磁通成反比；转速降 Δn 则与磁通的平方成反比。图 4-2 所示他励直流电动机的固有特性曲线 Φ_N 和磁通减少时的人为特性曲线 Φ_1、Φ_2。

设电动机拖动额定的恒转矩负载运行于固有特性曲线上 n_N 点（见图 4-2），当磁通降低至 Φ_1 时，转速将上升，最终稳定在 n_1 点运行。如果磁通再降低至 Φ_2，转速最终将稳定于 n_2 点。相反，磁通升高时，转速将依次下降。

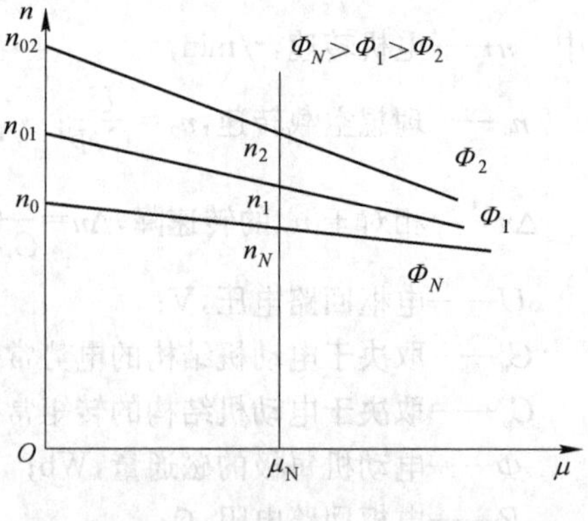

图 4-2　改变磁通调速机械特性

这种调速是在励磁电路里进行，而励磁电流只是额定电枢电流的 2%～5%，因而可用小容量调节电阻，级数可以增多，平滑性好；而且控制设备体积小投资少，能量损耗小，调速的经济性好。

调速范围通常为 1～2。它主要受到换向条件的限制，因为随着转速升高，换向条件变坏，特殊设计调速范围可达到 3～4。

这种调速方法的缺点是机械特性软化，当磁通相当小时，电枢反应附加去磁作用相对显著，特性软化很厉害，电动机运行将不稳定。

4.1.3 速度和电流双闭环直流调速系统

直流电动机调速有多种方案，但轧机主电动机常采用速度和电流直流双闭环调速系统。原因是轧机需要经常正反转、或频繁启动，尽量缩短过渡过程时间是提高生产率的重要因素，为此，希望充分利用电机允许的过载能力，最好是在过渡过程中一直保持电流为允许最大值，使电力拖动系统以可能的最大加(减)速度启(制)动，到达稳态转速时，电流立即降下来，使转矩与负载相平衡，从而转入稳速运行。

图 4-3 所示为典型的带励磁控制的电流、速度双闭环调速系统。左侧虚线框中就是控制系统，它包含一个电流负反馈闭环和一个速度负反馈闭环。由于速度环包围电流环，因此称电流环为内环(又称副环)，称速度环为外环(又称主环)。

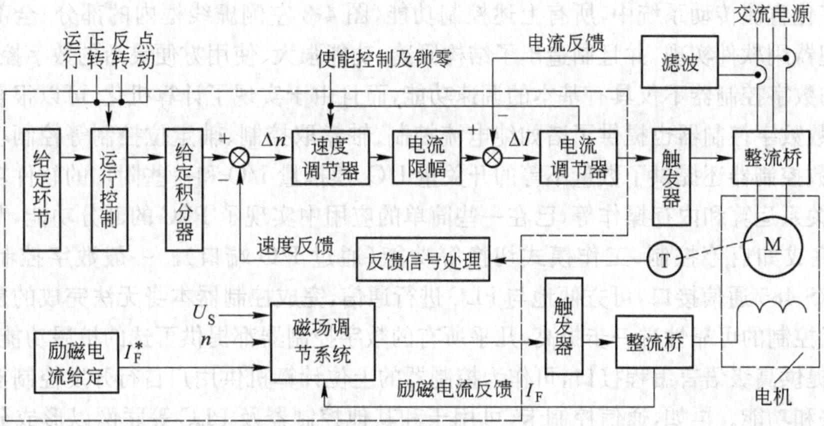

图 4-3　直流控制系统结构示意图

在调压调速的直流控制系统中，我们的目的是改变电机的电枢电压，其最直接的办法就是控制整流桥中可控硅的导通时间。导通时间越短，可控硅桥输出的平均电压越低，反之，输出平均电压越高。可控硅的导通是靠在其阴极和控制极之间加触发脉冲(正的电压脉冲)实现的，当控制极加触发脉冲时，可控硅导通；当可控硅的阳极电压比阴极低时自然关断。由此可见，只要控制触发脉冲在输入交流电压波形上的位置，即触发角(触发脉冲前沿离正弦波零度相位角处的角度)，就可以控制可控硅导通时间，也就控制了输出电压。触发角的大小由控制系统决定：电流调节器的输出电压越大，触发角越小，整流桥的输出电压越高；电流调节器的输出电压越小，触发角越大，整流桥的输出电压越低。

在控制系统中，电流闭环和速度闭环共同完成控制触发角的任务。其中，速度闭环的目的是为了保证实际速度和要求的给定速度一致，并使动态过程中速度偏差尽可能小。也就是说，改变速度给定，可以实际地改变电机速度，速度给定不变时电机速度基本不变。速度调节器一般都采用 PI 调节器。当实际速度和给定不等时，图 4-3 中所示 Δn 不等于零。由 PI 调节律可知，速度调节器的输出将增大($\Delta n>0$ 时)或减小($\Delta n<0$ 时)，从而进一步引起电流调节器输出的增大或减小，并最终引起整流桥输出电压的升高或降低，电机速度也就发生相应的变化，直到与给定相等。此时 Δn 为零，但由于速度调节器积分部分的作用，其输出将保持一个定值，因而电流调节器的输入输出、整流桥输出电压及电机的速度将维持不变。控制系统中电流闭环的作用是在动态过程中提供快速的动态响应，使电机启动和制动迅速且受到干扰时速度变化尽可能小，其原因是电流调节器一般也为 PI 调节器且响应速度很快。只要由于某种原因使电机速度发生变化，控制系统

速度环输出就会有变化，这将使得 ΔI 不为零。假定 ΔI 为正值(对应于实际速度比给定值低)，由于电流调节器的积分时间常数很小，电流调节器输出会很快向最大值靠拢甚至等于最大值，因此电机的电枢电压也将增大。此时由于电机速度来不及很快上升，故电枢电流将有可能达到控制系统允许的最大值，使电机以最大电流也就是最大力矩加速以尽可能缩短动态过程。电机速度上升后，在速度调节器的作用下最终使 Δn 和 ΔI 为零，电机重新到达稳态；反之，电机将减速。控制系统中磁场调节部分的作用是在基速(额定电压额定磁通时对应的速度)以下保持额定励磁电流，在基速以上按要求减弱磁通以提高电机速度。

直流调速系统在用模拟电路实现时，线路复杂，调整困难，功能单一，维护极困难且可靠性较差。随着计算机技术和电力电子技术的发展，出现了运算速度快、体积小的微处理器芯片，同时计算机控制理论和技术也相当成熟，这使得直流调速系统的数字化成为必然。

在数字化直流传动系统中，所有上述控制功能(图 4-3 左侧虚线框内的部分)全部由控制器内的微处理器用软件实现，并且制造出了结构紧凑、功能强大、使用方便灵活的数字控制器。

目前的数字控制器不仅具有基本的调速功能，而且由于实现了计算机化，可以很容易地扩展功能，大多数数字控制器也提供了诸如纯电流控制、轴卷取控制、轴定位控制等控制功能。除此之外，大多数控制器还提供了数量不等的开关量 I/O、模拟量 I/O 和一些附加的软件功能模块如逻辑运算、关系运算和内存操作等，已在一些简单的应用中实现了 PLC 的部分功能，节约投资或利用 PLC 完成如启停控制、工作模式切换等功能(通过 I/O 端口)。一般数字控制器还提供 RS-232或 RS-485 通信接口，可方便地与 PLC 进行通信，完成控制器本身无法完成的复杂的控制任务。为了控制的可靠性进一步提高，几乎所有的数字控制器都提供可选的扩展功能插卡，如计算机卡，它提供高级语言编程接口，可作为控制器的上位计算机供用户自行开发控制器本身没有的控制算法和功能。再如，通信控制卡，可用于和其他控制器及 PLC 等联网以形成分布式控制网络。总之，数字控制器的可靠性、易用性、功能灵活性等是模拟系统无法比拟的。

目前，世界各大电气公司都生产性能优异的直流数字控制器：如西门子公司的 SIMOREG6RA70系列，ABB公司的 DCS500 系列，GE 公司的 DV300 系列和 DV2000 系列，CT 公司的 MENTORⅡ系列等。

4.1.4 交流电动机的调速原理

由电机学知识可知，交流异步电机的转速公式为：

$$n=(1-S)\frac{60f}{P} \tag{4-2}$$

式中 n——电机转速，r/min；

f——电源频率，Hz；

P——电机的磁极对数；

S——异步电机的转差率。

由式(4-2)可知，当电源频率 f、磁极对数 P、转差率 S 三者之中的一个发生改变时，电动机的转速 n 都会改变，目前最常用的是改变电源频率 f 进行调速。当转差率 S 和磁极对数 P 一定时，电机转速和电源频率成正比。因此，只要有输出频率可以平滑调节的交流电源，就可以平滑地改变电机的速度，这也就是所谓的变频调速。

采用改变供电电源频率的调速方法，可以得到很大的调速范围，很好的调速平滑性和足够硬度的机械特性。

变频调速时，为了使励磁电流和功率因数基本保持不变，则希望磁通 Φ_m 保持不变。如果 $\Phi_m > \Phi_N$（Φ_N 为正常运行时的额定磁通），将引起磁路过分饱和而使励磁电流增加，功率因数降低。因此，在变频调速时，一般应使 Φ_m 保持不变。由定子的电势方程式可见，在忽略定子漏阻抗的情况下，得：

$$U_1 \approx E_1 = 4.44 f W_1 k_{r1} \Phi_m \tag{4-3}$$

式中 $W_1 k_{r1}$——电机常数。

为使在 f 变化时，Φ_m 保持不变，则应使电压与频率成比例地变化，即

$$\frac{U_1}{f} = 4.44 W_1 k_{r1} \Phi_m = \text{定值} \tag{4-4}$$

经计算，在改变频率的同时，相应地改变定子电压，使$\frac{U_1}{f}$=定值，也能保持最大转矩 μ_m 近似不变。

额定频率称为基频，变频调速时可以从基频向上调（即转速从基速向上调），也可以从基频向下调（即转速从基速向下调）。

当电源频率从基频向下调时，按$\frac{U_1}{f}$=定值的控制方式进行，电机的最大转矩 μ_m 近似不变，为恒转矩调速。

当电源频率从基频向上调时，如果仍保持$\frac{U_1}{f}$=定值，则在 $f_1 > f_N$ 时，将使 $U_1 > U_{1N}$ 这是不允许的。因此基频以上调速，必须保持 $U_1 = U_{1N}$。这将使磁通 Φ_m 减小。电机的容许输出转矩 μ 下降，而频率 f 增加使电机角速度上升，电机的容许输出功率 P_2=定值，所以基频以上的升频调速为恒功率调速。变频调速的机械特性如图 4-4 所示。其调节过程如下：

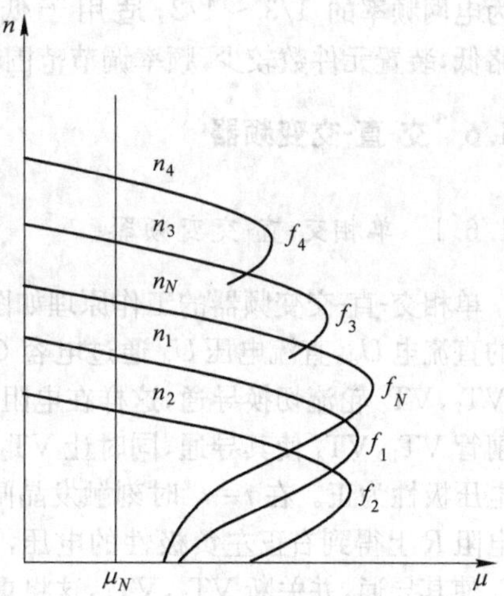

图 4-4 变频调速的机械特性

（1）在 n_N 点以下调速$\left(\text{保持}\frac{U_1}{f}=\text{定值}\right)$

设电动机拖动额定的恒转矩负载运行于固有特性曲线上 n_N 点（见图 4-4），当频率（电压）降低至 f_1 时，转速将下降，最终稳定在 n_1 点运行。如果频率（电压）再下降至 f_2，转速最终将稳定于 n_2 点。相反，频率（电压）升高时，转速将依次上升。

（2）在 n_N 点以上调速（保持 $U_1 = U_{1N}$）

设电动机拖动额定的恒转矩负载运行于固有特性曲线上 n_N 点（见图 4-4），当频率上升至 f_3 时，转速将上升，最终稳定在 n_3 点运行。如果频率再上升至 f_4，转速最终将稳定于 n_4 点。相反，频率下降时，转速将依次下降。

三相异步电动机变频调速具有以下几个特点：

（1）从基频向下调速，为恒转矩调速方式；从基频向上调速为恒功率调速方式；

（2）调速范围大；

（3）调速稳定性好；

（4）运行时转差率 S 小，效率高；

（5）频率 f 可以连续调节，变频调速为无级调速。

4.1.5 变频器的基本类型

对交流电动机实现变频调速的装置叫变频器。变频器按其结构可分为两种基本类型:交-交变频器和交-直-交变频器,如图 4-5 所示。

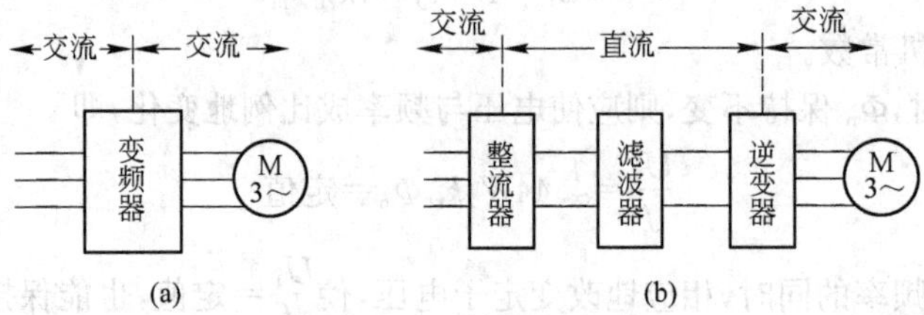

图 4-5 两种类型的变频器

(a)交-交变频器;(b)交-直-交变频器

交-交变频器没有明显的中间滤波环节,电网交流电被直接变成可调频调压的交流电。而交-直-交变频器先将电网交流电变换为直流电,经中间滤波环节之后,再进行逆变转换为变频变压的交流电。

交-交变频器的特点是属于一次换能,效率较高,但整个装置元件数较多,调频范围仅为电网频率的 1/3～1/2,适用于低速大功率拖动。交-直-交变频器是二次换能,效率略低,装置元件数较少,频率调节范围较宽,适用于各种拖动装置。

4.1.6 交-直-交变频器

4.1.6.1 单相交-直-交变频器

单相交-直-交变频器的工作原理如图 4-6 所示。先由晶闸管整流器将交流电整流为幅值可调的直流电 U_d,直流电压 U_d 通过电容 C 滤波,以减小波纹。然后令晶闸管开关元件 VT_1,VT_3 和 VT_2,VT_4 轮流切换导通,这样在电阻负载 R 上得到交流输出电压 u_o。例如,在 $t=0$ 时刻触发晶闸管 VT_1,VT_3 使其导通,同时让 VT_2,VT_4 关断,在电阻 R 上得到左正右负的电压,假定此时的电压极性为正。在 $t=t_1$ 时刻触发晶闸管 VT_2,VT_4 使其导通,同时让晶闸管 VT_1,VT_3 关断,在电阻 R 上得到右正左负极性的电压,图上表示为负电压。在 $t=t_2$ 时刻再触发晶闸管 VT_1,VT_3 使其导通,并关断 VT_2,VT_4,这将重复 $t=0$ 的过程,如此循环下去,我们将在电阻 R 上得到交流电压 u_o。u_o 的幅值由晶闸管整流装置输出电压 U_d 决定,输出电压 u_o 的频率由逆变器开关

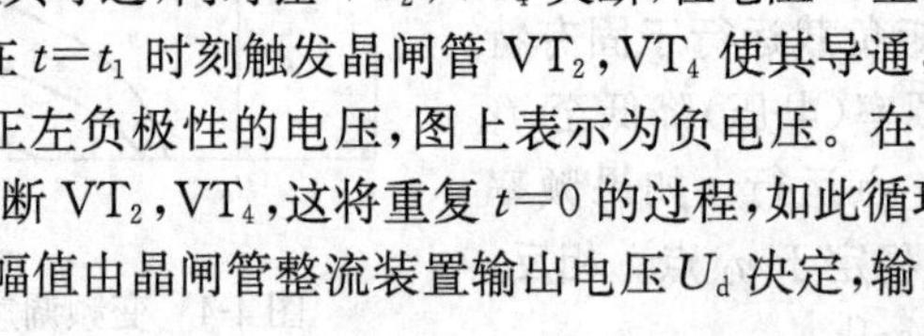

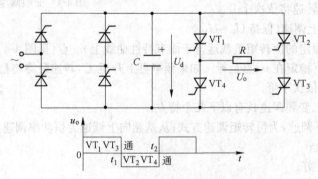

图 4-6 单相交-直-交变频器原理图

元件切换频率来决定。开关元件切换得快，则 u_o 的频率高，反之则低，这时输出电压的频率与电源频率完全无关。

4.1.6.2 三相交-直-交变频器

如图 4-7 所示，三相交-直-交变频器主电路由整流电路、中间滤波环节和逆变电路三部分组成。

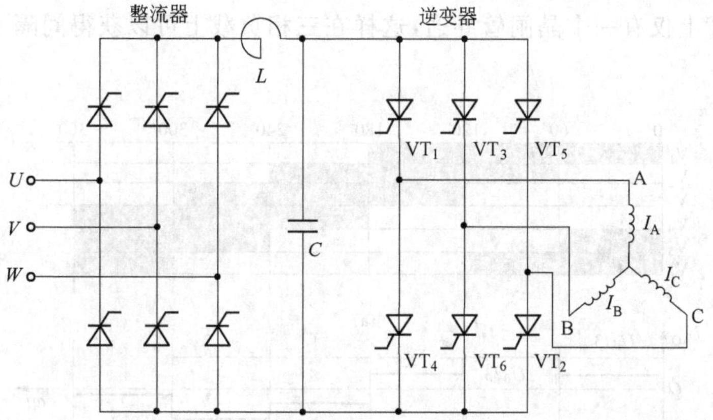

图 4-7 三相交-直-交变频器原理图

整流电路采用晶闸管三相桥式可控整流，将一定幅值和一定频率的电网交流电变换成幅值可调的直流电。逆变电路也采用三相桥式电路，其作用与整流电路相反，将直流电变换成频率可调的交流电。由电感 L 和电容 C 构成滤波环节，以减小整流以后的电压和电流的波纹。

根据中间滤波环节是电容性或是电感性，可以将交-直-交变频器分为电压型或电流型。电压型交-直-交变频器的特点是由于电容上的电压波动很小，所以逆变器输出的电压波形是比较平直的矩形波。而电流型交-直-交变频器由于电感中的电流不能突变，逆变器输出的电流波动很小。

逆变电路中，所有的晶闸管和功率晶体管都是作为开关元件使用，因此要求它们要有可靠的开通和关断能力。由晶闸管的特性可知，晶闸管的导通只要晶闸管的阳极电压处于正向，在晶闸管的控制极和阴极之间加一触发信号即可。而晶闸管由导通到关断却不太容易，必须使晶闸管的正向电流减小到小于维持电流。在可控整流、逆变电路中，晶闸管的关断都是依靠阳极所承受的电网交流电压自动过零点或靠相邻晶闸管导通而引入电网负电压来实现的，这种换流关断形式通常称为自然换流。因而为了保证晶闸管能够准确关断，交-直-交变频器必须增设专门的换流电路(图中未示出)。这样不但电路复杂，而且电路耗能大。

可关断晶闸管(GTO)是一种门极可控制导通与关断的晶闸管，门极正信号触发导通，门极负信号触发关断。

功率晶体管(GTR)是目前应用较为广泛的一种自关断器件，其工作原理和结构与普通小功率晶体管类似。由于可关断晶闸管和电力晶体管可以很方便的控制导通和关断，采用这些元件组成的变频器，使主电路结构简单，控制灵活方便，耗能小，无需增设换流电路，变频器的体积也大大缩小，因此这类变频器得到迅速发展和广泛应用。

下面以 180°导电型三相桥式逆变电路为例分析三相逆变器的晶闸管导通规则及输出电压波形。

图 4-7 所示的三相逆变器中，六个晶闸管的导通顺序为 $VT_1 \rightarrow VT_2 \rightarrow VT_3 \rightarrow VT_4 \rightarrow VT_5 \rightarrow VT_6 \rightarrow VT_1$，触发间隔均匀，即各晶闸管的触发间隔为 60°。180°导电型，即每个晶闸管导通之后，经 180°电角度被关断。

按照每个晶闸管触发间隔为 60°，触发导通后维持 180°电角度才被关断的特征，可以作出六个晶闸管导通区间分布如图 4-8 所示。在每一个 60°的区间内有三个晶闸管同时导通，而每个桥臂上仅有一个晶闸管导通，这样在三相负载上可以获得间隔 120°的三相交流电压。

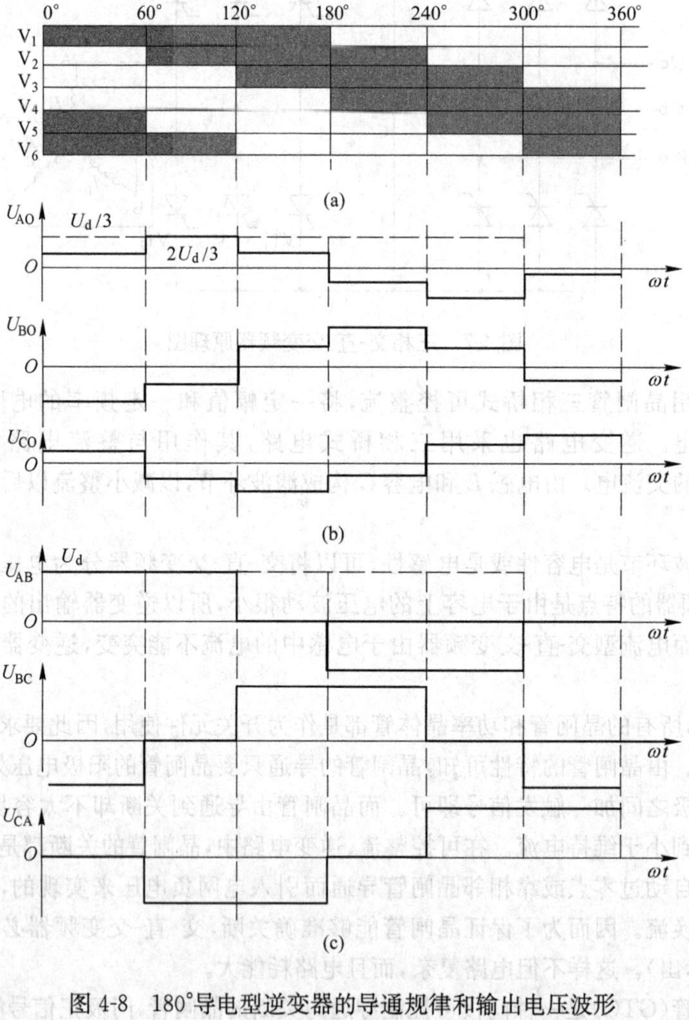

图 4-8　180°导电型逆变器的导通规律和输出电压波形

(a)晶闸管导通顺序；(b)输出相电压波形；(c)输出线电压波形

在 0°～60°区间，有 VT_5，VT_6，VT_1 共同导通，设负载联结成星形，等效电路如图 4-9 所示，输出相电压 $U_{AO}=U_{CO}=U_d/3$，$U_{BO}=-U_{OB}=-2U_d/3$，输出线电压 $U_{AB}=U_{CO}-U_{BO}=U_d$，$U_{BC}=U_{BO}-U_{CO}=-U_d$，$U_{CA}=U_{CO}-U_{AO}=0$。

同理，可以推导出其他区间的相电压、线电压的大小。将各区间输出电压波形连接起来，得

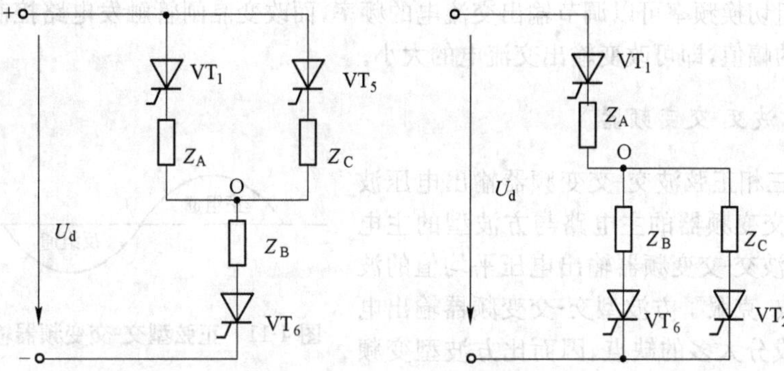

图 4-9　三相逆变器等值电路

到三相交-直-交变频器的输出相、线电压波形。

由图 4-8 可知，三个相电压的波形是阶梯状互差 120°电角度的交流电压，三相线电压则为矩形波三相对称交变电压。通过改变晶闸管换流次数，即改变了交流电压的周期，改变了逆变器输出交流电压的频率。

在逆变器调频的同时，整流电路应当调节触发脉冲的控制角。以改变整流输出电压的幅值，从而改变逆变器输出电压的大小，以满足变频调速的条件要求。

通过对图 4-8 逆变器输出电压波形的分析可知，三相相电压的波形为阶梯波，三相线电压的波形为矩形波，它们与电网供电的正弦波形相差较大，如果电动机由这种电源供电，会在电动机绕组中产生额外的损耗，并且电动机运行中振动大，噪声大。因此逆变器的输出电压波形应尽可能的接近正弦波，保证电动机的正常运行。

4.1.7　交-交变频器

交-交变频器因为没有明显的中间滤波环节，电网交流直接变为可调频调压的交流电，又称为直接变频器。

4.1.7.1　单相方波型交-交变频器

如图 4-10(a)所示，为一单相方波型交-交变频器。负载 R 由正反两组晶闸管轮流供电，所供电压的大小由移相控制角 α 控制。当正组晶闸管电路供电时，R 上获得的电压为上正下负，即正向电压。反组晶闸管电路供电时，R 上获得下正上负的负向电压。负载 R 上的输出电压波形，如图 4-10(b)所示，为一矩形波交流电压。

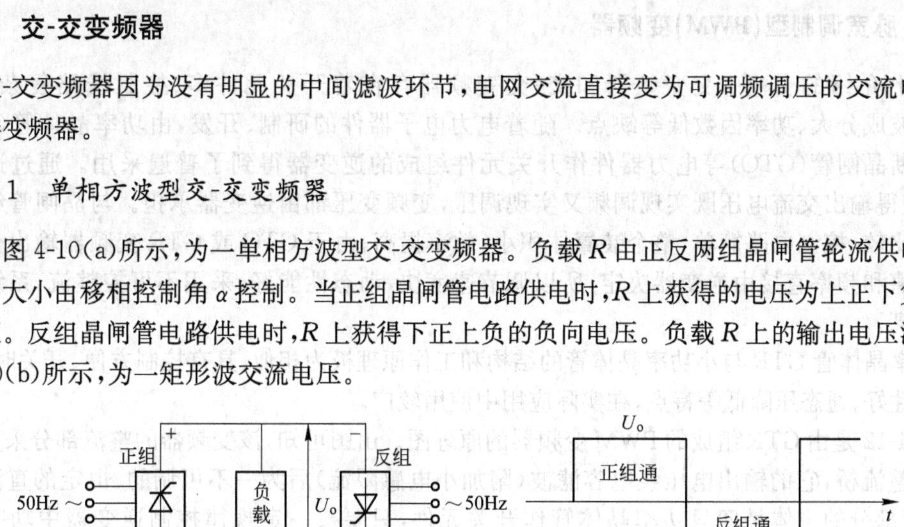

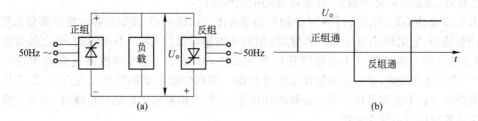

图 4-10　单相交-交变频器的主电路及输出电压波形

(a)电路原理图；(b)方波型平均输出电压波形

改变正反组切换频率可以调节输出交流电的频率，而改变晶闸管触发电路控制角 α 的大小，可改变矩形波的幅值，即可改变输出交流电的大小。

4.1.7.2 正弦波交-交变频器

图 4-11 为三相正弦波交-交变频器输出电压波形。正弦波交-交变频器的主电路与方波型的主电路相同，但正弦波交-交变频器输出电压平均值的波形接近于正弦波，克服了方波型交-交变频器输出电压中高次谐波成分太多的缺点，因而比方波型变频器更实用。

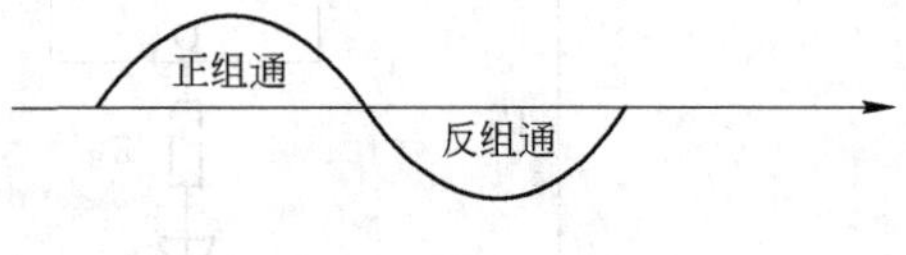

图 4-11 正弦型交-交变频器输出电压波形

方波型交-交变频器只要不需调节输出电压，控制角 α 就为一恒定值，输出电压平均值就恒定。若改变控制角 α 使其在某个(正组或反组)整流组工作的半个周期范围内，从 $90°\to\alpha_{min}\to 90°$ 变化，就使得输出电压平均值由小到大再到小而变化，如果控制得当，就可以得到按正弦规律变化的波形。与图 4-10(b)电压波形相似，只不过不是矩形波，而是正弦波。

三相输出电压应保证大小相等，相位上互差 120°电角度。因此，每相各整流组的控制角必须严格按照本相输出电压的要求获得。实际控制中，一般由微处理机产生三相对称的调频调幅正弦波给定信号，配合必要的逻辑电路控制。

正弦波交-交变频器的输出频率可以通过改变正反组的切换频率进行调节，而输出电压的幅值则可以通过改变控制角 α_{min} 的大小来调节。

因为交-交变频器直接将电网的交流电进行变换，故交-交变频器的输出电压周期 T 必须大于电网周期，输出交流电的频率只能在电网频率的 1/2 以下调节。因此，交-交变频器适应于低速大容量场合。

4.1.8 脉宽调制型(PWM)变频器

以上介绍的交-直-交变频器和交-交变频器存在着开关元件多、控制线路复杂、输出电压谐波成分大、功率因数低等缺点。随着电力电子器件的研制、开发，由功率晶体管(GTR)和可关断晶闸管(GTO)等电力器件作开关元件组成的逆变器得到了普遍采用。通过逆变器调节，使得输出交流电压既实现调频又实现调压，变频变压都由逆变器承担。与晶闸管组成的逆变器比较，控制电路简单，整个装置体积小，效率提高；由于 GTO 或 GTR 变频器输出交流电压的幅值和频率直接由逆变器决定，所以调节速度快，动态性能好；采用不可控整流，系统功率因数更高。

功率晶体管 GTR 与小功率晶体管的结构和工作原理极为相似，具有控制方便、开关时间短、频率特性好、通态压降低等特点，在实际应用中使用较广。

图 4-12 是由 GTR 组成的 PWM 变频器的原理图。由图可知，该变频器的整流部分采用的是不可控整流桥，它的输出电压经电容滤波(附加小电感限流)后为一不可调的、恒定的直流电压 U_d，逆变部分的主体是四只功率晶体管作开关元件，只要按一定规律控制逆变器中功率开关 $V_1 \sim V_4$ 的导通和关断，逆变器的输出端即可获得一系列恒幅调宽的输出交流电压，既变压又调频。电路中与功率晶体管反并联二极管的作用是，在带电感量较大的感性负载时，为开关管由导通转为关断时提供一续流通道。

续流二极管的作用，如若图中负载为电感性负载，当晶体管 V_1，V_4 导通，V_2，V_3 截止时，设负载中的电流方向为从左向右流动。在 V_1 由导通转为截止时由于感性负载中电流不能突变，

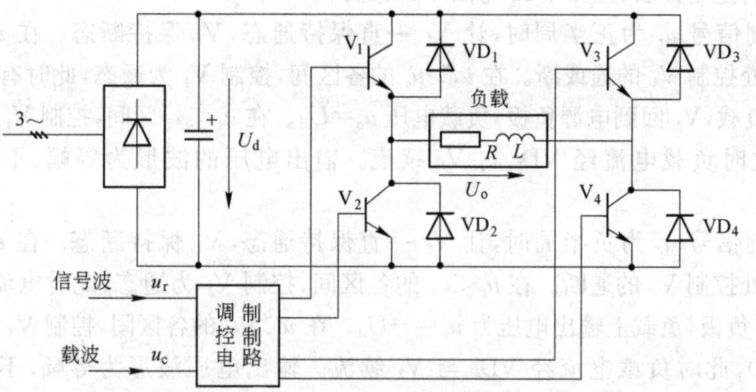

图 4-12 单相桥式 PWM 变频电路

由电磁感应定理可知，此时要产生一感应电动势，此感电动势使得二极管因承受正向电压而导通，负载电流经该二极管返回直流电源，二极管 VD_1 此时的作用称为续流。在二极管 VD_1 续流期间，晶体管因集电极反向而不能导通。由此可知，当逆变器的负载为感性负载时，续流二极管是必不可少的。因此，逆变器中的功率晶体管一般反并联一个二极管。

PWM 逆变器的脉宽调制方式很多，调制脉冲有单极性和双极性，下面分别对 PWM 变频器的控制方式加以分析。

4.1.8.1 单极性控制方式

图 4-12 为单相桥式 PWM 变频器电路。按照 PWM 控制的基本原理，将所需要输出的波形作为调制信号 u_r，将接受调制的等腰三角形波信号作为载波信号 u_c。

图 4-13 为单极性正弦 PWM(SPWM)控制方式原理波形。参考信号 u_r 为正弦波，载波信号 u_c 为等腰三角形波，输出的调制波为等幅不等宽的序列如图 4-13 所示，SPWM 调制波的脉冲宽度基本上呈正弦函数分布，脉冲的面积与正弦曲线下的面积成正比。可见 SPWM 的调制波近似于正弦波，谐波分量比 PWM 要减少很多。

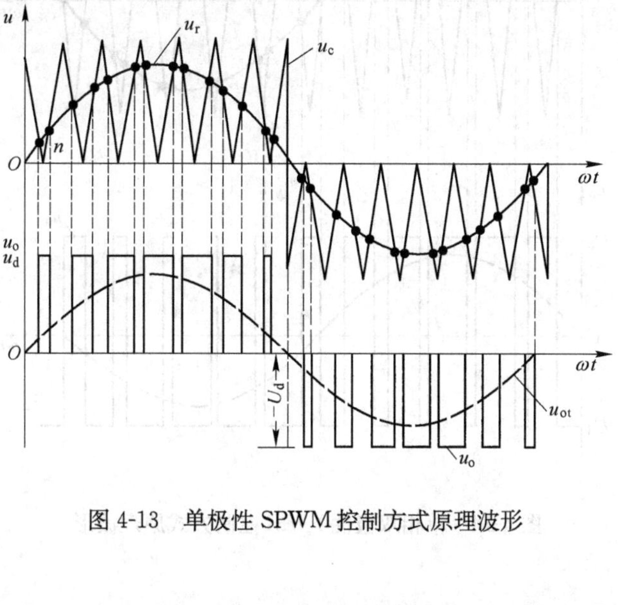

图 4-13 单极性 SPWM 控制方式原理波形

对逆变器的控制方法(见图 4-12 与图 4-13)是:

(1) 当调制信号 u_r 为正半周时,让 V_1 一直保持通态,V_2 保持断态。在 u_r 与 u_c 正极性三角波的交点处控制 V_4 的通或断。在 $u_r>u_c$ 的各区间,控制 V_4 为通态,此时有电流从电源 U_d 的正极经 V_1,负载,V_4 回到电源负极,负载电压 $u_o=U_d$。在 $u_r<u_c$ 区间,控制 V_4 为断态,负载电压为 $u_o=0$,此时负载电流经 VD_3 与 V_1 续流。输出电压的波形为等幅,不等宽的正脉冲序列。

(2) 当调制信号 u_r 为负半周时,让 V_2 一直保持通态,V_1 保持断态。在 u_r 与 u_c 负极性三角波的交点处控制 V_3 的通断。在 $u_r<u_c$ 的各区间,控制 V_3 为通态,此时电流从电源正极经 V_2,负载,V_3 到负极,负载上输出电压为 $u_o=-U_d$。在 $u_r>u_c$ 的各区间,控制 V_3 为断态,输出负载电压为 $u_o=0$,此时负载电流经 VD_4 与 V_2 续流。输出电压波形为等幅,不等宽的负脉冲序列。

SPWM 逆变器的平均输出电压近似为正弦波形,其基波分量为 u_{of}。在调制过程中正弦波 u_r 的幅值必须小于三角波 u_c 的幅值,否则输出电压的大小和频率都会失去与参考电压 u_r 之间的比例控制关系。

单极性 SPWM 逆变器输出的交流基波电压的大小和频率均可由参考电压 u_r 来控制。只要改变 u_r 的幅值,脉冲宽度随之改变,从而改变了输出电压的大小;改变参考电压 u_r,的频率,即可改变输出交流电的频率。

4.1.8.2　双极性控制方式

双极性调制 SPWM 与单极性调制方式比较,电路仍然是图 4-13,调制方式的特征是控制信号和载波信号均为双极性信号,载波信号是双极性的三角波电压。由于控制信号本身是双极性,不需要有倒向信号进行正负半周判断。图 4-14 为一单相双极性正弦波脉宽调制波形。由图可

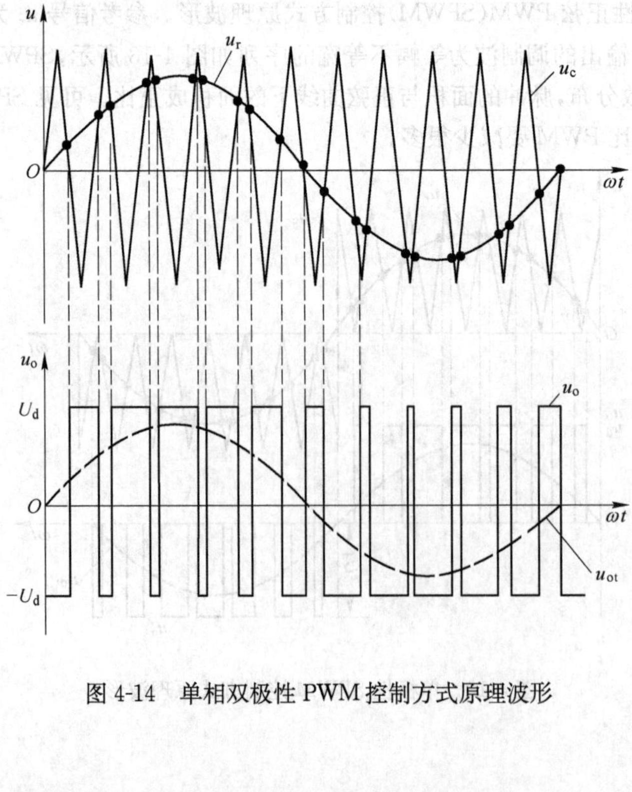

图 4-14　单相双极性 PWM 控制方式原理波形

见，输出电压波形在基波的正半波有负的电压出现，在基波的负半波有正的电压出现。其调制规律为，不分正负半周，只要导通 V_1，V_4，就关断 V_2，V_3；只要导通 V_2，V_3，就关断 V_1，V_4。调制规律十分简单便于逻辑控制。

$V_1 \sim V_4$ 的控制规律如下：

(1) 在 u_r 的正半周，当 $u_r > u_c$ 的各区间时，导通 V_1，V_4，并关断 V_2，V_3，输出负载电压 $u_o = U_d$。在 $u_r < u_c$ 的区间，导通 V_2，V_3 而将 V_1，V_4 关断，此时负载输出电压 $u_o = -U_d$。这样逆变器输出的是两个方向变化的等幅不等宽的脉冲序列。

(2) 在 u_r 的负半周，当 $u_r < u_c$ 的各区间，给 V_2，V_3 导通信号，使其导通；关断 V_1，V_4，输出负载电压 $u_o = -U_d$。$u_r > u_c$ 的各区间，让 V_1，V_4 导通，而 V_2，V_3 关断，输出负载电压 $u_o = U_d$。

双极性 SPWM 输出电压的调节，是通过改变参考信号正弦波 u_r 的幅值来调节，而输出电压的频率是通过改变参考信号正弦波 u_r 的频率来实现的。

4.1.8.3 三相桥式 SPWM 变频器

图 4-15 为三相桥式 SPWM 变频电路，该逆变器采用 GTR 作为开关器件，负载为感性。三相桥式只能选用双极性控制方式，工作原理如下：

三相控制信号 u_{rU}，u_{rV}，u_{rW} 为依次相差 120°的正弦波，而三相载波信号共用一个双极性的三角波 u_c。三相开关器件的控制方法相同，单相控制方法前面已经做了分析，在这里不再赘述。

在 $u_r > u_c$ 和 $u_r < u_c$ 的各区间，每个桥臂上的上、下两个功率晶体管不能同时导通，驱动信号要相反，以防止上下桥臂直通造成直流电源的短路。一般要求先施加关断信号，经过一段时间 Δt 的延时，再给另一个施加导通信号。延时的长短，应在保证晶体管安全可靠换流的前提下，尽可能减小延时时间，以使 SPWM 输出波形更接近正弦波。

图 4-15 电路中 $VD_1 \sim VD_2$ 二极管是为感性负载换流过程设置的续流二极管。

图 4-16 为三相 SPWM 变频器的波形图。

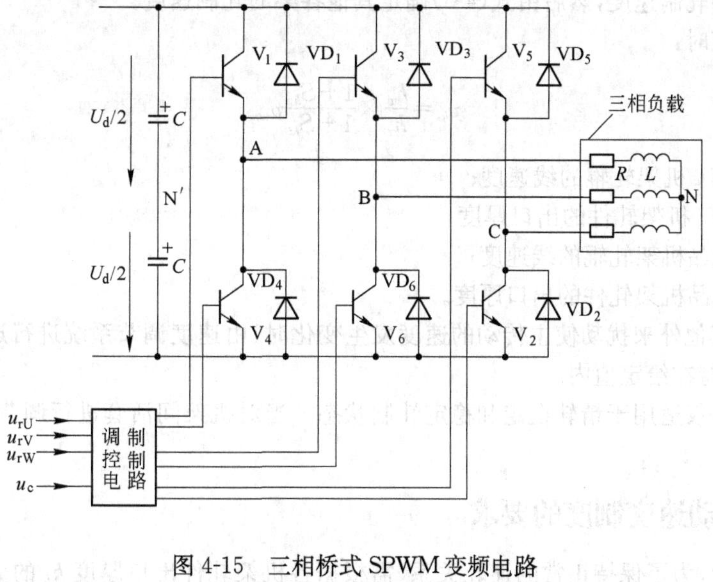

图 4-15 三相桥式 SPWM 变频电路

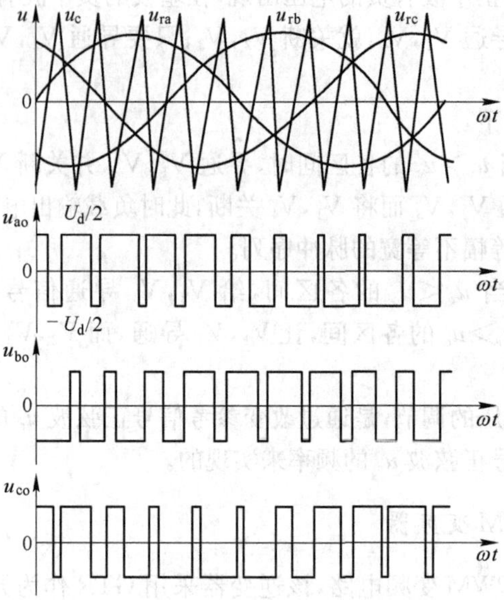

图 4-16　三相桥式 SPWM 变频波形

4.2　秒流量方程

连轧机组各机架轧辊的转速要相对严格同步，因此要求各机架主传动的速度，不仅在静态下，而且在过渡过程中均要精确分配，以协调各机架间的速度，保证正常连轧的基本条件是：

$$O_m = B_1 v_1 h_1 = B_2 v_2 h_2 = \cdots = B_n v_n h_n = C \tag{4-5}$$

否则就要破坏正常的连轧关系。

各机架静态速度匹配设定是按照轧制速度表，在空载下将各机架的转速调整到相应的值，速度制度是根据秒流量相等的原则确定的。在变形制度确定之后，根据轧机小时产量和终轧温度先确定成品架的轧制速度，然后由式(4-5)确定其他各架的轧制速度。

考虑前滑值时：

$$v_{io} = \frac{h_n}{h_i} \times \frac{1+S_{hn}}{1+S_{hi}} v_{no} \tag{4-6}$$

式中　v_{io}——第 i 机架轧辊的线速度；

h_i——第 i 机架轧件的出口厚度；

v_{no}——成品机架轧辊的线速度；

h_n——成品机架轧件的出口厚度。

当咬钢或其他外来扰动使主传动的速度发生变化时，由速度调节系统进行迅速而准确的调整，使之自动保持在给定值内。

秒流量方程仅适用于精轧设定和稳定轧制状态。当对机架间活套进行调节时，各机架流量将不再相等。

4.3　对主传动速度制度的要求

在连轧机上，为了保持正常的连轧关系，需根据各机架轧件出口厚度 h_i 的分配正确配置各机架轧件的出口速度 v_i，即热连轧机各机架轧件的出口速度是根据秒流量相等的原则并考虑前滑的影响而确定的。一般根据允许的轧制条件(如电动机的功率、轧件在输出辊道输送的速度、卷取机的咬入速度以及终轧温度等)先确定精轧机组末架的最大出口速度(轧制速度)，然后确定带钢热连轧机精轧机组各机架轧件的出口线速度[见式(4-6)]。

随着生产技术的发展，自动化技术的应用，带钢热连轧机的轧制速度得到很大的提高，轧制速度已达到 30m/s，为了保证轧件顺利咬入和带钢在输出辊道上稳定行走以及不给卷取机的咬入带来困难，在现代带钢热连轧机精轧机组上均采用升速轧制的方法即开始以 10m/s 左右的低速进行咬钢轧制，待卷取机将带钢头部咬入并卷上两圈之后，精轧机组和卷取机同步加速到正常轧制速度。某 1700mm 带钢热连轧机精轧主机速度如图 4-17 所示，共分六段，现分别简述如下：

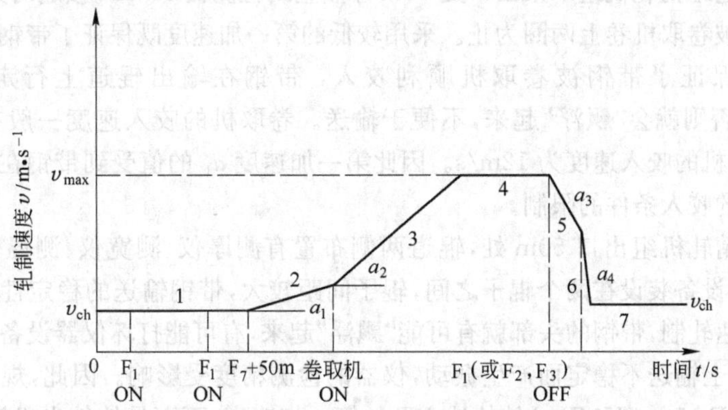

图 4-17 某 1700mm 带钢热连轧机精轧机组主机速度图

(1) 第 1 段为穿带速度 v_{ch}。带钢进入 F_1～F_7 机架，直到其头部离开距 F_7 机架 50m 以内即第一加速度之前，带钢保持在穿带速度下运行。为保持各机架金属秒流量相等的关系，穿带速度随着各机架轧件出口厚度的减少而升高，因此精轧机组各个机架的穿带速度(轧件出口线速度)随着轧制的流向而逐渐增加，末架最大。通常所说的连轧机的轧制速度，就是指精轧机组末架带钢出口线速度。由于加热炉加热能力的限制，穿带速度还随着带钢成品厚度的增加而降低；穿带速度受咬入条件的限制，一般最高为 10m/s。该套轧机末架的标准穿带速度在成品厚度小于 4.0mm时为 10m/s，而当成品厚度为 12.7mm 时为 4m/s。表 4-1 为该套轧机生产不同产品的(普通碳素钢、低合金钢)末架标准穿带速度。生产硅钢时，穿带速度的大小随着钢种(钢的化学成品)不同而异。表 4-2 为该套轧机生产不同品种的硅钢时末架标准穿带速度。

表 4-1 生产普通碳素钢、低合金钢时末架标准穿带速度

成品厚度 h/mm	标准穿带速度 v_{ch}/m·s^{-1}	成品厚度 h/mm	标准穿带速度 v_{ch}/m·s^{-1}
1.2	10	3.9	10
1.4	10	4.5	9.1
1.6	10	5.2	7.3
1.9	10	6.0	6.5
2.2	10	7.0	5.75
2.5	10	8.2	5.4
2.9	10	9.5	4.75
3.4	10	12.7	4

表 4-2　生产硅钢时末架标准穿带速度

钢　种	标准穿带速度 v_{ch}/m·s^{-1}	钢　种	标准穿带速度 v_{ch}/m·s^{-1}
D20	10.17	D60	9.17
D30	10.17	D70	6.67
D40	10.17	D80	5.83
D50	10.17	D90	4.17

(2) 第 2 段为第一加速度段。其加速度为 a_1，设计值为 0.4m/s^2，实际为 0.05～0.1m/s^2。当带钢的头部到达距精轧机组末架出口处 50m 即热金属检测器 HMD_{70} 接通时开始第一加速度，直到带钢的头部被卷取机卷上两圈为止。采用较低的第一加速度既保证了带钢在输出辊道上运送的稳定性，又保证了带钢被卷取机顺利咬入。带钢在输出辊道上行走的速度一般在 10～12m/s以下，否则就会"飘浮"起来，不便于输送。卷取机的咬入速度一般在 10～12m/s 以下，该套轧机卷取机的咬入速度为 12m/s。因此第一加速度 a_1 的值受到带钢在输出辊道上的运输性能及卷取机的咬入条件的限制。

因为在距离精轧机组出口 50m 处，辊道两侧布置有测厚仪、测宽仪、测温仪等精密仪器设备，而且这些仪器设备装设在两个辊子之间，辊子间距较大，带钢输送的稳定性较差。如果在该段距离内进行加速轧制，带钢的头部就有可能"飘浮"起来，有可能打坏仪器设备。同时由于轧机加速，带钢在辊道上输送不稳定而产生振动，仪器的检测精度受影响。因此，规定在带钢头部离开精轧机组末架(F_7)50m(HMD_{70})处的地方开始第一加速度，而不是轧件出机架 F_7 后才开始第一加速度。

(3) 第 3 段为第二加速度段。其加速度为 a_2，设计值为 0.92m/s^2，实际值为0.05～0.2m/s^2。带钢头部被咬入卷取机并卷上两圈之后，开始第二加速度，直至达到预给定的最高轧制速度。此加速度主要为补偿带钢长度方向的温降、使终轧温度均匀一致，同时可以充分发挥轧机的生产能力，提高产量。

(4) 第 4 段为最高轧制速度的稳定段。从带钢达到最高的轧制速度起到带钢尾部离开开始减速的机架为止，带钢维持在最高的轧制速度下进行轧制。其设计值为 23.3m/s，实际为20m/s。最高轧制速度值取决于要求的终轧温度，精轧机组主电动机所能供给的最大轧制功率以及输出辊道的冷却能力(保证要求的卷取温度)。同时还随带钢成品厚度的增加而减小。速度值的设定一般由计算机来完成，但也可利用人机接口由人工设定。表 4-3、表 4-4 为该套轧机最高轧制速度初始设定值。

表 4-3　生产普通碳素钢时的加速度(a_1、a_2)、最大轧制速度初始设定值

带钢成品厚度/mm	第一加速度/m·s^{-2}	第二加速度/m·s^{-2}	最高轧制速度/m·s^{-1}
$1.2 \leqslant h < 1.4$	0.07	0.20	20
$1.4 \leqslant h < 1.6$	0.07	0.20	20
$1.6 \leqslant h < 1.9$	0.10	0.20	20
$1.9 \leqslant h < 2.2$	0.10	0.20	20
$2.2 \leqslant h < 2.5$	0.10	0.17	20
$2.5 \leqslant h < 2.9$	0.07	0.15	20

续表 4-3

带钢成品厚度/mm	第一加速度/m·s^{-2}	第二加速度/m·s^{-2}	最高轧制速度/m·s^{-1}
$2.9 \leqslant h < 3.4$	0.07	0.13	20
$3.4 \leqslant h < 3.9$	0.05	0.10	18.3
$3.9 \leqslant h < 4.5$	0.05	0.10	16.7
$4.5 \leqslant h < 5.2$	0.05	0.10	10.0
$5.2 \leqslant h < 6.0$	0.05	0.10	10.0
$6.0 \leqslant h < 7.0$	0.05	0.10	7.5
$7.0 \leqslant h < 8.2$	0.05	0.10	7.5
$8.2 \leqslant h < 9.5$	0	0	5.8
$9.5 \leqslant h < 11.0$	0	0	5.8
$11.0 \leqslant h < 12.7$	0	0	5.8

表 4-4 生产硅钢时的加速度(a_1、a_2)、最大轧制速度初始设定值

钢 种	第一加速度/m·s^{-2}	第二加速度/m·s^{-2}	最高轧制速度/m·s^{-1}
$X <$ D20	0.08	0.22	18
D20 $\leqslant X <$ D30	0.08	0.22	17.8
D30 $\leqslant X <$ D40	0.08	0.22	17.8
D40 $\leqslant X <$ D50	0.08	0.17	17.5
D50 $\leqslant X <$ D60	0.08	0.15	17.3
D60 $\leqslant X <$ D70	0.07	0.12	17.2
D70 $\leqslant X <$ D80	0.07	0.12	17.0
D80 $\leqslant X$	0.07	0.12	16.8

在本轧制速度段内，因速度不变，带钢的塑性变形热不变。其终轧温度靠控制机架间的冷却水量来调整，难以维持恒定不变。因此有的带钢热连轧机为了保证带钢沿长度方向终轧温度均匀一致，不采用最高恒速轧制段，而在第二加速段采用较小加速度，当还没有升到最高点时就开始减速。但这种速度制度对提高轧机的生产能力不利。因此有的带钢热连轧厂如日本大分厂，两种轧制速度方式都采用，一般无最高恒速部分(如图 4-18 实线所示)，只有当带钢的长度比较长时才采用最高恒速段(如图 4-18 虚线部分)。

该套轧机为了充分发挥轧机的生产能力，确保 300 万 t/a 的产量，采用最高恒速轧制部分的

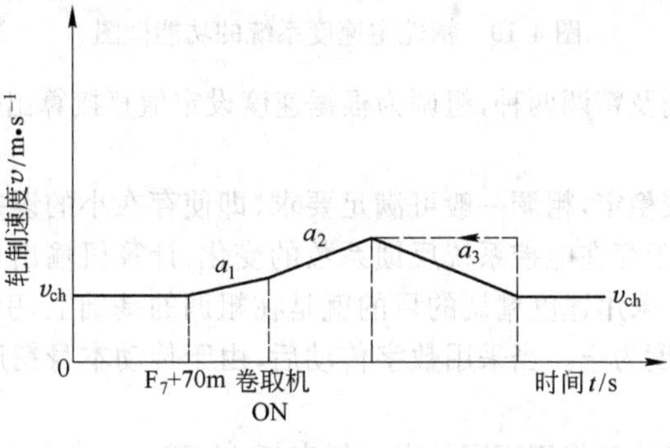

图 4-18 某带钢热连轧机轧制速度图

轧制速度方式。本套轧机最高轧制速度设定值为 23m/s，实际上为 20m/s；而日本大分厂热连轧机最高轧制速度设定值为 27m/s，实际为 23m/s，所以日本大分厂不采用最高恒定的轧制速度方式仍能保证 300 万 t/a 的产量。

(5) 第 5 段为第一减速段。此段从带钢尾部离开开始减速机架（F_1 或 F_2、F_3）到尾部离开热金属检测器 HMD_{70}（即距精轧机组末架 50m 处）为止（见图 4-17）。减速度 a_3 值较小，以免带钢在输出辊道上打折。

该减速段的目的在于避免高速抛钢（本轧机的抛钢速度为 13.3～16.7m/s，日本大分厂为 15.8m/s），防止带钢尾部离开末架机架产生跳动，损坏设备和产生折叠现象。

(6) 第 6 段为第二减速段。当带钢离开该架轧机时，用很大的减速度 a_4 把轧机的速度降至下一块带钢的穿带速度 v_{ch}。

为满足上述速度制度，保证在稳速和加、减速过程中各机架间金属秒流量严格相等的关系，F_1～F_7 机架的速度值、加减速度值均由计算机统一给出。

4.4　主速度系统

4.4.1　主速度整定

热轧精轧机组主速度系统由速度整定及速度调节两大部分组成。速度整定用于穿带前将各机架速度整定到设定值，而速度调节则是穿带后的动态调节，各机架间的级联亦是速度调节部分的一个重要功能。图 4-19 为精轧机组主速度系统的功能框图。主速度的整定及调节由基础自动化控制器承担。

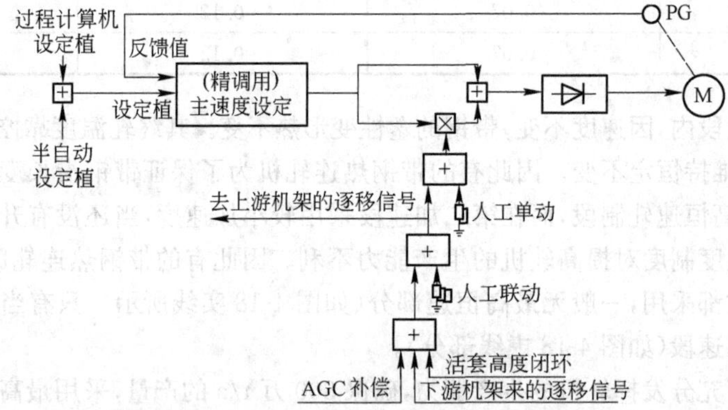

图 4-19　精轧主速度系统的功能框图

速度整定可分为粗调及精调两种，粗调为根据速度设定值直接算出输出电压，并按此电压进行开环控制。

如果各方面参数比较稳定，粗调一般可满足要求，即使存在小的误差，也将会在活套高度闭环投入后加以纠正，但由于存在电控系统反馈系数的变化、计算机输出口的零点漂移等因素，使得粗调整定值精度不高。采用速度精调的目的就是在粗调的基础上，引入实际速度进行反馈控制，直至速度达到要求精度为止。当采用数字传动后，由于传动本身精度较高，可以考虑不进行速度精调。

主速度整定在不同情况下将用不同的变动斜率（RAMP）：

(1) 从停车启动到某一速度时；

(2) 换规格时，从某一速度设定值改到另一设定值时；

(3) 正常停车时；

(4) 紧急停车时。

4.4.2 主速度调节

速度调节包括手动微调，活套高度闭环，AGC 的活套量补偿，以及下游机架送来的逐移补偿。为此，第 i 机架的速度调节量用下式来表述：

$$\Delta v_i = \Delta v_{iR} + \Delta v_{ir} + \Delta v_{iAGC} + \Delta v_{iLC} + \Delta v_{is} \tag{4-7}$$

式中 Δv_{iR}——人工联动速度微调量；

Δv_{ir}——人工单动速度微调量；

Δv_{iAGC}——AGC 速度补偿量；

Δv_{iLC}——活套高度闭环调节量；

Δv_{is}——下游机架来的逐移量。

实际计算时，上述各量都应为相对于本机架速度设定值的百分数。

i 表示第 i 机架[$i=1\sim(n-1)$]，n 为末机架，末机架的速度是作为基准值而不调节的，调节时的逐移方向是下游向上游机架进行，通常称之为逆调。稳定精轧出口速度对轧机与卷取机的匹配和终轧温度控制都是有利的。

在式(4-7)中，i 机架的活套调节量是来源于 i、$i+1$ 机架的活套高度闭环控制，而 AGC 补偿为本机架 AGC 对速度的补偿量。

机架间速度逐移量的计算为

$$\Delta v_{(i-1)s} = \Delta v_{iR} + \Delta v_{iAGC} + \Delta v_{iLC} + \Delta v_{is} \tag{4-8}$$

式中 v_i——第 i 机架速度的设定值[$i=2\sim(n-1)$]。

在实际控制过程中，所有上述量都采用百分数形式，以便于逐移，每个控制周期都计算逐移量，应按轧线的逆流方向逐机架计算，这样才能保证各机架逐移信号无滞后地进入各机架速度输出中。

在升速轧制的机组中，各机架设定值应按比例升降，以此保持升降过程中的同步性。

4.5 精轧机组速度的设定

4.5.1 速度设定方式

4.5.1.1 穿带速度的设定方式

这里只介绍精轧机组第末机架(成品架)穿带速度的自动设定方式。其他各精轧机架的穿带速度则根据末架的穿带速度、轧件的出口厚度，按秒流量相等的原则求得。

末架穿带速度的设定有三种方式：

(1) 根据标准表格(TBL)进行设定；

(2) 利用人机接口(MMI)进行穿带速度的设定；

(3) 根据温度模型(TEMP)进行设定。

选择哪种设定方式由操作台上的穿带速度方式选择开关来选择，以上三种方式后者优先。

末架穿带速度设定顺序框图如图 4-20 所示。

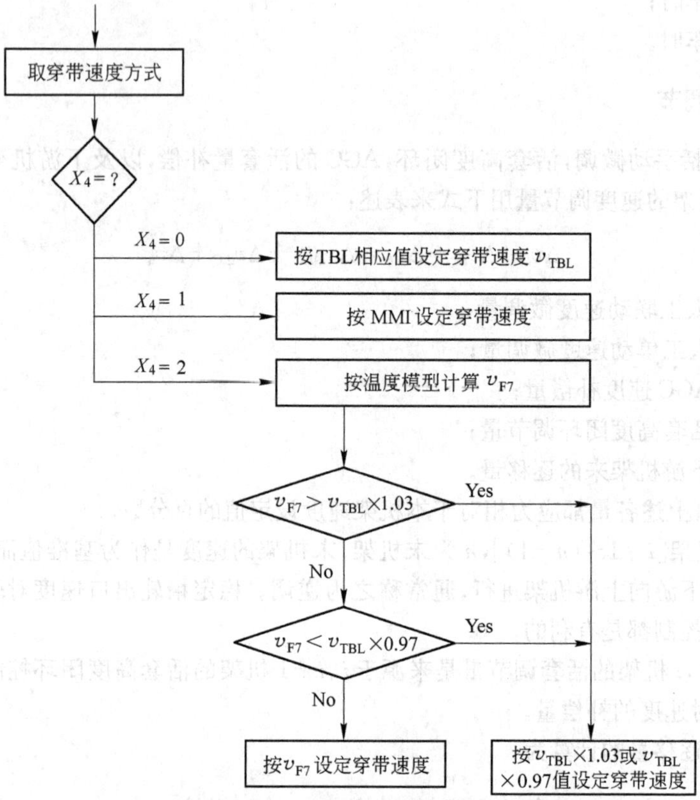

图 4-20　精轧末架穿带速度设定顺序框图

现将穿带速度设定的三种方式分述如下：

(1) 利用人机接口(MMI)进行穿带速度的设定。该设定方式是由操作人员根据不同产品规格和生产实际情况，利用精轧机操作台上的人机接口(MMI)进行穿带速度的设定，即在 MMI 上给出穿带速度，按读入按钮“READ”，输入至计算机，作为穿带速度的设定值。若 MMI 上的设定值有误，则按下“READ”按钮时，红色(出错)灯亮，重新设定。

(2) 根据标准表格进行设定。当采用该方式进行穿带速度设定时，操作台上的穿带速度方式选择开关应置标准表格(TBL)位置上，此时计算机便按已存放在存储器内的标准穿带速度表内的穿带速度值进行设定。某带钢热连轧厂的标准穿带速度如表 4-1，表 4-2 所示。表 4-1 是普通碳素钢的穿带速度表，按成品带钢厚度分 16 级；表 4-2 是硅钢的穿带速度，按硅钢的牌号分 8 级。表中规格以外的穿带速度则调用内插子程序，由内插法求得。

该标准穿带速度表的内容，综合考虑了各种因素(如加热炉的加热能力，轧机的咬入条件，冷却能力以及带钢在精轧机架间的穿带性能等)再加上经验数据而决定的。

(3) 根据温度模型进行设定。当采用该方式进行穿带速度设定时，操作台上穿带速度方式选择开关置“TEMP”位置上，计算机便按温度模型来设定精轧末架的穿带速度，即利用终轧温度模型反过来推算求得穿带速度。该穿带速度为：

$$v_{F7}=\frac{K_{精}\ L}{h_7\ln\dfrac{t_{FC}-t_W}{t_{FO}-t_W}} \tag{4-9}$$

式中 $K_{精}$——精轧区间等价热传导系数(随时间而变化的动态参数);

L——精轧区间的等价总长度 $\left(L=\sum_{i=0}^{7}L_i\right)$;

v_{F7}——精轧末架的穿带速度;

h_7——成品带钢厚度,m;

t_{FC}——目标终轧温度;

t_{FO}——精轧入口温度;

t_W——冷却水的温度。

按式(4-9)设定的穿带速度可以保证终轧温度接近目标值,但不一定能满足带钢在机架间穿带性能以及带钢在输出辊道上的稳定性能要求,因此由计算机根据终轧温度模型算出的终轧温度与存放在计算机存储器内的标准穿带速度表中相应的穿带速度进行比较,若误差在±10%之内,采用计算值;若误差超出±10%时,则取100%±10%的表格内的穿带速度,这样设定的穿带速度既满足了穿带性能的要求,又满足了对带钢终轧温度的要求(带钢头部的终轧温度由控制穿带速度来保证的)。

4.5.1.2 加速度的设定

带钢热连轧机加速度的设定方法一般有如下三种:

(1) 按标准表格进行设定。根据终轧温度模型的计算和生产中反复实践的经验,按照普通碳素钢成品带钢厚度或硅钢牌号的不同,得到一些不同的加速度,如表4-3、表4-4所示。计算机可根据成品带钢厚度或硅钢牌号从已存入计算机存储器内的标准表格中找到相应的加速度值作为设定值。

(2) 用反馈控制方式进行设定。反馈控制方式的最初设定值是采用表4-3、表4-4中的数值。但在实际的加速过程中,其设定值并非恒定不变,而是根据实测终轧温度与目标终轧温度(900~850℃)偏差值的大小不断进行修正,以保证终轧温度均匀一致。

当实测(如50ms检测一次)的终轧温度与目标终轧温度的偏差值在允许的公差±(10~15)℃范围之内时,计算机则按表4-3、表4-4给出加速度的初始设定值a_1或a_2;若实测的终轧温度与目标终轧温度的偏差值超过允许公差的上限(目标温度10~15℃)时,则停止加速,进行恒速轧制;如果计算机发现终轧温度低于下限(目标温度−10~−15℃),则适当提高加速度(如给出$2\sim3a_1$,或$2\sim3a_2$),增加由于塑性变形引起的发热,以此来补偿带钢长度方向的温降,使终轧温度均匀一致。

(3) 人工设定。将终轧温度控制功能开关置于切换位置,由操作人员利用人机接口给出速度、加速度的设定值。

4.5.1.3 最高轧制速度的设定

最高轧制速度的设定一般采用如下两种方式:

(1) 按标准表格进行设定。根据从生产实践中反复总结出来的经验,按照成品带钢尺寸规格或硅钢牌号的不同,得到一些不同的最大轧制速度,如表4-3、表4-4所示。在计算机根据成品带钢厚度或硅钢牌号从已存入计算机存储器内的标准表格中找到相应的最高轧制速度的设定值进行设定。

(2) 人工设定。由操作人员在操作台上利用人机接口进行最高轧制速度的设定。

4.5.2 减速开始机架的确定

减速开始机架的选择也是由计算机来完成的，即当带钢的尾部离开飞剪前面的热金属检测器 HMD_{60} 时，计算机读入此时精轧机组第末机架 F_7 的最高轧制速度 v_M，按式(4-10)求出从 v_M 减速到抛钢速度 v_R 期间轧件的出口长度 L(参见图 4-17)，即：

$$L=\frac{v_M^2-v_R^2}{2a_3} \tag{4-10}$$

式中 v_M——最高轧制速度；

v_R——抛钢速度；

L——从 v_M 减速到 v_R 期间轧件的出口长度；

a_3——第一减速度。

当带钢宽度不变时，则可根据金属秒流量相等的原则，按式(4-5)将相邻两机架间的带钢段变换成精轧机组最末机架出口长度 L_n，即：

$$L_n=\frac{h_i}{h_n}L_i \tag{4-11}$$

式中 h_i——第 i 机架轧件的出口厚度($i=1,2,\cdots,6$)；

L_i——第 i 机架到第 $i+1$ 机架间的距离是某一固定的值(如某带钢热连轧机的 $L_i=5.5\text{m}$)；

h_n——精轧机组最末机架轧件的出口厚度；

L_n——相邻两机架间的带钢段变换成精轧机组最末机架出口处的长度：

$$L\leqslant\sum_{i=1}^{6}\frac{h_i}{h_n}L_i \tag{4-12}$$

$$L\leqslant\frac{h_6+h_5+h_4+h_3+h_2+h_1}{h_n}L_i \text{ 时}, i=1$$

$$L\leqslant\frac{h_6+h_5+h_4+h_3+h_2}{h_n}L_i \text{ 时}, i=2$$

$$L\leqslant\frac{h_6+h_5+h_4+h_3}{h_n}L_i \text{ 时}, i=3$$

$$\vdots$$

$$L\leqslant\frac{h_6}{h_n}L_i \text{ 时}, i=6$$

根据计算的 i 值，按表 4-5 确定减速开始机架。

表 4-5　根据 i 值确定减速开始的机架

i	减速开始机架
3～6	F_3
2	F_2
1 或不成立	F_1

复习思考题

4-1 绘制直流电动机的机械特性图,并说明直流电动机是如何调速的?
4-2 绘制交流电动机的机械特性图,并说明交流电动机是如何变频调速的?
4-3 绘制一般热连轧机精轧速度图,并解释各段含义。
4-4 热轧精轧机组主速度系统是由哪几部分组成的?
4-5 穿带速度的设定方式有哪些?
4-6 加速度如何设定?
4-7 升速轧制的主要作用是什么?

5 张力控制

5.1 概述

众所周知，保证连轧过程正常进行的条件应是各机架在单位时间内的“秒流量”完全相等。若“秒流量”不等便会引起机架之间的轧件有张力作用或者失张，从而导致产生拉钢或堆钢。从理想的稳定轧制来说，应使各机架的“秒流量”完全相等，以实现无张力轧制，但是，在实际轧制过程中影响机架间张力的工艺参数很多（如压下量、轧制压力、轧制力矩、轧制速度和前滑等），不可能完全做到绝对无张力轧制。实践表明，张力的变化又对工艺参数产生相互的影响作用，例如在相邻的 F_i 和 F_{i+1} 机架之间轧件上的张力因某种原因有所增加，此张力的波动不仅会使 F_{i+1} 机架上的轧制压力减小、力矩增大、前滑减小、速度降低；而且还会使 F_i 机架上的轧制压力减小、力矩减小、速度提高、前滑增大；同时还会影响到机组的其他机架工艺参数的变化，只是其影响效应有所不同而已。在连轧过程中张力的这种相互传递的影响作用，可以说是“牵一发而动全身”，是极其活跃的因素，所以张力的问题是连轧中的核心问题之一。

5.2 张力的作用

张力轧制具有以下作用：

(1) 自动地、及时地防止轧件跑偏；

(2) 在连轧机平衡状态遭到一定程度破坏时，依靠张力自动调节作用，使连轧机恢复平衡状态；

(3) 减轻轧制时轧件三向受压状态，降低轧制压力和变形功，有利于轧件进一步减薄；

(4) 带钢横向张应力分布变化与其横向延伸分布变化的相互作用，使横向延伸分布均匀，使板形得到改善；

(5) 前张力可以使主电动机负荷减小，后张力使主电动机负荷增大，张力在连轧机各个机架间起到了传递能量的作用，张力越大，这种传递能量的作用就越明显。由于张力轧制的种种优点，冷连轧机需要采用大张力轧制。对于热连轧而言，从工艺要求和轧机控制方便的角度考虑，希望采取无张力轧制，但实际生产中，往往不得不采用微张力轧制。

5.3 无活套微张力控制

对于带钢连轧机的粗轧机组，由于带坯较厚，难以弯曲，无法采用活套支持器，一般采用微张力轧制。近年来，由于节能而有加大精轧来料厚度的趋向，精轧头二三机架亦有采用无活套控制，亦即采用微张力控制方案，而精轧的其他机架仍采用活套恒定小张力控制。

微张力控制的思想与有活套的小张力控制思想差别较大。微张力控制的关键，不仅在于如何控制，而更在于如何检测张力。如能较准确检测出张力，并能保证一定精度，张力控制精度就较容易保证。

5.3.1 双机架连轧微张力控制

双机架微张力控制采用头部信号记忆法来实现，最早的方案是采用头部电流记忆法，也就是当轧件咬入第一架而尚未咬入第二架时对第一架主电机电流进行多次采样求平均值(头部电流),这一电流值反映了无张力状态下的轧制力矩。当带钢咬入第二架后,继续对第一架主电机电流连续采样,并以头部电流为基准值求出每次采样的电流偏差,对第一架速度进行控制,使此偏差为零或小于规定值,以达到无张力或微张力控制。

电流记忆法简单易行,但其最大缺点是,由于影响电流的不仅有张力,还有轧件温度,当头尾温度有变动时,可能产生对张力的误控。

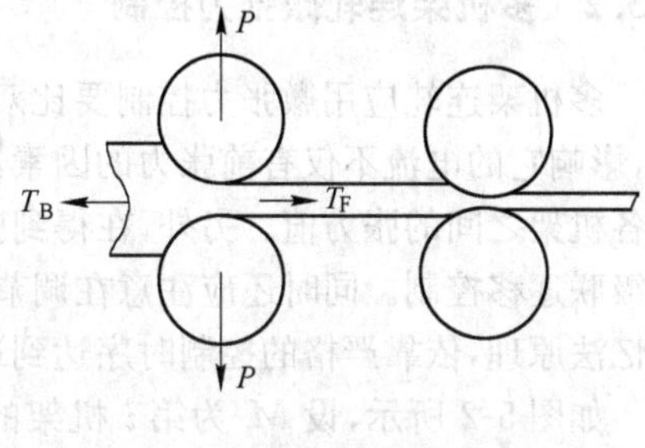

图 5-1 双机架连轧微张力控制

双机架连轧微张力控制(见图 5-1)的改进方案为,采用头部力臂记忆(轧制力轧制力矩比记忆)的方法。由于张力对轧制力及轧制力矩影响不同,而温度对轧制力及轧制力矩影响基本相同,因此采用轧制力轧制力矩比法可消除温度波动对张力控制的影响。

根据轧制原理,可知轧制力矩(轧辊处)公式为

$$M=2PL+R(T_B-T_F)$$

式中 M——轧制力矩;

P——轧制力;

L——轧制力的力臂;

R——轧辊半径;

T_B、T_F——后张力和前张力。

轧制力轧制力矩比为

$$\frac{M}{P}=2L+\frac{R}{P}(T_B-T_F)$$

当咬入第一架而尚未咬入第二架时

$$T_B=T_F=0$$

因此记忆的比值为

$$\left(\frac{M}{P}\right)_0=2L$$

下标 0 表示无张力状态下轧制力轧制力矩比。

当咬入第二架后机架间产生张力,此张力即为第一架的前张力 T_F,轧制力轧制力矩比变为

$$\left(\frac{M}{P}\right)_k=2L-\frac{R}{P_k}T_F$$

$$T_F=\left[2L-\left(\frac{M}{P}\right)_k\right]\frac{P_k}{R}$$

由于 $2L=(M/P)_0$,因此

$$T_F=\left[\left(\frac{M}{P}\right)_0-\left(\frac{M}{P}\right)_k\right]\frac{P_k}{R} \tag{5-1}$$

下标 k 为带钢咬入第二架后对第一架参数的第 k 次采样值,张力偏差为

$$\Delta T = T_F - T$$

式中　T——微张力目标值。

用此 ΔT，通过 PI 调节器对第一架速度进行控制，即可实现双机架连轧的微张力控制。

5.3.2　多机架连轧微张力控制

多机架连轧应用微张力控制要比双机架连轧时情况复杂得多，主要原因是对于第 i 机架来说，影响它的电流不仅有前张力的因素，且还有后张力。因此，关键在于如何在多机架轧制时检测各机架之间的张力值。另外，在得到张力的间接测量值之后要去控制机架的主速度，同时要进行级联逐移控制。同时还应注意在调节主速度时会影响到本机架电流值。为此，人们借用力臂记忆法原理，依靠严格的控制时序达到逐级稳定的方法去间接检测张力和有效地控制张力。

如图 5-2 所示，设 M_i 为第 i 机架的轧制力矩；P_i 为第 i 机架的轧制力，T_i、T_{i-1} 为其前后张力，R_i 为第 i 机架的轧辊半径，L_i 为第 i 机架的力臂，在第 i 架前后完全形成连轧时，存在张力，此时轧制力和轧制力矩的关系为

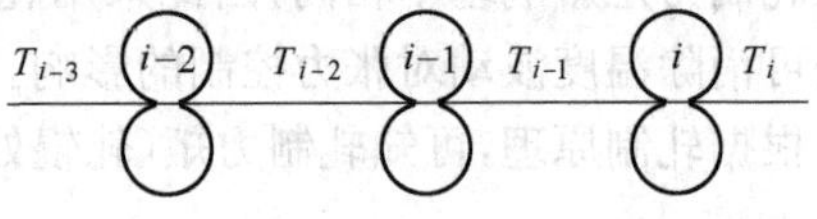

图 5-2　多机架连轧微张力控制

$$M_i = 2L_i P_i - R_i(T_i - T_{i-1})$$

为不失一般性，设 $i=1$、2 代表连轧机组的第 1、2 架。

$$M_1 = 2L_1 P_1 - T_1 R_1$$

$$M_2 = 2L_2 P_2 - T_2 R_2 + T_1 R_2$$

在开始轧制，轧件仅在双机架下连轧时，

$$M_1 = 2L_1 P_1 - R_1 T_1 \tag{5-2}$$

$$M_2 = 2L_2 P_2 + R_2 T_1 \tag{5-3}$$

而在第 1 架咬钢，第 2 架未咬钢时，$T_1=0$，由式(5-2)得到

$$2L_1 = \left(\frac{M_1}{P_1}\right)_{1B}$$

第二架咬钢时，由式(5-3)得到

$$2L_2 = \left(\frac{M_2}{P_2} - \frac{R_2}{P_2} T_1\right)_{2B} \tag{5-4}$$

下标 $1B$、$2B$ 表示第一架咬钢和第二架咬钢时刻的值。

由式(5-4)得到第 i 架咬钢时计算力臂的通式

$$2L_i = \left(\frac{M_i}{P_i} - \frac{R_i}{P_i} T_{i-1}\right)_{iB} \tag{5-5}$$

因为

$$M_{i-1} = 2L_{i-1} P_{i-1} - (T_{i-1} - T_{i-2}) R_{i-1} \tag{5-6}$$

$$M_i = 2L_i P_i - (T_i - T_{i-1}) R_i \tag{5-7}$$

将式(5-6)同乘 $1/P_{i-1}$，式(5-7)同乘 $1/P_i$，并两式相减，得多机架连轧时的张力计算通式

$$T_i=\frac{P_i}{R_i}\left[\left(\frac{R_{i-1}}{P_{i-1}}+\frac{R_i}{P_i}\right)T_{i-1}-2(L_{i-1}-L_i)+\left(\frac{M_{i-1}}{P_{i-1}}-\frac{M_i}{P_i}\right)-\frac{R_{i-1}}{P_{i-1}}T_{i-2}\right] \tag{5-8}$$

$$(i=1,2,3,\cdots,n)$$

在使用式(5-8)时，应注意下标的序号作用。当轧件继续运行时，咬入第二架(尚未咬入第三架)时，$i=2$，$T_2=0$，$T_0=0$，根据式(5-8)，得

$$T_1=\frac{1}{\frac{R_1}{P_1}+\frac{R_2}{P_2}}\left[2L_1-\frac{M_1}{P_1}-\left(2L_2-\frac{M_2}{P_2}\right)\right] \tag{5-9}$$

当轧件咬入第三架、尚未咬入第四架时，$i=3$，$T_3=0$，根据式(5-8)得

$$T_2=\frac{1}{\frac{R_2}{P_2}+\frac{R_3}{P_3}}\left[2\left(L_2-\frac{M_2}{P_2}\right)-\left(2L_3-\frac{M_3}{P_3}\right)+\frac{R_2}{P_2}T_1\right] \tag{5-10}$$

根据式(5-4)和式(5-5)可写出通式

$$T_{i-1}=\frac{1}{\frac{R_{i-1}}{P_{i-1}}+\frac{R_i}{P_i}}\left[\left(2L_i-\frac{M_{i-1}}{P_{i-1}}\right)-\left(2L_i-\frac{M_i}{P_i}\right)+\frac{R_{i-1}}{P_{i-1}}T_{i-2}\right] \tag{5-11}$$

式中的 L_i 可用式(5-5)计算。

在计算 T_2 时，必须先得到 T_1，因此连轧机微张力计算必须每次先计算第1、2架间张力 T_1，然后计算 T_2、T_3 等，一架一架往后计算。在实际使用时，特别要注意的是，准确定时采入各机架咬钢后下游机架未咬钢之前的值，按式(5-5)计算出平均力臂值。它是作为各机架力臂记忆设定值。计算力臂值时一定要去除动态速降段力矩和轧制力不稳定值。在下游机架产生调节速度时，必须对上游机架进行级联逐移调节。

5.4 热连轧机的活套控制系统

5.4.1 精轧机组连轧的基本过程

轧件在精轧机组中的轧制过程分为两个阶段：咬入阶段和张力连轧阶段。

5.4.1.1 连轧过程中轧件的咬入阶段

咬入阶段主要是指带钢头部被轧辊咬入开始，一直到带钢在机架之间建立张力之前的阶段。在整个连轧过程中，这段时间很短，约为1s左右。轧件在此阶段有以下几个特点：轧件在咬入阶段受到轧件冲击载荷作用之后，轧机会产生动态速降；由于有动态速度降导致产生一定的活套量；并且此活套量在规定的范围内还会随活套支持器的摆角而变化。

A 动态速度降的产生

当轧机空载运行时有一定的空载转速 n_0，在有载荷作用时轧机转速会有所降低，一般把到稳定状态时速度的降低称为速度降。轧辊受静载荷作用，到稳定状态而产生的速度降称为静态速度降，用 Δn_c 表示。运行着的轧件以一定的速度往轧辊中送，轧辊受到轧件的冲击负载作用所产生的速度降称为动态速度降，用 Δn_d 表示。速度降可以用绝对值或相对值表示：

$$\Delta n=n_0-n \tag{5-12}$$

或
$$\Delta n(\%)=\frac{n_0-n}{n_0}\times 100\% \tag{5-13}$$

式中 Δn——绝对速度降；

$\Delta n(\%)$——相对速度降；

n_0——空载时转速；

n——载荷作用的转速。

轧机在动载荷作用下其动态速度降如图 5-3 所示。动态速度降一般约为其最高速度的2%～3%。

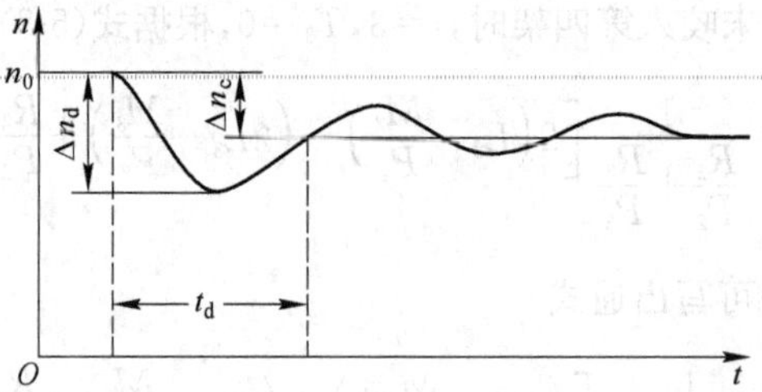

图 5-3 在冲击载荷作用下电动机的速度变化情况

Δn_d—动态速降；Δn_c—静态速降；t_d—动态速降恢复时间

B 活套量的形成

当带钢被轧辊咬入时，由于轧机有一定的动态速降，结果产生了 $v_{(i+1),入}<v_{i,出}$ 现象，在动态速降未恢复之前，因 $v_{(i+1),入}<v_{i,出}$ 的存在，故在 i 和 $i+1$ 机架之间逐步积累了一定的活套量，用 Δl_d 表示。当动态速降恢复之后，$i+1$ 机架的电动机便稳定运行。由于动态速降的恢复需一定的时间，一般约为 0.3～0.5s，因而在 i 和 $i+1$ 机架之间便形成了一定的活套量。此活套量的大小是随动态速降及其恢复时间而变化。若动态速降 Δn_d 大，则 Δl_d 也大，而 t_d 短则 Δl_d 小，或者相反。

现代化精轧机组机架之间的活套一般都很小，约为 30～50mm，一些旧式精轧机组其活套也有的为 50～178mm 左右。可以说微套量小张力连轧是当代宽带钢热连轧很重要的一个特点之一。

C 活套与活套辊摆角的关系

活套支持器是在连轧过程中支持活套的装置。图 5-4 是活套支持器的活套辊工作原理图，活套辊的辊面在轧制线以下的位置称为活套辊的机械零位，用 θ_0 表示；活套辊工作时的摆角一般为 30°～35°；而把恒定带钢长度调节器（即活套高度调节器）投入工作时的摆角称为活套辊的工作零位角，一般为 20°～25°；换辊时为了操作方便活套辊应升起，其摆角用 θ' 表示。活套辊摆角的具体数值是随活套支持器的结构和工艺而定。

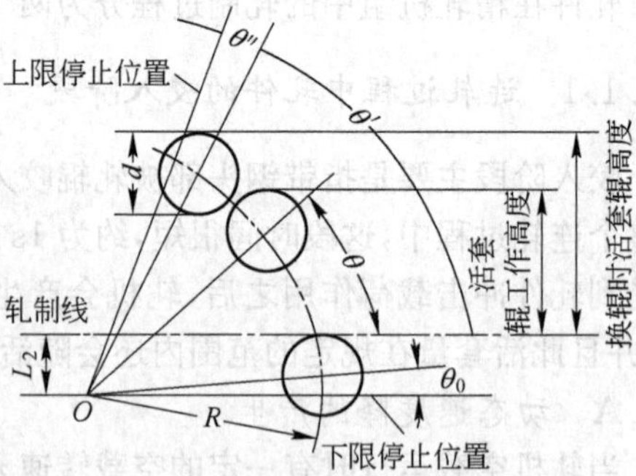

图 5-4 活套支持器的活套辊工作原理图

R—活套辊臂长；d—活套辊直径；θ_0—机械零位角；

θ—活套辊工作角；θ'—换辊时活套辊摆角；

θ''—活套辊最大高度至上限位置的角度；

L_2—活套支持器转动中心至轧制线距离

活套支持器的活套辊升起之后，支持所产生的活套，给予活套以正确的形状，并保证连轧过程稳定进行。当带钢在机架之间有张力作用时，还可以借助活套辊进行张力值的控制，或者在给定张力情况下对活套尺寸进行一定的调节。

根据动态速降所形成活套量 Δl_d 的大小不同，则活套辊为了绷紧带钢所需的旋转角度也不同。若以活套辊升至工作零位角所能吸收的活套量(用 Δl_0 表示，例如 1700mm 热连轧机的 Δl_0 为 18～20mm)为界，可以把它分为两种情况进行分析：

(1) 当 $\Delta l_d < \Delta l_0$ 时，这就说明作用于带钢上的张力太大，活套辊在还没有升至工作零位角时，就被带钢压住了抬不起来。由于此时活套高度调节器尚未接通(因为规定以活套辊处于工作零位时它才接通)，因此活套调节器不能起着调节和控制带钢活套的作用，所以此种工作状态是我们所不希望的。

(2) 当 $\Delta l_d > \Delta l_0$ 时，即活套辊摆角 θ 被升至略超过正常工作零位之后才绷紧带钢。由于活套支持器与主传动闭环的活套调节器，只有当活套辊的摆角超过工作零位角时才投入工作，所以把活套辊摆角略超过正常工作零位角的状态称为正常工作状态。

当活套辊摆角略超过工作零位角时，一方面活套辊继续升起绷紧带钢；另一方面由于此时活套调节器投入工作，使得随后的机架(即第 $i+1$ 机架)主电动机稍微升速，收缩带钢长度，一直将活套辊压向接近工作零位角。

活套支持器活套辊的升起和下降都是自动地进行，其控制用的脉冲信号，一般是由装设在相邻机架(如 i 与 $i+1$ 机架)间隔处的光电继电器，或由轧制压力的压力计(如压头)而获得。

图 5-5 是带钢在精轧机组中进行连轧时的压力 P、电流 I、转速 n、摆角 θ 和张力 T 的变化规律示意图，它们之间的关系如下：

(1) 从压头发出压力信号起，到活套辊升至工作零位角为止，约需 0.5s 左右，一直到活套辊绷紧带钢并建立给定的小张力，总共约需时间 1s 左右。

(2) 在带钢头部被 $i+1$ 机架咬入之后的 0.3～0.5s 时间内，$i+1$ 机架的动态速降得到了恢复，而在此时间内 i 和 $i+1$ 机架之间使积累了一个固定的活套量 Δl_d，如图 5-5(c)所示。

(3) 带钢头部被 $i+1$ 机架咬入之后的 0.5s 时间内，由于 $i+1$ 机架产生了一定的动态速降，则此时带钢处于松弛状态，而活套辊正处于升起阶段，如图 5-5(d)所示。

(4) 带钢头部被 $i+1$ 机架咬入之后的 0.5s 时间内，主电动机的负荷(电流或力矩)已恢复稳定运行，如图 5-5(b)所示。

(5) 带钢头部被 $i+1$ 机架咬入之后 1s 左右，活套辊将带钢绷紧，在带钢上产生给定的小张力，则此时连轧机便进入了

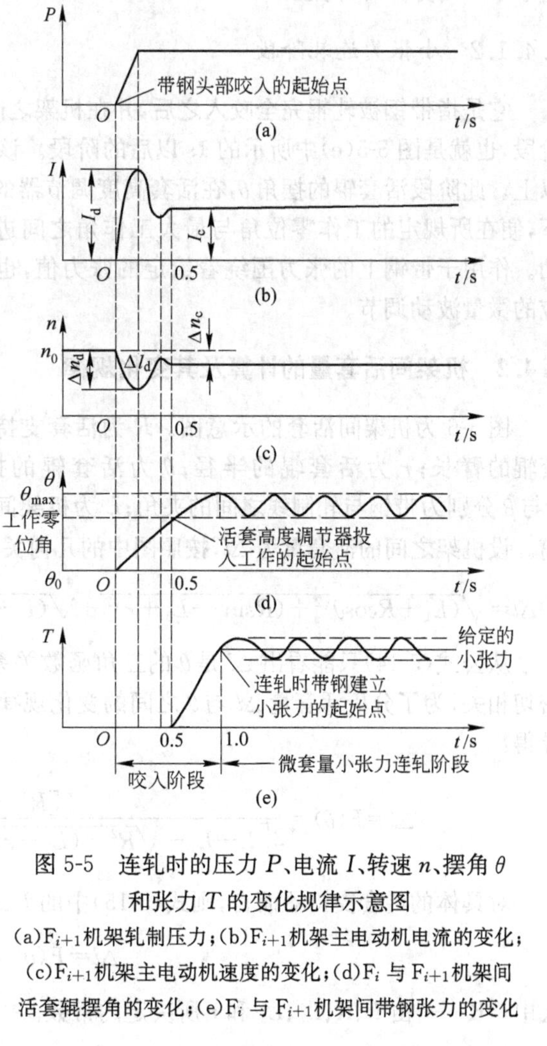

图 5-5 连轧时的压力 P、电流 I、转速 n、摆角 θ 和张力 T 的变化规律示意图

(a) F_{i+1} 机架轧制压力；(b) F_{i+1} 机架主电动机电流的变化；(c) F_{i+1} 机架主电动机速度的变化；(d) F_i 与 F_{i+1} 机架间活套辊摆角的变化；(e) F_i 与 F_{i+1} 机架间带钢张力的变化

小张力连轧阶段，如图5-5(e)所示。

从以上分析可知，在给定的轧制条件下，咬入阶段由于动态速降所形成的活套量是一个固定值，一旦形成此活套量之后就不再增长。为了使得带钢不至于过早压住活套辊而抬不起来，由动态速降所形成的活套量 Δl_d 必须大于活套辊工作零位所贮的套量 Δl_0。Δl_0 一般随活套支持器的结构不同而异，例如活套辊臂长为 $R=600$mm 时，其 Δl_0 约为 18～20mm，则 Δl_d 应保持在 50～60mm。由于现代化宽带钢热连轧机是按微套量进行控制，活套支持器所能吸收的套量也只有几十毫米，所以 Δl_d 不宜太长。

在咬入阶段由于活套高度调节器是大约经过 0.5s 之后才能投入工作，故调节器在 0.5s 以前对活套的高度没有调节作用，因此在此时间内，由主电动机的速度设定和压下辊缝设定误差所引起的金属秒流量变化，必然会造成机架之间带钢长度（即活套大小）发生波动。假若其长度被缩短，就追使机架之间的带钢会被绷得很紧，即引起较大的张力，并压住活套辊抬不起来，这是很不理想的。假若其长度增长，即活套量增加，有可能使活套辊升至最高位置仍绷不紧带钢，结果延迟了进入小张力连轧的时间，这也是我们所不希望的。为了保证在连轧过程中能按微套量小张力进行连轧，所以对于电动机的速度设定和压下辊缝的设定，应尽量准确，一般希望其设定误差小于 1%或 0.5%为宜。

5.4.1.2　小张力连轧阶段

它是指带钢被轧辊完全咬入之后，并在机架之间已建立起小张力，而已处于稳定连续轧制的阶段，也就是图 5-5(e)中所示的 1s 以后的阶段。该阶段所占的时间，约为整个连轧时间的 95%以上。此阶段活套辊的摆角 θ，在活套高度调节器的作用下，便在所规定的工作零位角与最大工作角之间进行波动。作用于带钢上的张力围绕着给定的张力值，也作相应的微量波动调节。

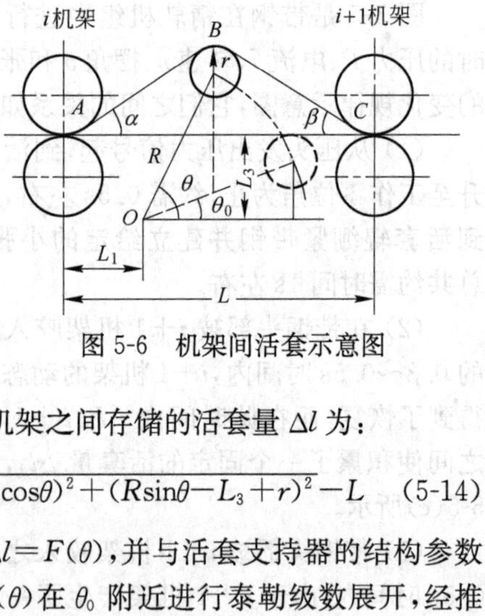

图 5-6　机架间活套示意图

5.4.2　机架间活套量的计算及其变化规律

图 5-6 为机架间活套的示意图。R 为活套支持器活套辊的臂长；r 为活套辊的半径；θ 为活套辊的摆角；α 与 β 分别为带钢与轧制线之间的夹角；L 为机架间的距离。设机架之间的活套量为 Δl，按照图中的几何关系，则机架之间存储的活套量 Δl 为：

$$\Delta l=\sqrt{(L_1+R\cos\theta)^2+(R\sin\theta-L_3+r)^2}+\sqrt{(L-L_1-R\cos\theta)^2+(R\sin\theta-L_3+r)^2}-L \quad (5\text{-}14)$$

从公式(5-14)只能看出 Δl 是 θ 的三角函数关系，即 $\Delta l=F(\theta)$，并与活套支持器的结构参数密切相关，为了分析活套量 Δl 与 θ 之间的变化规律，将 $F(\theta)$ 在 θ_0 附近进行泰勒级数展开，经推导得：

$$\Delta l=F(\theta)=\frac{L[R^2-(L_3-r)^2]}{2\left[L-L_1-\sqrt{R^2-(L_3-r)^2}\right]\times\left[L_1+\sqrt{R^2-(L_3-r)^2}\right]}\theta^2 \quad (5\text{-}15)$$

对具体的活套支持器而言，则式(5-15)中的 L、R、L_1、L_3 和 r 都是已知的常数，故可写为：

$$\Delta l=F(\theta)=K\theta^2 \quad (5\text{-}16)$$

式中　K——由 L、R、L_1、L_3 和 r 所决定的常数。

由式(5-16)可知，连轧时的活套量 Δl，即 $F(\theta)$，它是与活套辊的摆角 θ 的平方成正比，因此，θ 角的变化也就反映出活套量的变化，这是很重要的一个概念，以后用计算机去控制活套的高度，实际上是控制活套辊的摆角 θ。

5.4.3 控制活套所需的力矩

控制活套所需的力矩，也就是控制活套支持器所需的力矩。一般它应包括两部分：一是活套辊给予带钢以适当的张力所需的力矩；二是活套支持器支持机架间带钢全部重量所需的力矩，即重力平衡力矩。

5.4.3.1 张力所需的力矩

图 5-7 是带钢在连轧过程中作用于活套上力的相互关系图。轧制时作用于带钢上的张力 T 主要取决于平均单位张应力 $\sigma_{T,平均}$ 和带钢的横截面积 A，即：

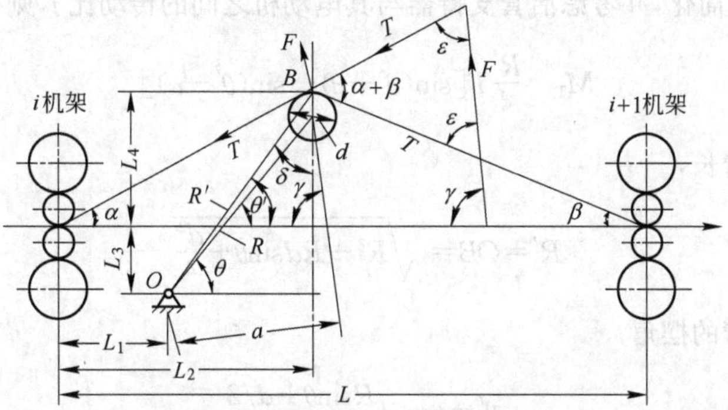

图 5-7 连轧过程中作用于活套上的力

$L=5500\text{mm}$；$L_1=2049\text{mm}$；$L_3=165\text{mm}$；$R=600\text{mm}$；$d=220\text{mm}$

$$T=A\sigma_{T,平均}=Bh\sigma_{T,平均} \tag{5-17}$$

式中 T——作用于带钢上的张力；

A——带钢的横截面积；

B——带钢的宽度；

h——带钢的厚度；

$\sigma_{T,平均}$——平均单位张力。

控制活套所需的张力力矩为：

$$M_T=aF \tag{5-18}$$

式中 M_T——张力力矩；

F——张力的合力；

a——力臂。

由图 5-7 可知：

$$L_2=L_1+R\cos\theta;\ \delta=180°-\theta'-\gamma=90°-\theta+\frac{\alpha-\beta}{2}$$

$$L_4=R\sin\theta+\frac{d}{2}-L_3;\ a=R'\sin\delta=R'\cos\left(\theta'-\frac{\alpha-\beta}{2}\right)$$

$$\tan\alpha=\frac{L_4}{L_2};\ \tan\beta=\frac{L_4}{L-L_2}$$

$$\gamma=\varepsilon+\beta=90^\circ-\frac{\alpha+\beta}{2}+\beta=90^\circ-\frac{\alpha-\beta}{2}$$

$$F=2T\sin\left(\frac{\alpha+\beta}{2}\right)$$

将 a 和 F 代入式(5-18)得：

$$M_T=R'\cos\left(\theta'-\frac{\alpha-\beta}{2}\right)\times 2T\sin\left(\frac{\alpha+\beta}{2}\right) \tag{5-19}$$

将式(5-19)进行简化，并考虑活套支持器与其电动机之间的传动比 i，则得：

$$M_T=\frac{R'}{i}T[\sin(\theta'+\beta)-\sin(\theta'-\alpha)] \tag{5-20}$$

式中　R'——有效臂长，

$$R'=OB=\sqrt{R^2+Rd\sin\theta+\frac{d^2}{4}}$$

θ'——有效臂的摆角，

$$\theta'=\tan^{-1}\frac{R\sin\theta+d/2}{R\cos\theta}$$

i——传动比。

5.4.3.2　重力平衡力矩

图 5-8 是带钢在连轧过程中作用在活套支持器上的重力关系图，活套支持器支持机架之间带钢全部重量所需的力矩为：

$$M_W=PR\cos\theta \tag{5-21}$$

考虑传动比 i 之后，则为：

$$M_W=\frac{R}{i}P\cos\theta \tag{5-22}$$

式中　M_W——重力平衡力矩；

P——机架间带钢的重量，$P=Bh(AB+BC)\approx BhL\gamma$；

γ——密度。

5.4.3.3　控制活套所需的总力矩 M

它应是 M_T 和 M_W 两者之和，即：

$$M=M_T+M_W \tag{5-23}$$

从式(5-20)和式(5-22)可知，M_T 是 θ' 和 α 及 β 的正弦函数，所以 M_T 随 θ 的增加而增加；而 M_W 是 θ 的余弦函数，故 M_W 是随 θ 的增加而逐渐减小；M_T、M_W 和 M 的变化规律如图 5-9 所示。

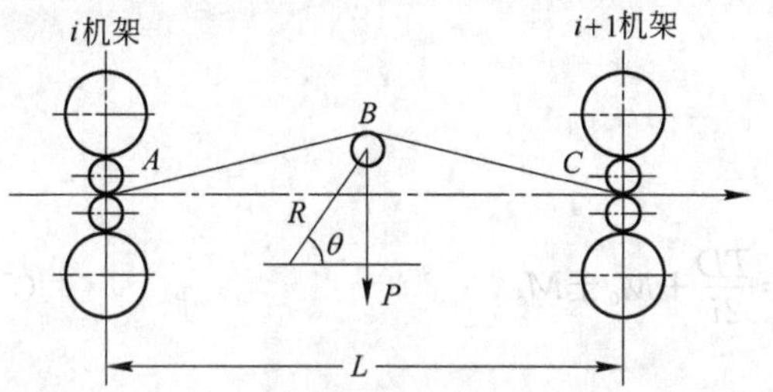

图 5-8 作用在活套支持器上的重力关系图

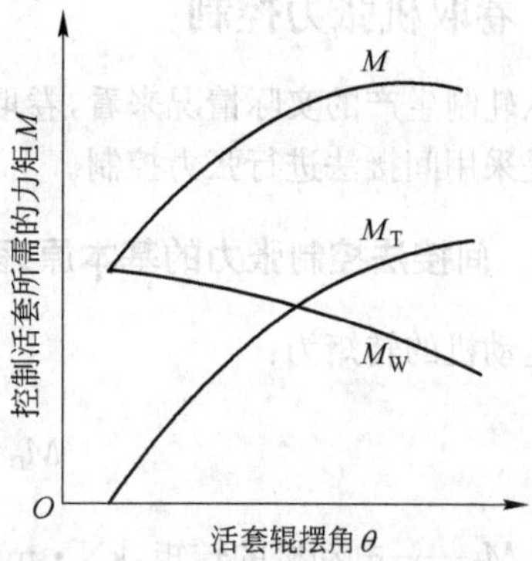

图 5-9 控制活套所需的力矩图

5.4.4 活套支持器的基本设定

在连轧过程中,对带钢进行微套量恒定小张力控制。为了实现其自动控制,计算机应给出这些控制回路所要求的活套高度、张力力矩、重力平衡力矩这三个信息。

5.4.4.1 活套高度的设定

它可以由计算机或由操作台上手动设定来实现,根据具体情况不同可以任选其一。

当选用计算机进行设定时,事先应根据从实践总结出来的活套高度的目标值进行设定。对不同的连轧机其活套高度的目标值各不相同,表 5-1 是某 1700mm 热连轧机精轧机组活套高度的目标值。

表 5-1 某 1700mm 热连轧机的活套支持器高度标准

成品带钢厚度/mm	活套高度 θ/(°)					
	F_1～F_2	F_2～F_3	F_3～F_4	F_4～F_5	F_5～F_6	F_6～F_7
$1.2 \leqslant h \leqslant 3.0$	21	21	20	18	20	21
$3.0 < h \leqslant 7.0$	22	22	22	22	22	22
$7.0 < h \leqslant 10.0$	22	22	22	22	22	22
$10.0 < h \leqslant 12.7$	23	23	23	25	25	25

5.4.4.2 张力的设定

带钢热连轧机采用的张应力水平应小于轧件高温变形强度的 10%,因此带钢所受张应力水平是按带钢的流向而逐渐增加的。据在某带钢热连轧机上所做的张力试验表明,在带钢热连轧机的粗轧机上,机架间带钢单位面积上所受的张力值若超过 4.9MPa,带钢将出现被拉窄的现象,而在精轧机组上,当张应力达到或超过 17MPa 时,带钢将产生缩颈现象。

为了避免带钢在轧制过程中出现缩颈现象,保证宽度精度,一般将作用在精轧机架间带钢所受张应力值限制在 1.47～6.8MPa 范围内,否则将影响成品质量。

一般精轧最后两架间的张力水平在 5.8～6.8MPa。

5.5 卷取机张力控制

从轧制生产的实际情况来看，卷取机张力控制方法一般可分为间接法和直接法两种，但绝大多数是采用间接法进行张力控制。

5.5.1 间接法控制张力的基本原理

电动机的转矩为：

$$M_D = C_M \Phi I_a = \frac{TD}{2i} + M_0 \pm M_d \tag{5-24}$$

式中 M_D——电动机的转矩，kN·m；

M_0——空载转矩，kN·m；

M_d——加减速时所需的动态转矩（加速时取"＋"号，减速时取"－"号），kN·m；

T——张力，kN；

D——钢卷的直径，m；

i——减速比；

Φ——电动机的磁通；

I_a——电动机电枢电流，A；

C_M——取决于电动机的结构的转矩常数。

在恒速卷取时 $M_d=0$，考虑空载转矩较小，并忽略不计，于是张力为：

$$T = 2C_M i \frac{\Phi I_a}{D} = K_m \frac{\Phi I_a}{D} \tag{5-25}$$

由式(5-25)可知，要维持张力 T 恒定有两种方法：一是维持 I_a＝常数和 Φ/D＝常数；二是使 I_a 正比于 Φ/D 而变化。

5.5.1.1 维持 I_a 和 Φ/D 恒定来使张力恒定

此种方法目前用得较多，该种张力控制系统由两个独立的部分组成。

(1) 电枢电流控制部分，它是通过调节电动机电枢电压来维持 I_a 恒定。

(2) 磁场控制部分，它是通过调节电动机的励磁电流，使磁通 Φ 随着钢卷直径 D 成正比例变化，从而使 Φ/D 的比值保持恒定。

此种间接法控制张力的优点是：$I_a \propto T$ 和 $\Phi \propto D$，控制起来比较直观。而它的缺点是：只要不在最大卷径情况下，不论是高速还是低速，电动机都处于弱磁工作状态，所以电动机转矩得不到充分利用；由于 $\Phi \propto D$，所以电动机的弱磁倍数也就等于卷径变化的倍数，当卷径变化倍数大时，要求电动机弱磁倍数也要大，于是使得电动机体积增大；这种控制方法要求按最高工作速度 v_{max} 和最大张力 T_{max} 的乘积来选择电动机的功率，即 $P_N = v_{max} \cdot T_{max}$，但是实际上此两者并不是同时出现，而一般高速时钢带薄，要求张力小，因此电动机的功率也不能得到充分利用。为了合理地使用电动机的功率，于是又有按最大转矩原则进行张力恒定的控制。

5.5.1.2 使 I_a 正比于 D/Φ 来实现张力恒定

此种方法又称为最大转矩法。根据 $n=(U-I_aR_a)/C_e\Phi$ 的关系，在基速以下时，电动机按满磁工作；而在基速以上时通过调节 Φ，使电动机在弱磁状态下工作。

此种控制系统，不论卷径大小，基速以下电动机均满磁工作，因此便可以合理地利用电动机的功率。由于弱磁倍数与卷径 D 无关，故可以选用弱磁倍数小的电动机。它的缺点是电枢电流与张力无对应关系，若无张力计显示张力值，操作人员便难以知道此时张力究竟是多少。

此外，在某些小功率的简单系统中，没有调磁部分，往往希望电动机恒磁工作。由于 Φ= 常数，于是只有使 $I_a \propto D$ 来实现张力恒定的控制。

5.5.1.3 瞬时卷径的计算

由于间接法张力控制系统是一种张力开环补偿系统，它的控制思想是电动机的 I_a 和 Φ 的变化与张力各扰动量相补偿。影响张力波动的主要因素是：钢卷线速度 v 的变化；钢卷直径 D 的变化；机械传动系统转动惯量的变化；以及机械损耗的变化等。所以张力控制的精度主要取决于电流和磁场调节系统对上述各影响因素的补偿程度，并且还取决于 D/Φ 环节。而 D/Φ 环节又取决于卷径 D 的测量和磁通 Φ。钢卷直径 D 在轧制过程中是随时间而变化的，为了控制张力电流必须知道钢卷的瞬时直径。

卷筒上的带钢瞬时直径 D_c 是借助于卷筒和导向辊上的脉冲发生器(PLG)来计算的，如图 5-10 所示，由于卷筒和导向辊是通过带钢相互联系着，在同一时间内，导向辊上带钢走过的长度应与卷筒上带钢走过的长度相等，同侧卷筒和导向辊上带钢的线速度相等，因此有：

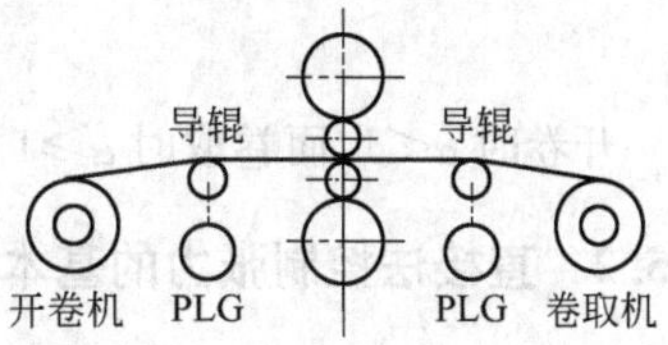

图 5-10 瞬时卷径计算

$$\pi D_c N_c = \pi D_s N_s$$

$$D_c = \frac{N_s}{N_c} D_s \tag{5-26}$$

式中 D_c——卷筒上的带钢瞬时直径；
D_s——导向辊的直径；
N_c——卷筒的转速，以脉冲量计量；
N_s——导向辊的转速，以脉冲量计量。

5.5.1.4 动态补偿电流和压下补偿系数的计算

卷取机或开卷机的张力控制系统，是通过调节电动机的电枢电流间接地实现恒张力的控制。当有加减速时，电动机的电流 I_a 是由两部分组成：一部分是张力电流 I_T，另一部分是相应于加减速力矩的动态电流 I_d，即：

$$I_a = I_T + I_d \tag{5-27}$$

因此必须准确及时地补偿动态电流的作用，才能保持张力电流不变，从而维持张力恒定。动态电流是正比于加减速度 dv/dt 和传动系统的 GD^2，由于钢卷直径是随时间而变化的，所以相应的 GD^2 也随之而变。根据电动机功率和机械功率相平衡的原则，可以推导出加减速时动态电流的表达式为：

$$I_a = K_1[GD_0^2 + K_2 B(D_c^4 - D_0^4)] \times \frac{dv}{dt} \times \frac{1}{D} \times \frac{1}{\Phi} \times \alpha \tag{5-28}$$

式中 GD_0^2——传动系统不变部分的惯性力矩，即不包括钢卷变化部分的 GD^2；
B——带钢的宽度；

α——压下补偿系数。

在建立动态电流 I_d 的控制模型时，当考虑到前滑对卷取侧速度的影响，处于卷取状态的卷筒的线速度要比主轧机的线速度高。考虑到后滑对开卷侧速度的影响，处于开卷状态的卷筒线速度要比主轧机的线速度低，因此在计算动态电流时要乘上一个压下补偿系数 α。带钢在导向辊圆周的行程应等于轧机工作辊圆周的行程乘以压下补偿系数 α，即：

$$\pi D_s \times \frac{N_s}{N_{s1}} = \alpha \pi D_R \times \frac{N_R}{N_{R1}} \tag{5-29}$$

式中　D_s, D_R——分别为导向辊和工作辊的直径；

N_s, N_R——分别为导向辊和工作辊脉冲发生器发出的脉冲数；

N_{s1}, N_{R1}——分别为导向辊和工作辊转过一周，其脉冲发生器发出的脉冲数。

所以

$$\alpha = \frac{N_{R1}}{D_R N_R} \times D_s \times \frac{N_s}{N_{s1}} \tag{5-30}$$

开卷时 $\alpha < 1$，而卷取时 $\alpha \geqslant 1$。

5.5.2　直接法控制张力的基本原理

直接法控制张力一般有两种：一是利用张力计测量实际的张力，并将它作为张力反馈信号，使张力达到恒定；二是利用活套建立张力，由活套位置发送器给出信号，改变卷取机的速度，维持活套大小不变，从而控制张力恒定。

直接法控制张力，它的优点是控制系统简单，避免了卷径变化、速度变化和空载转矩等对张力的影响，控制精度高。其缺点是不易稳定，特别是用张力计反馈的系统，在建立张力的过程中，有时容易出现“反弹”现象，例如当加上张力给定之后，开始时带钢还处于松弛状态，没有张力作用，当卷取电动机加速，待带钢一拉紧，张力反馈突然投入，便迫使电动机减速，于是带钢又松开，张力反馈又消失，电动机又加速，如此反复，结果带钢一紧一松来回弹。所以一般采用直接法张力控制系统都要设法先建立张力，待建立稳定的张力之后，再将张力闭环系统投入工作。

除了单独采用间接法和直接法控制张力之外，也有采用直接法和间接法混合控制张力的系统，即在简单的间接张力控制系统的基础上，再加入直接张力控制系统作为张力的细调。

复习思考题

5-1　张力的作用是什么？

5-2　什么叫电流记忆法，如何使用？

5-3　什么叫力臂记忆法，如何使用？

5-4　控制活套所需的力矩一般应包括哪两部分？

5-5　活套支持器基本设定的内容有哪些？

5-6　卷取机张力控制方法有哪两种？

5-7　什么叫最大转矩法？

5-8　粗轧、精轧、卷取机组张力控制的目标及控制的手段是什么？

6 板形控制

6.1 板形及良好板形条件

实际上，板形是指成品带钢断面形状和平直度两项指标，断面形状和平直度是两项独立指标，但相互存在着密切关系。

带钢断面形状对于不同用途的成品有着不同要求，作为冷轧原料的热带卷，要求有一定凸度，而成品热带卷则希望断面接近矩形。

图 6-1 给出了断面厚度分布的实例，其中包括了边部减薄和微小楔形。

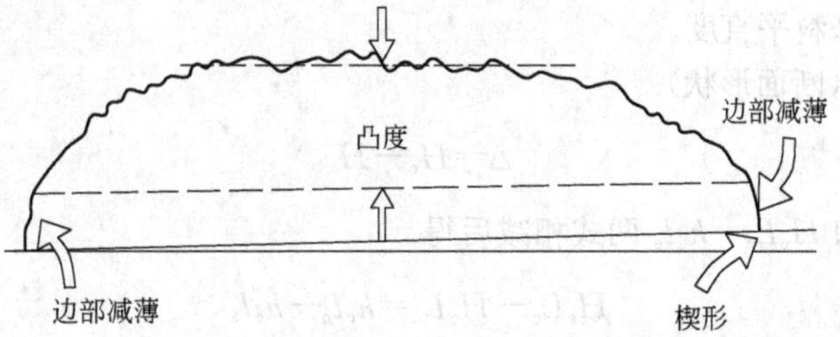

图 6-1 断面形状

断面形状实际上是厚度在板宽方向（设为 x 坐标）的分布规律，可用一多项式加以逼近。

$$h(x)=h_e+ax+bx^2+cx^3+dx^4$$

式中 h_e——带钢边部厚度，但由于存在"边部减薄"（由于轧辊压扁变形在板宽处存在着过渡区而造成），因此一般取离实际带边 40mm 处的厚度作为 h_e。

其中一次项实际为楔形的反映，二次项（抛物线）为对称断面形状，对于宽而薄的热带亦可能存在三次和四次项，边部减薄一般可用正弦或余弦函数表示。

在实际控制中，为了简单，往往以其特征量——凸度为控制对象。出口断面凸度

$$\delta=h_c-h_e$$

式中 h_c——板带（宽度方向）中心的出口厚度。

为了确切表述断面形状，可以采用相对凸度 $CR=\delta/h$ 作为特征量（h 为宽度方向平均厚度），考虑到测厚仪所测的实际厚度为 h_e 或 h_c，也可以用 δ/h_e 或 δ/h_c 作为相对凸度。

平直度一般是指浪形、瓢曲或旁弯的有无及存在程度（图 6-2）。

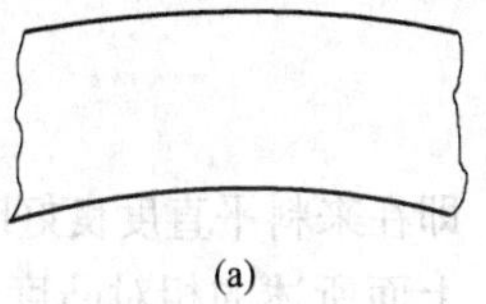

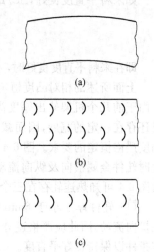

图 6-2 平直度
(a)旁弯；(b)边浪；(c)中浪

平直度和带钢在每机架入口与出口处的相对凸度是否匹配有关(图 6-3)。如果假设带钢沿宽度方向可分为许多窄条,对每个窄条存在以下体积不变关系(假设不存在宽展):

$$\frac{L(x)}{l(x)}=\frac{h(x)}{H(x)}$$

式中　$L(x)$、$H(x)$——入口侧 x 处窄条的长度和厚度;

$l(x)$、$h(x)$——出口侧 x 处窄条的长度和厚度。

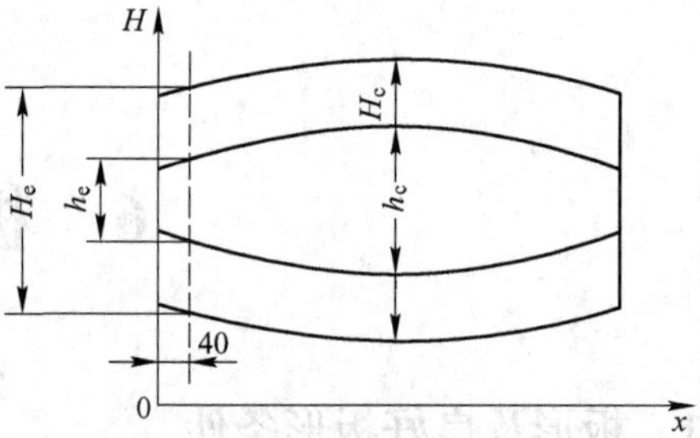

图 6-3　入口和出口断面形状

也可以用$\frac{L_e}{l_e}=\frac{h_e}{H_e}$及$\frac{L_c}{l_c}=\frac{h_c}{H_c}$分别表示边部和中部小条的变形。良好平直度的条件为:

$$l_e=l_c=lx$$

设　$$\Delta l=l_c-l_e \qquad \Delta L=L_c-L_e$$

式中　ΔL——轧前来料平直度。

设来料凸度为 Δ(断面形状)

$$\Delta=H_c-H_e$$

将 $H_cL_c=h_cl_c$ 和 $H_eL_e=h_el_e$ 两式相减后得

$$H_cL_c-H_eL_e=h_cl_c-h_el_e$$

$$(\Delta+H_e)(\Delta L+L_e)-H_eL_e=(\delta+h_e)(\Delta l+l_e)-h_el_e$$

展开后如忽略高阶微小量后可得

$$\frac{\delta}{h}=\frac{\Delta L}{L}+\frac{\Delta}{H}$$

如来料平直度良好,$\Delta L/L=0$,则

$$\frac{\delta}{h}=\frac{\Delta}{H}$$

即在来料平直度良好时,入口和出口相对凸度相等,这是轧出平直度良好的带钢的基本条件。

上面所述的相对凸度恒定为板形良好条件的结论,对于冷轧来说是严格成立的。对于热连轧由于前几个机架轧出厚度尚较厚,轧制时还存在一定的宽展,因而减弱了对相对凸度严格恒定的要求。图 6-4 给出不同厚度时轧件金属横向及纵向流动的可能性,由图 6-4 可知热连轧存在三个区段:

(1) 轧件厚度小于 6mm 左右时不存在横向流动,因此应严格遵守相对凸度恒定条件以保持良好平直度。

(2) 6～12mm 为过渡区,横向流动由 0%变到 100%。此处 100%仅意味着将可

图 6-4　横向流动的 3 个区段

以完全自由地宽展。

(3) 12mm 以上厚度时相对凸度的改变受到限制较小，即不会因为适量的相对凸度改变而破坏平直度。因此将会允许各小条有一定的不均匀延伸而不会产生翘曲。

为此 Shohet 等曾进行许多试验，并由此得出图 6-5 所示的 Shohet和 Townsend 临界曲线，此曲线的横坐标为 b/h，纵坐标则为变形区出口和入口处相对凸度差 ΔCR

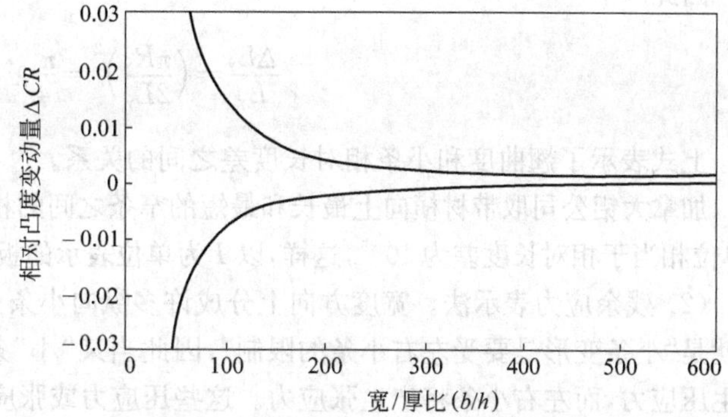

图 6-5 Shohet 及 Townsend 的 ΔCR 允许变化范围的曲线

$$\Delta CR=\frac{\delta}{h}-\frac{\Delta}{H}$$

式中 δ,Δ——出口和入口带钢凸度；

h,H——出口和入口带钢厚度。

此曲线的公式为

$$-40\left(\frac{h}{b}\right)^{1.86}<\Delta CR<80\left(\frac{h}{b}\right)^{1.86}$$

上部曲线是产生边浪的临界线，当 ΔCR 处在曲线的上部时将产生边浪。下部曲线为产生中浪的临界线。

此曲线限制了每个道次能对相对凸度改变的量，超过此量将产生翘曲(破坏了平直度)。正因如此，对带钢凸度的纠正只能在 F_2 或 F_3 进行，否则将破坏带钢平直度。

6.2 板形的表示方法

板形的定量表示法有多种，较为实用的有：

(1) 波形表示法。这一方法比较直观(见图 6-6)。带钢翘曲度 λ 表示为

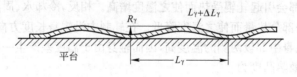

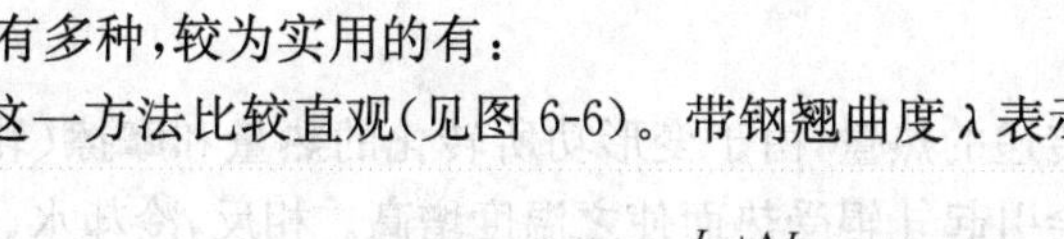

图 6-6 波形表示法

$$\lambda=\frac{R_\gamma}{L_\gamma}\times 100\%$$

式中 R_γ——波幅；

L_γ——波长。

图 6-6 中假设波形为正弦波，曲线部分长度为

$$L_\gamma+\Delta L_\gamma\approx L_\gamma\left[1+\left(\frac{\pi R_\gamma}{2L_\gamma}\right)^2\right]$$

因此

$$\frac{\Delta L_{\gamma}}{L_{\gamma}}=\left(\frac{\pi R_{\gamma}}{2L_{\gamma}}\right)^{2}=\frac{\pi^{2}}{4}\lambda^{2}$$

上式表示了翘曲度和小条相对长度差之间的关系。

加拿大铝公司取带材横向上最长和最短的窄条之间的相对长度差作为板形单位，称为 I，一个 I 单位相当于相对长度差为 10^{-5}，这样，以 I 为单位表示的板形数量值为相对长度差的 10^{5} 倍。

(2) 残余应力表示法。宽度方向上分成许多纵向小条只是一种假设，实际上带钢是一整体，也就是"小条变形是要受左右小条的限制"，因此当某"小"条延伸较大时，受到左右小条影响，将产生压应力，而左右小条将产生张应力。这些压应力或张应力称为内应力，带钢塑性加工后的内应力称为残余应力。

理论上残余压应力将使带钢产生翘曲（浪形），实际上，由于带钢自身的刚性，只有当内部残余应力大于某一临界值后，才会失去稳定性，使带钢产生翘曲（浪形）。此临界值与带钢厚度、宽度有关。

6.3 影响辊缝形状的因素

如若忽略轧件本身的弹性变形，钢板横断面的形状和尺寸，取决于轧制时辊缝（工作辊缝）的形状和尺寸，因此造成辊缝变化的因素都会影响钢板横断面的形状和尺寸。影响辊缝形状的因素有：

(1) 轧辊的热膨胀差别引起的热凸度；

(2) 轧制力使辊系弯曲和剪切变形引起的挠度；

(3) 轧辊的磨损；

(4) 原始凸度；

(5) CVC 或 PC 轧机对辊型的调节；

(6) 弯辊装置对辊型的调节。

6.3.1 轧辊的热凸度

轧制时高温轧件所传递的热量，由于变形功所转化的热量和摩擦（轧件与轧辊、工作辊与支撑辊）所产生的热量，都会引起轧辊受热而使之温度增高。相反，冷却水、周围空气介质及轧辊所接触的部件，又会散失部分热量而使之温度降低。在轧制中沿辊身长度方向上，轧辊的受热和散热条件不同，一般是辊身中部较两侧的温度高，因而辊身由于温度差产生一相对热凸度。

对二辊轧机的有效热凸度为

$$\Delta D_{t}=K\alpha\Delta T_{D}D$$

对四辊轧机的有效热凸度为

$$\Delta d_{t}=K\alpha\Delta T_{d}d$$

$$\Delta D_{t}=K\alpha\Delta T_{D}D$$

式中　D、d——轧机的大辊、小辊直径，mm；

ΔT_{D}——大辊辊身中部与边缘的温差，ΔT_{D} 通常为 10～30℃；

ΔT_{d}——小辊辊身中部与边缘的温差，ΔT_{d} 通常为 30～50℃；

α——膨胀系数，钢轧辊 $\alpha=1.3\times10^{-5}$/℃，铸铁辊 $\alpha=1.1\times10^{-5}$/℃；

K——约束系数，当轧辊横断面上温度均匀分布时，$K=1$，当轧辊表面温度高于芯部温度时，$K=0.9$。

6.3.2 轧辊挠度

在轧制压力的作用下，轧辊要发生弹性变形，自轧辊水平轴线中点至辊身边缘 $L/2$ 处轴线的弹性位移，称为轧辊的挠度。热轧钢板时当轧件厚度较大，而轧制力不太高时，只考虑轧辊的弹性弯曲，而轧件较薄轧制力又很大时，还要考虑轧辊的弹性压扁。其挠度值计算如下：

(1) 对于二辊轧机，辊身挠度为 y

$$y=\frac{P}{6\pi ED^4}(12L^2l-4L^3-4b^2L+b^3)+\frac{P}{\pi GD^2}\left(L-\frac{b}{2}\right)$$

式中 P——轧制力，N；

E、G——轧辊弹性模数、剪切模数；

D——轧辊直径；

L——辊身长度；

l——轴承支反力的间距；

b——轧件宽度。

(2) 对于四辊轧机。轧辊的弹性弯曲和轧辊的弹性压扁引起轧辊挠度。轧辊弹性弯曲引起的轧辊挠度是由于弯曲力矩产生的。而弹性压扁是指变形区内轧件与轧辊接触所导致的工作辊压扁，以及工作辊与支撑辊间相互的压扁。而这种压扁沿辊身长度不均匀所引起工作辊的附加挠度。因此，支撑辊的弹性弯曲以及支撑辊与工作辊间的相互弹性压扁的不均匀性决定了工作辊的弯曲挠度。正确地确定工作辊的弯曲挠度，才能正确设计轧辊辊型。

1) 轧辊的实际凸度。轧制过程中轧辊的实际凸度，系指轧辊的原始(磨削)凸度，热凸度及磨损量的代数和。上下工作辊与上下支撑辊的实际凸度，共同构成了轧辊的实际总凸度。即

$$\begin{aligned}\Sigma\Delta D&=(\Delta d_s+\Delta d_x)+(\Delta D_s+\Delta D_x)\\&=(\Sigma\Delta d_y+\Sigma\Delta d_t-\Sigma\Delta d_m)+(\Sigma\Delta D_y+\Sigma\Delta D_t-\Sigma\Delta D_m)\end{aligned}$$

一对工作辊的实际总凸度为：

$$\Delta d_s+\Delta d_x=\Sigma\Delta d_y+\Sigma\Delta d_t-\Sigma\Delta d_m$$

一对支撑辊的实际总凸度为：

$$\Delta D_s+\Delta D_x=\Sigma\Delta D_y+\Sigma\Delta D_t-\Sigma\Delta D_m$$

式中 $\Sigma\Delta D$——一套轧辊的实际总凸度；

$\Sigma\Delta d_y$、$\Sigma\Delta D_y$——上下工作辊、上下支撑辊磨削凸度的总和；

$\Sigma\Delta d_t$、$\Sigma\Delta D_t$——上下工作辊、上下支撑辊热凸度的总和；

$\Sigma\Delta d_m$、$\Sigma\Delta D_m$——上下工作辊、上下支撑辊凸度磨损量之总和；

Δd_s、Δd_x——上、下工作辊的实际凸度；

ΔD_s、ΔD_x——上、下支撑辊的实际凸度。

2) 工作辊挠度。上工作辊挠度：

$$y_s=q\frac{A+\varphi B}{\beta(1+\varphi)}-\frac{\Delta d_s+\Delta D_s}{2(1+\varphi)}$$

下工作辊挠度：

$$y_x=q\frac{A+\varphi B}{\beta(1+\varphi)}-\frac{\Delta d_x+\Delta D_x}{2(1+\varphi)}$$

其中：

$$\varphi=\frac{1.1\lambda_1+3\lambda_2\xi+18\beta K}{1.1+3\xi}$$

$$A=\lambda_1\left(\frac{l}{L}-\frac{7}{12}\right)+\lambda_2\xi$$

$$B=\frac{3-4\mu^2+\mu^2}{12}+\xi(1-\mu)$$

$$K=\theta\ln 0.97\frac{d+D}{q\theta}$$

式中　q——工作辊与支撑辊间单位长度上的平均压力；$q=P/L$(N/mm)；

μ——带钢宽度与辊身长度比，$\mu=b/L$；

l——轴承支反力的间距，$l=l_0-2\Delta l$；

l_0——压下螺丝中心距；

Δl——偏移量，与轴承宽度 c、轧辊刚度、轧制压力、轴承及支座的自位性能等因素有关，大约在(0～0.15)c 的范围内。

以上各式中 λ_1、λ_2、ξ、β 及 θ 各值，在不同条件下的计算方法列于表 6-1。

表 6-1　λ_1、λ_2、ξ、β 及 θ 各值

各符号所代表的参数	轧辊材料	
	全部钢轧辊	铸铁工作辊，钢质支撑辊
	$E_1=E_2=220000$MPa $G_1=G_2=81000$MPa $v_1=v_2=0.3$	$E_1=170000$MPa，$E_2=220000$MPa $G_1=70000$MPa，$G_2=81000$MPa $v_1=0.35$，$v_2=0.2$
$\lambda_1=\frac{E_1}{E_2}\left(\frac{d}{D}\right)^4$	$\lambda_1=\left(\frac{d}{D}\right)^4$	$\lambda_1=0.773\left(\frac{d}{D}\right)^4$
$\lambda_2=\frac{G_1}{G_2}\left(\frac{d}{D}\right)^2$	$\lambda_2=\left(\frac{d}{D}\right)^2$	$\lambda_2=0.864\left(\frac{d}{D}\right)^2$
$\xi=\frac{RE_1}{4G_1}\left(\frac{d}{L}\right)^2$	$\xi=0.753\left(\frac{d}{L}\right)^2$	$\xi=0.674\left(\frac{d}{L}\right)^2$
$\beta=\frac{\pi E_1}{2}\left(\frac{d}{L}\right)^2$	$\beta=34600\left(\frac{d}{L}\right)^2$	$\beta=26700\left(\frac{d}{L}\right)^2$
$\theta=\frac{1-v_1^2}{\pi E_1}+\frac{1-v_2^2}{\pi E_1}$	$\theta=2.634\times10^{-6}$m²/N	$\theta=2.96\times10^{-6}$m²/N

6.3.3 轧辊的磨损

在轧制中工作辊与支撑辊均将逐渐磨损(后者磨损较轻),轧辊磨损则使辊缝形状变得不规则。影响轧辊磨损的主要因素是工作期内实际磨耗量(或轧辊凸度的磨损率,即轧制每张或每吨钢板轧辊凸度的磨损量)以及磨损的分布特点。不同的轧机由于轧制品种、规格及生产次序、批量的不同,磨损规律不一样,在辊型使用和调节时通常使用其统计数据。

6.3.4 原始凸度

轧辊磨削加工时所预留的凸度为磨削凸度,又称原始凸度。一般轧机在工作之初总要赋予轧辊一定的凸度,正或负,这样,就可以在原始凸度、热凸度、轧辊挠度的共同作用下,保证一定的辊缝凸度,最终得到良好的板形。

6.3.5 CVC 轧机

CVC 为 Continuously Variable Crown 的缩写,当带有瓶状辊型的工作辊在相对向里或向外抽动时空载辊缝形状将变化。

正向抽动定义为加大辊型凸度的抽动方向。轧辊抽动量一般为±80mm 到±150mm,CVC 辊的辊型过去采用二次曲线,目前已开始采用高次(含 3 次以及 4 次)曲线以有利于控制更宽更薄的热带。图 6-7 中 CVC 辊型曲线为了示意而被夸大,实际上辊型最大和最小直径之差不超过 1mm,当辊型曲线中最大最小直径差太大时将使轴向力过大而无法应用。工作辊双向抽动不仅用于 CVC,亦可用于平辊,此时主要目的不是用来改变轧辊凸度,而是用来使轧辊得到均匀磨损(特别是带边接触处),这将使同宽度轧制公里数大为提高,因此对连铸连轧生产线十分有用。

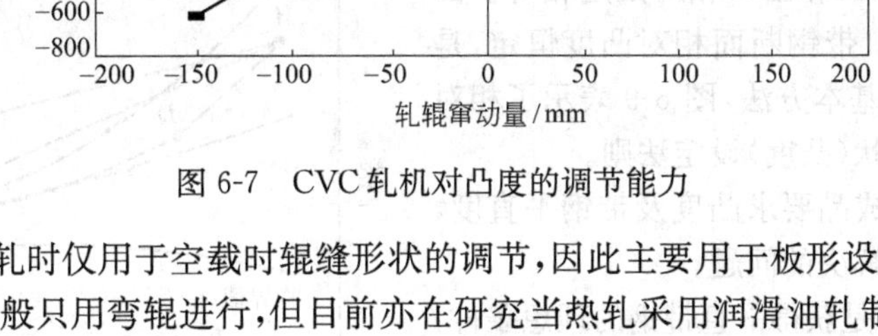

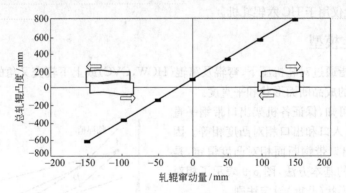

图 6-7 CVC 轧机对凸度的调节能力

CVC 技术在热轧时仅用于空载时辊缝形状的调节,因此主要用于板形设定模型对辊缝形状的设定,在线控制一般只用弯辊进行,但目前亦在研究当热轧采用润滑油轧制时是否将 CVC 用于在线调节。

6.3.6 PC 轧机

PC 为 Pair Cross 的缩写,即上下工作辊(包括支撑辊)轴线有一个交叉角,上下轧辊(平辊)当轴线有交叉角时将形成一个相当于有辊型的辊缝形状,此时边部厚度变大,中点厚度不变,形成了负凸度的辊缝形状(相当于轧辊具有正凸度)。

因此 PC 轧机为了得到正凸度辊缝形状就必须采用带有负辊凸度的轧辊。

轧辊交叉调节出口断面形状的能力相对说比较大(见图 6-8),但是由于轧辊交叉将产生较大的轴向力,因此交叉角不能太大否则将影响轴承寿命,目前一般交叉角不超过1°。

PC辊在应用中的另一个问题是轧辊的磨损,为此目前PC轧机都带有在线磨辊装置以保持辊缝形状的稳定。CVC和PC是目前热连轧上应用最为广泛的板形控制技术。

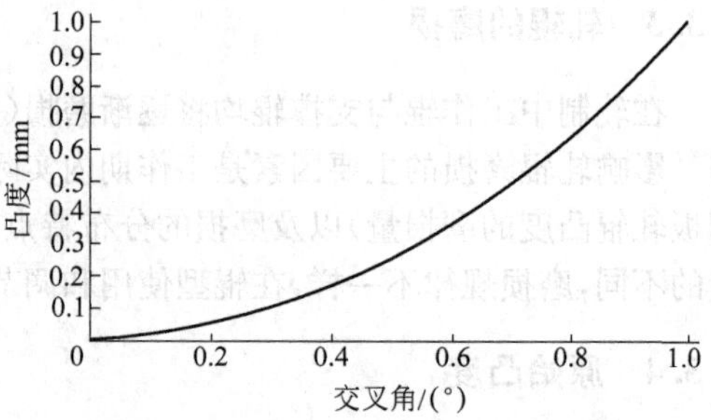

图 6-8　PC轧机的凸度调节能力

6.3.7　HC轧机

HC为High Crown的缩写,HC为六辊辊系,在四辊轧机工作辊与支撑辊间加上了中间辊,通过中间辊的抽动来改变与工作辊的接触长度及改变辊系的弯曲刚度,HC轧机在冷轧中应用较为广泛,由于可以采用较小的工作辊直径,因而往往在冷轧机用于加大压下量,但在热带轧机由于其对出口带钢凸度的调节能力较小,因而应用较少。

6.3.8　弯辊装置

弯辊装置由于响应快,并能在轧钢过程中调节出口带钢凸度,因此作为一种基本设置与CVC,PC或HC轧机联合应用。

热带轧机(四辊轧机)一般安装的为正弯辊系统,即通过弯辊来加大辊凸度,这样利用设在工作辊轴承座上的平衡缸,加大油压来产生弯辊力。板形设定时可将弯辊力设定到50%。这样在轧钢时即可正向和反向调节。如设计正负弯辊系统则需在工作辊轴承座与支承辊轴承座间设油缸,这种配置一般仅用于HC六辊轧机。

6.4　板形设定模型

板形设定是指通过对轧机压下、弯辊及窜辊(HCW,CVC)或上下辊交叉角的设定,使带钢轧出后能获得要求的成品断面形状和平直度。

由板形方程可知,保证各机架出口带钢平直度的基本条件是,入口和出口相对凸度相等。因此,保持各机架出口带钢断面相对凸度恒定,是获得带钢平直度的基本方法,图 6-9 表示了相对凸度恒定的断面形状(凸度)设定法则。

如何同时保证成品要求凸度及带钢平直度,是板形设定模型要解决的问题。

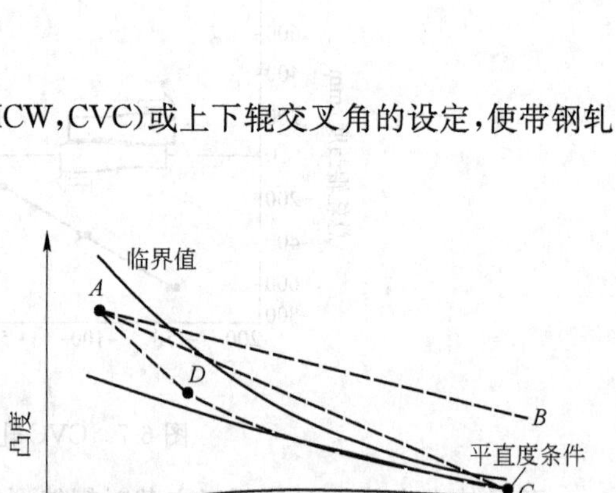

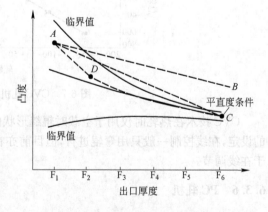

图 6-9　临界内应力曲线

相对凸度恒定,是获得平直带钢的理想条件,实际上,允许有一定的偏差,当某机架入口和出口相对凸度有差异时,将造成宽度方向的不均匀压缩,从而产生不均匀延伸,其实际后果将是在带钢宽度方向上存在不均匀内应力(残余应力)分布。这是造成带钢翘曲的根本原因,但是带钢翘曲程度除内应力大小外,还决定于带钢的自身刚度。实际上,我们也可看到,当带钢较厚时,将不容易产生翘曲(厚度较大、长度较短的厚板,当存在不均匀延伸时,只可能产生舌头形或燕尾形端部,而不容易产生翘曲),因此不同厚度的带钢都存在一个残余应力临界值,只有当残余应力超过此值时,才真正发生翘曲,临界值与厚度平方成正比,图 6-9 上临界值线为允许的"凸度恒定"偏差值,亦即在临界线范围内的各机架相对凸度分布仍能保持带钢平直度,由图可知,允许偏差在精轧头几个机架处(F_1,F_2)较大,往后迅速变小,这为我们同时达到成品断面形状和平直度提供了条件。

设精轧来料的断面凸度为 A 点,如按相对凸度恒定原则设定轧机,末机架出口处凸度为 B 点,亦即虽保证了平直度,但成品凸度高于所要求的 C 点,如果此时按照获得 C 点为目标来设定轧机,则超出了限制线,亦即不能得到平直的带钢。为此,板形设定模型应充分利用头两个机架限制条件较宽的条件来设定 F_1、F_2 机架,使 F_2 机架出口凸度达到 D 点,然后后面各机架设定成保持相对凸度恒定而达到 C 点,从而同时达到了成品凸度和平直度。由此可见,在设计轧机时,应使 F_2 机架具有较强的改变辊缝形状的能力。

改变一个机架出口带钢断面凸度,亦即改变该机架的有载辊缝形状,影响辊缝形状的因素较多,但能够控制的只有

· 轧制力

· 弯辊力

· 用 HCW、CVC 或 PC 机构改变可控辊型

对热轧来说,在轧制状态下能够调整有载辊缝形状,主要是靠弯辊装置(轧制时轧制力对板形来说已成为扰动量),因此希望设定时不过多利用弯辊。

因此,对设置有 HCW、CVC 或 PC 机构的现代轧机,板形设定(或称为断面凸度设定)主要靠这些装置,而对老的轧机,则只能靠合理负荷分配(轧制力分配)来保证带钢头部板形(凸度和平直度)。

6.5 静态负荷分配法计算轧机预设定值

轧制负荷的大小直接决定了轧辊凸度的变化,而轧辊凸度改变又是控制带钢板形的主要手段,因此在带钢轧机上经常靠调节轧制负荷来达到控制带钢板形的目的。为了保证带钢板形良好,生产中必须首先对带钢轧机各道次的负荷进行合理的分配。轧制负荷主要指轧制力、力矩和功率等参数而言,它们的大小与各道次的轧前厚度、轧后厚度以及压下量等主要工艺参数有关。因此用计算机确定带钢轧机各道次或各架轧机的负荷,需先确定各道次或各架轧机的出口厚度值:这个任务就是通常压下规程设计中所称的厚度分配。

合理地分配各道次的钢板厚度,既要考虑轧机强度和电机能力等设备条件的限制,又要考虑咬入、温降、板形等工艺条件的限制。在板形开环控制中,各道次钢板厚度分配有以下三种方法:

(1) 按经验分配各道(各机架)的压下率。它是根据工人操作经验统计得到的现场资料直接分配各道次(各机架)压下率。一般规律是这样:热轧钢板或带钢通常是充分利用高温的有利条件,前几道的压下率尽量取大些,以后道次压下率逐步减小,最末几道温度低,带钢接近成品尺寸,要求有良好的板形,压下率应适当取低些;冷轧各道次或连轧各机架压下量的分配应遵循第一道次压下率不宜过大,主要考虑到可能受咬入条件的限制和使热轧送来的带坯得到较好的均整,中间各道次的压下分配基本上可以从充分利用轧机能力出发来考虑,最后几道为了保证板形良好,一般采用较小的压下率。

(2) 按前几道考虑最大允许力矩,后几道考虑板形来分配各道压下率。为了使钢板能有良好的板形,后面几道的压下率分配应根据板形良好线来选取,具体办法就是先由成品厚度 h_n 出发,在图 6-10 中作垂直线和板形良好线相交于 a,求得在保证板形良好条件下末道应有的轧制力 P_n 值,然后再根据此压力由轧制力公式反推出末道的带钢轧入厚度 H_n(即 h_{n-1}),用同样方法即可逐步

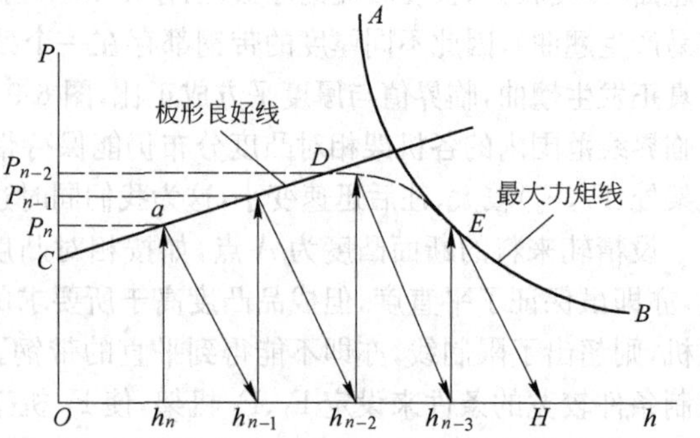

图 6-10　根据板形和最大允许力矩分配各道压下率

确定 P_{n-1}，P_{n-2}，…，和 h_{n-1}，h_{n-2}，…。但是随着钢板厚度增大，限制条件转变为最大允许力矩（见图 6-10 中的 AB 曲线），为了不使各道次压力变化太剧烈，因此用虚线作为过渡，利用 $CDEB$ 线即可一道一道地向前计算。如果求出的第一道轧入厚度和实际钢坯厚度差别不大，则轧制规程就算编制完毕；如果差别较大，则可以在允许范围内移动板形线，必要时亦可改变弯辊力来变动板形线，直到计算结果和带坯实际厚度相一致。计算时先给各道假设一温度，规程编完后用温降公式重算各道温度，并再重编规程，一般重复二三次就可达到一致。

(3) 按前几道考虑能耗，后几道考虑板形来分配各道压下率。按能耗负荷法分配压下量实际上也是一种经验方法，它是利用工厂实测经验资料建立的单位能耗曲线直接推算的。能耗曲线一般是以单位小时产量的轧制功耗 a 为纵坐标，以板厚 h 为横坐标，利用它来分配各道压下量比较方便。具体方法是首先利用能耗曲线确定由带坯轧成成品所需要的总轧制功率；其次进行各机架的负荷分配，分配的原则和前面叙述相同，即前几道考虑具体设备条件，后几道考虑板形；然后可以根据各机架的负荷分配比计算出各机架的累积能耗；最后由能耗曲线查出对应各机架的轧出厚度。但是由于这种曲线对于每套轧机都不可能完全一样，因此每套轧机都应积累自己的实验资料，作出自己的单位能耗曲线。

各架轧机的厚度和压下系数分配好后，将这些负荷系数存在计算机中，开环控制时则直接取用此"固定"系数（对于不同规格范围有不同的系数），再进行压下位置的预设定计算。在已知各架轧机轧出带钢厚度的情况下，每架轧机压下螺丝位置的预设定计算大致按下述步骤进行：

1）按温度模型及终轧温度值计算出末架带钢的出口速度，然后利用秒流量相等的原则，算出前面各架轧机的轧制速度；

2）按轧制力和功率模型计算各道次的轧制力和功率；

3）按前滑和轧机弹跳方程计算轧辊速度和压下螺丝的位置。

用电子计算机进行板形开环控制预设定计算的过程如图 6-11 所示。

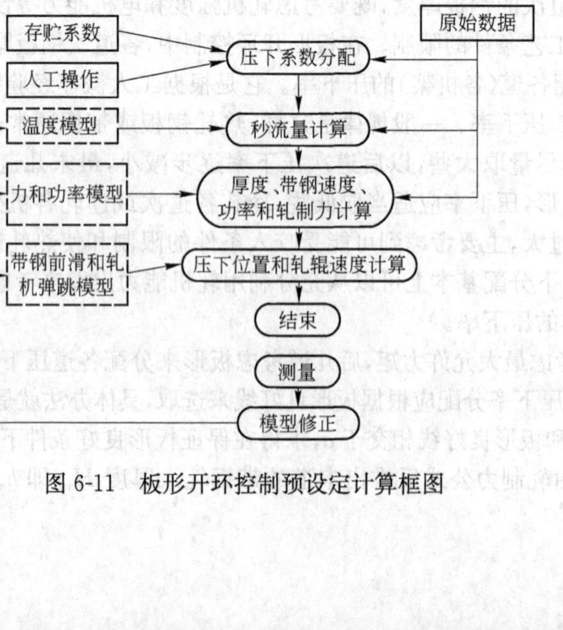

图 6-11　板形开环控制预设定计算框图

6.6 动态负荷分配

用静态负荷分配法在确定各架轧机(各道)辊缝预设定值的时候,一般只考虑到压下量大小(或轧制力)对带钢板形的影响,而未估计到轧制过程中轧辊热膨胀和磨损等变化因素对板形的影响,因而不能保证每一条带钢都得到良好的板形。

动态负荷分配法计算轧机预设定值就是为了克服上述缺点而发展起来的。这一方法尤其适合于生产中经常变换规格的情况,对于新换轧辊或停车时间较长的情形也能很快得到适应,轧出具有良好板形的带钢来。

但这种方法经常要改变压下规程,不利于工人操作,因此应用上受到了限制,未得到推广。

6.7 自动板形控制系统

板形设定模型和厚度设定模型一样,只能保证带钢穿过精轧机组后的头部品质,正如带钢全长的厚度由于各种因素而发生变动,需采用自动厚度控制系统(AGC)来保持带钢全长厚度品质一样,带钢全长的板形(凸度和平直度)亦需有相应的自动板型控制系统(ASC)来控制。ASC 系统有以下功能:

· 前馈板形控制(FF-ASC)

· 反馈板形控制(FB-ASC)

6.7.1 FF-ASC

FF-ASC 目前采用较多,其内容包括以下两部分:

· 热凸度及磨损凸度的补偿

· 轧制力变化的补偿

前者为一缓慢变化过程,如果轧制节奏稳定,则换辊半小时后热凸度将逐渐趋向稳定,而磨损凸度如带钢长度不大,则在一根带钢的头尾间差别亦不会很大。

后者为一快速变化过程,可以是由于轧件温度等条件变化而变,但更主要的是当 AGC 投入控制时,将会使轧制力频繁变化。

FF-ASC 在 AGC 投入后,开始周期地对 F_4～F_7 机架弯辊进行补偿控制,直到带钢离开前一个机架为止,控制算法为:

· 预测出各机架 AGC 引起的轧制负荷变动,及由此而对成品平直度的破坏程度;

· 计算出各机架弯辊力的影响系数及增益;

· 计算机为了保持平直度不受破坏所需增加的各机架弯辊力。

当操作员介入时,FF-ASC 计算出的各机架弯辊力将保持不变(操作员的操作将在此保持值基础上加或减),当操作员介入终了时,对当时的轧制力及热辊型值再次锁定,并以此新锁定值为基础继续进行各项计算,并给出各机架弯辊力控制值。

FF-ASC 的目的是保持带钢全长凸度及平直度等于头部的设定值。

6.7.2 FB-ASC

FB-ASC 主要根据精轧出口处平直度测量仪的实测结果,反馈调整后两个机架的弯辊力来保证带钢平直。

但由于当卷取机卷入带钢头部而使末机架与卷取机夹送辊间产生一定张力后,目前所用的平直度仪将无法再测出带钢翘曲度,因此其控制作用仅是带钢头部 100 多米。

FB-ASC在平直度仪ON开始，高速周期地根据实测平直度与目标平直度之差进行PI控制，并根据计算的F_7弯辊影响系数控制F_7的弯辊，当卷取机咬入带钢(电流负荷继电器ON)，将当时弯辊力保持，前馈控制(F_7)时，此值将作为弯辊力锁定值，当操作员介入时，此弯辊力仍将保持不变。

由于平直度检测的困难(只能检测头部100多米的平直度)，因此FB-ASC的效果往往不很理想，目前大部分热轧板厂，板形控制主要是依靠凸度设定和FF-ASC，再加上凸度和平直度的自学习，基本上都能取得良好的效果。

复习思考题

6-1 良好板形的条件是什么？
6-2 板形有哪些常用表示方法？
6-3 影响辊缝形状的因素有哪些？
6-4 何谓静态负荷分配法？
6-5 ASC系统有哪些功能？
6-6 粗轧、精轧机组板形如何控制？
6-7 平直度良好，成品凸度大，如何调整？
6-8 出现了双浪，通过哪些措施能消除？

7 温度控制

7.1 轧制过程中温度变化的基本规律

在热轧生产过程中，温度是一个极为重要的工艺参数，准确地预报各个环节的温度变化是实现热连轧机计算机控制的重要前提，轧制温度的预报是否准确，对其整个设定计算具有非常重要的意义。

热轧过程中的温度，主要是指开轧温度、终轧温度和卷取温度等。这些温度对金属在各机架中的变形抗力、轧制压力、成品的金相组织、晶粒度、机械性能以及带钢的表面状态等都有直接的影响。例如百分之一的温度预报误差就有可能导致百分之二到百分之五的轧制压力预报误差。

为了使金属易于加工成形，保证热轧成品带钢尺寸精确、板形良好、有高的组织性能和机械性能，并使连轧机具有很高的生产能力。在轧制之前必须将板坯加热到所要求的温度，然后在整个轧制过程中，又要采用不同的轧制速度、加速度和调节机架间冷却水以及层流冷却的水流量与水压力等才能达到上述目的。板坯在加热炉中加热时，是通过炉内的高温介质将热量传输到板坯表面，然后再由表面往中心传导。而在轧制过程中，轧件中所含的热量又会被低温的冷却水和空气，以及被与热轧件相接触的轧辊所带走。此外，金属在变形时还会产生一部分变形热。所以在轧制过程中温度的变化是一个很复杂的过程，既有辐射传热和对流传热，而又有热传导传热。为了建立温降方程，便于计算机对温度进行自动控制，必须了解轧件在轧制各个环节中热量散失和热量增加的变化规律。

7.1.1 轧制过程中的辐射传热

被加热好的板坯，它所含的热量，在输送过程中通过轧件的高温表面以辐射的形式向外散失，随着轧件在空气中逗留时间的增长，而又不断地通过辐射形式散失热量造成一定的温度降。根据斯蒂芬-波茨曼定理，轧件在单位时间内散热面积为 $2F$（其中 F 为轧件的散热面积，并忽略轧件侧表面）时，其辐射的热能 E 与轧件的绝对温度的四次方成正比：

$$E=\varepsilon\sigma\left(\frac{T}{100}\right)^4 2F=\varepsilon\sigma\left(\frac{t+273}{100}\right)^4 2F \tag{7-1}$$

式中 ε——轧件的热辐射系数（或称为黑度），$\varepsilon<1$，当表面氧化铁皮较多时取 0.8，而刚轧出的平滑表面取 0.55～0.65，具体值需要根据实验来确定；

σ——斯蒂芬-波茨曼系数，$\sigma=5.69\mathrm{W/(m^2\cdot K^4)}$；

T——轧件的绝对温度，$T=t+273$，K；

t——轧件的表面温度，℃；

F——轧件的散热面积，$F=BL$，$\mathrm{m^2}$，其中 B 为轧件的宽度，L 为轧件的长度。

轧件在输送过程中，温度为 t_0 的周围介质也在辐射热能。假定轧件的吸收系数与辐射系数相等，则轧件从周围介质中所吸收的热能 E' 为：

$$E'=\varepsilon\sigma\left[\frac{t_0+273}{100}\right]^4 2F \tag{7-2}$$

因此，轧件实际散失的热能是E与E'之差，则在时间τ内轧件散失的热量Q便为：

$$Q=-(E-E')\tau=-\varepsilon\sigma\left[\left(\frac{t+273}{100}\right)^4-\left(\frac{t_0+273}{100}\right)^4\right]2F\tau \tag{7-3}$$

式中　τ——时间，s；

t_0——周围介质的温度，℃。

由于$t_0\ll t$，其四次方的差别就更小，因此，一般可以忽略周围介质的温度不计。采用微分形式，可将式(7-3)表示为：

$$\mathrm{d}Q=-\varepsilon\sigma\left[\frac{t+273}{100}\right]^4 2F\mathrm{d}\tau \tag{7-4}$$

从另一方面看，随着热量的散失，轧件的温度将会下降，当它的温降为$\mathrm{d}t$时，则轧件热量的变化为：

$$\mathrm{d}Q=Gc_p\mathrm{d}t=c_p\gamma hF\mathrm{d}t \tag{7-5}$$

式中　c_p——质量定压热容，J/(kg · K)；

G——质量，kg；

γ——密度，kg/m^3；

h——轧件的厚度，m。

由于轧件散失的热量应等于热量的变化，故：

$$c_p\gamma hF\mathrm{d}t=-\varepsilon\sigma\left[\frac{t+273}{100}\right]^4 2F\mathrm{d}\tau \tag{7-6}$$

因此轧件辐射温降公式为：

$$\mathrm{d}t=-\frac{2\varepsilon\sigma}{c_p\gamma h}\left[\frac{t+273}{100}\right]^4\mathrm{d}\tau \tag{7-7}$$

7.1.2　轧制过程中的对流传热

对流传热是物体表面热交换的另一种形式。轧件在运输和轧制过程中要与低温的流体介质(如冷却水或润滑剂)相接触，低温流体会从轧件表面将热量带走，使轧件温度降低，这种传热方式称为对流传热。

对流传热的强度不但与物体的传热特性有关，而且更主要的是取决于流体介质的物理性质和运动特性，所以对流传热是一个极其复杂的过程，要从理论上精确计算它是很困难的，为了便于分析问题和进行计算，一般采用下列简单形式来计算对流传热时散失的热量：

$$\mathrm{d}Q=-\alpha(t-t_0)2F\mathrm{d}\tau \tag{7-8}$$

式中　t——轧件的温度，℃；

t_0——冷却介质的温度，℃；

$2F$——轧件与冷却介质相接触的面积(忽略轧件的侧表面)，m^2；

τ——热交换的时间，s；

α——对流散热系数，它表征对流散热的强度，即轧件与介质温度相差为1℃的条件下，单位面积在单位时间内所散失的热量，$W/m^2 \cdot ℃$。

与辐射传热的情况相同，随着热量的散失，轧件的温度会下降。当轧件的温降为 dt 时，则轧件的热量变化为：

$$dQ = c_p \gamma h F dt \tag{7-9}$$

因此，轧件的对流温降公式为：

$$dt = \frac{-2\alpha}{c_p \gamma h}(t - t_0) d\tau \tag{7-10}$$

7.1.3 轧制过程中的传导传热

轧制过程中的传导传热主要包括有：高温轧件以热传导的方式将一部分热量通过接触表面传递给低温的轧辊；以及轧件内部的热传导。下面就分别进行说明。

7.1.3.1 轧件与轧辊间的传导传热

高温轧件通过接触表面的氧化铁皮将热量传递给低温的轧辊。设传导系数为 $\lambda(W/m \cdot ℃)$，则轧件单位时间散失的热量为：

$$Q = \lambda 2F \frac{t - t_0}{S} \tag{7-11}$$

式中 t——轧件的温度，℃；

t_0——轧辊的温度，℃；

S——氧化铁皮厚度，m；

F——接触面积，$F = bl$，m^2；

l——变形区的长度，m；

b——变形区的宽度，m。

随着热量的散失，轧件的温度会下降，设下降的温度为 $\Delta t_{传}$，则轧件在单位时间内热量的变化为：

$$Q = c_p \gamma h_{平}\, bv \Delta t_{传} \tag{7-12}$$

式中 $h_{平}$——轧件在变形区中的平均高度，m；

v——轧件的轧制速度，m/s。

由于轧件散失的热量等于其热量的变化，因此，可以得到：

$$\Delta t_{传} = \frac{2\lambda}{c_p \gamma S} \frac{l}{v h_{平}}(t - t_0) \tag{7-13}$$

式(7-13)中的氧化铁皮厚度 S 和热传导系数 λ，一般难以确定，为了便于计算，一般把它们结合在一起进行考虑，用系数 $K = \lambda / S(J/m^2 \cdot ℃)$ 表示，K 值用实测数据来确定。因此上式可写成：

$$\Delta t_{传} = \frac{2K}{c_p \gamma} \frac{l}{v h_{平}}(t - t_0) \tag{7-14}$$

7.1.3.2 轧件内部的热传导

前面在研究轧件的温度变化时，都是把轧件看成是薄的，计算散热面积时将侧表面忽略不计，就热轧板带钢来说这样处理是完全可以的。但是，当轧件很厚而热传导系数 λ 又很小时，则轧件表面层对介质的散热很快，因而轧件表面的热量损失就有可能来不及从内部得到补充，结果在轧件内部各点会产生一定的温度差，导致热量的流动。所以对厚轧件必须考虑热量在轧件内部的传导所导致的轧件各点温度随时间的变化。

7.1.4 轧制过程中的塑性变形热和摩擦热

金属在塑性变形过程中，轧辊传递给轧件的机械能，在使轧件产生形状改变的同时，还会使金属产生加工硬化，在随后的再结晶过程中，加工硬化组织中累积的机械能就会以热能的形式释放出来，使轧件的温度升高。

由轧制原理可知，金属的塑性变形功为：

$$W=\sigma_{平}V\ \ln\frac{H}{h}\times 10^{3} \tag{7-15}$$

式中 W——金属的塑性变形功，kg·m；

$\sigma_{平}$——平均变形抗力，kg/m²；

V——轧件的体积，m³；

H——变形前轧件的厚度，m；

h——变形后轧件的厚度，m。

在轧制过程中，由于只有一部分塑性变形功转变为热能 Q 为：

$$Q=A\eta\sigma_{平}V\ln\frac{H}{h}\times 10^{3} \tag{7-16}$$

式中 A——热功当量，$A=9.8$J/kg·m；

η——转换效率，η 的值取决于在实际变形条件下的加工硬化曲线的形状，一般 η 为 0.5～0.95，前几架取大值，后几架取小值。

因此，金属塑性变形热使轧件温度升高 $\Delta t_{塑}$ 为：

$$\Delta t_{塑}=\frac{Q}{c_{p}\gamma V}=\frac{A\eta}{c_{p}\gamma}\sigma_{平}\ \ln\frac{H}{h}\times 10^{3} \tag{7-17}$$

接触摩擦所产生的热量是总的塑性变形功的一部分。假若变形区中粘着区范围很大，则此部分热量可以忽略不计。但是，当滑动区范围很大时，由于克服摩擦的功增大了，则接触摩擦所产生的热量就不能忽略，可按经验公式来计算因接触摩擦所引起的轧件温度升高 $\Delta t_{摩}$ 为：

$$\Delta t_{摩}=C_{0}\ \frac{f}{c_{p}\gamma}\ \frac{l}{h_{平}}\sigma_{平}\ \ln\frac{H}{h} \tag{7-18}$$

式中 C_0——系数，它包括热功当量和转换效率等一些影响因素的作用；

f——摩擦系数。

7.2 热连轧过程中的温降方程

为了适应计算机控制的需要，需用温降方程来计算各环节的温度变化（如精轧机组入口和出口处，以及卷取机入口处等的温度），以便准确地预报轧件在各个环节中的温度值。

温降方程（或叫温降模型）的建立是与轧件热连轧生产过程的具体特点密切相关的。在不同的生产环节中，轧件温降的规律和特点虽不尽相同，但其温度的变化是可以用 7.1 节中已论述的基本传热方式的不同组合来描述。

根据带钢热轧轧制线上工艺和设备特点的情况，基本上可以归纳出以下几方面的温降方程：带钢在辊道上运送时的温降方程；带钢在高压水除鳞情况下的温降方程；带钢在低压喷水冷却时的温降方程；带钢在精轧机组中的温降方程。

7.2.1 带钢在辊道上运送时的温降方程

带钢在辊道上运送时，高温的带钢要向外辐射热量，因而带钢产生辐射温降，用 $\Delta t_{辐}$ 表示。同时也有带钢与周围空气进行对流换热的问题，而会引起带钢的对流温降，用 $\Delta t_{对}$ 表示。由于在高温时的辐射热量损失远远超过了对流热量损失，后者占的比重很小，因此，可以只考虑辐射热量损失，而把其他影响都包括在根据实测数据确定的辐射系数 ε 中。

从公式(7-7)可知，带钢因辐射引起的温降是与 $(t+273)$ 成四次方的关系，这就说明随着温降的进行，带钢的温度将不断地迅速降低。由此可知带钢在短距离运输辊道和在长距离运输辊道上辐射温降的时间是不完全相同的，因此就分两种情况进行论述。

轧件在短距离运输辊道上运送时，其辐射温降 $\Delta t_{辐}$ 为：

$$\Delta t_{辐}=-\frac{2\varepsilon\sigma}{c_p\gamma h}\left[\frac{t+273}{100}\right]^4\Delta\tau \tag{7-19}$$

式中 $\Delta\tau$——轧件移动时的温降时间，$\Delta\tau=\dfrac{\Delta L}{v}$；

ΔL——轧件移动的距离；

v——轧件移动的速度。

由于轧件在短距离辊道上运送时，可以认为温降不大，因此，在整个过程中可以用同一个温度进行计算。

而带钢在长距离辊道（例如 1700mm 热连轧机的中间辊道长达一百多米）上运送时，由于运送时间长，温降大，在此种情况下的温降方程是对式(7-7)按分离变量进行积分，来确定温降方程。假设带钢的初始温度为 t_1，其最终温度为 t_2，而 τ_1 表示初始时刻，τ_2 为最终时刻，并假设物理参数 c_p、γ 和 ε 取平均值后可认为和温度无关。以 t_1 和 τ_1 分别为温度和时间的下限，t_2 和 τ_2 为其上限，对式(7-7)的两边进行积分为：

$$\int_{t_1}^{t_2}\frac{100}{\left(\dfrac{t+273}{100}\right)^4}\mathrm{d}\left(\frac{T}{100}\right)=-\frac{2\varepsilon\sigma}{c_p\gamma h}\int_{\tau_1}^{\tau_2}\mathrm{d}\tau$$

$$\frac{1}{3}\left[\left(\frac{t_2+273}{100}\right)^{-3}-\left(\frac{t_1+273}{100}\right)^{-3}\right]=-\frac{2\varepsilon\sigma(\tau_2-\tau_1)}{100c_p\gamma}$$

令 $\tau=\tau_2-\tau_1$，则得：

$$t_2=100\left[\left(\frac{t_1+273}{100}\right)^{-3}+\frac{6\varepsilon\sigma\tau}{100c_p\gamma h}\right]^{-1/3}-273 \tag{7-20}$$

带钢在运送过程中的温降时间 τ，可以根据带钢移动距离 L 和移动速度 v 来计算：

$$\tau=L/v$$

因此，在这种情况下的温降方程为：

$$\Delta t_{辐}=t_1-\left\{100\left[\left(\frac{t_1+273}{100}\right)^{-3}+\frac{6\varepsilon\sigma}{100c_p\gamma h}\frac{L}{v}\right]^{-1/3}-273\right\} \tag{7-21}$$

在上式中的热辐射系数 ε，由于它取决于实际情况，因此，一般是借助于粗轧机组出口处和精轧机组入口处的测温仪进行温度测量，然后利用实测的温度进行统计来求得 ε。

7.2.2 高压水除鳞情况下的温降方程

在板带钢的轧制过程中，为了将板坯或带钢表面的炉生氧化铁皮或二次氧化铁皮清除掉，一般都采用高压水（压力约为 12～20MPa 或更高）冲击轧件的表面。由于大量的高压冷却水流与高温轧件表面相接触，将一部分热量带走，使得轧件产生温降。在这种情况下，虽然也存在辐射散热，但占的比重很小，而基本上是强迫对流传热方式引起的热量损失，故在此仅考虑对流传热所引起的温降。强迫对流的热交换过程是比较复杂的，它不仅与轧件的温度、高压冷却水的温度和轧件材质的物理性能有关，而且还与高压冷却水的压力和流速等有关，因此，要从理论上写出反映各种因素影响的方程是比较困难，因而，目前都是采用牛顿公式进行对流传热时散失的热量 ΔQ 计算，为：

$$\Delta Q=-\alpha(t-t_{水})2F\Delta\tau$$

式中 α——对流的散热系数；

t——轧件的温度；

$t_{水}$——高压冷却水的温度；

F——轧件与高压水相接触的面积；

τ——对流传热的时间。

当高压水段长度为 l，轧件运行的速度为 v 时，则：

$$\Delta\tau=l/v$$

在对流传热过程中，随着热量的散失，轧件的温度会下降，当轧件的温降为 $\Delta t_{对}$ 时，则轧件的热量的变化为：

$$\Delta Q=c_p\gamma Fh\Delta t_{对}$$

根据热平衡关系得：

$$c_p\gamma Fh\Delta t_{对}=-\alpha(t-t_{水})2F\Delta\tau$$

所以轧件在高压水除鳞时的温降方程为：

$$\Delta t_{对}=-\frac{2\alpha}{c_p\gamma h}\times\frac{l}{v}(t-t_{水}) \tag{7-22}$$

7.2.3 带钢在低压喷水冷却时的温降方程

所谓低压喷水冷却实质主要指带钢在精轧机组之后的层流冷却和机架间的喷水冷却。虽然低压喷水冷却的工作压力较小，但是流量比较大，带钢是在层流水中通过，所以，它也是强迫对流的一种形式，故也可用式(7-22)进行 $\Delta t_{对}$ 的计算。由于在这种情况下的 α 值不同，因此还应针对具体情况不同分别进行确定。

机架间的喷水冷却是可以用式(7-22)进行确定，但是，由于这种喷水冷却一般是采用流量和水压都可以调节的装置，此时的对流散热系数 α 需用下列公式确定：

$$\alpha = kQ^{m} \tag{7-23}$$

式中 Q——阀的开度；

k、m——水压的函数。

精轧机组之后的输出辊道上的冷却系统，水阀的工作状态一般是开关量，冷却能力是通过所开的阀数多少进行调节，因此，常采用冷却能力系数 $K=\dfrac{2\alpha}{c_p\gamma}$ 表示冷却能力，由于层流冷却水段很长，因此不能用式(7-22)进行计算。

现根据式(7-10)，用 t 表示带钢的温度，t_0 表示冷却水的温度，现将它改写为：

$$\mathrm{d}t = \frac{-2\alpha}{c_p\gamma h}(t - t_{水})\mathrm{d}\tau \tag{7-24}$$

然后用 t_1 表示带钢的初始温度和 t_2 为最终温度，τ_1 为冷却的初始时刻和 τ_2 为最终时刻，并以 t_1 和 τ_1 为下限，t_2 和 τ_2 为上限进行积分，得：

$$\int_{t_1}^{t_2}\frac{\mathrm{d}t}{t - t_{水}} = \int_{\tau_1}^{\tau_2}\frac{-2\alpha}{c_p\gamma h}\mathrm{d}\tau$$

$$\ln\frac{t_2 - t_{水}}{t_1 - t_{水}} = -\frac{2\alpha(\tau_2 - \tau_1)}{c_p\gamma h} \tag{7-25}$$

现令

$$\tau = \tau_2 - \tau_1$$

则

$$\tau = L/v$$

式中 t_1——冷却开始前的带钢温度；

t_2——冷却结束后的带钢温度；

$t_{水}$——冷却水的温度；

τ——总的冷却时间。

所以式(7-25)可以改写为：

$$\ln\frac{t_2 - t_{水}}{t_1 - t_{水}} = -\frac{2\alpha}{c_p\gamma}\times\frac{L}{hv} \tag{7-26}$$

最终得：

$$t_2 = t_{水} + (t_1 - t_{水})\exp\left(1 - \frac{2\alpha}{c_p\gamma}\times\frac{L}{hv}\right) \tag{7-27}$$

于是在此种情况下的温降方程为：

$$\Delta t_{对} = t_1 - \left[t_{水} + (t_1 - t_{水})\exp\left(\frac{-2\alpha}{c_p\gamma}\times\frac{L}{hv}\right)\right] \tag{7-28}$$

7.2.4 带钢在精轧机组中的温降方程

带钢在精轧机组中轧制时，热交换的形式是相当复杂的，既存在有带钢的辐射散热、带钢与冷却水之间的对流散热、带钢与轧辊相接触时的传导散热，还有接触摩擦和塑性变形热所引起的热量增加。如果采用上述的公式逐步计算带钢在每一架轧机中的塑性变形热、接触摩擦热、带钢在机架间的辐射热损和机架间喷水冷却的对流热损等，则容易出现误差积累，使后几个机架中的带钢温度偏差过大。

考虑到精轧机组各架轧机中的带钢温度是一个极为重要的工艺参数，根据带钢在精轧机组中的连续性和在精轧机前后都设有测温仪的特点，所以一般不是采用逐步计算温降的方法，而是利用机组两头测温仪的实测温度进行不断校正。采用式(7-26)计算出机组总的温度降，然后将精轧机的总温降"分配"到各架轧机上，从而来确定带钢在各架轧机上的带钢温度。

考虑到带钢在轧机中产生的塑性变形热与带钢和轧辊相接触所产生的热传导热损基本可以互相抵消，而把机架间的辐射冷却和喷水冷却合并作为一个当量的冷却系统。为了简单起见采用式(7-26)作为温降公式。现以 1700mm 七机架精轧机组为例，将精轧机组分为 8 个区段，如图 7-1 所示。

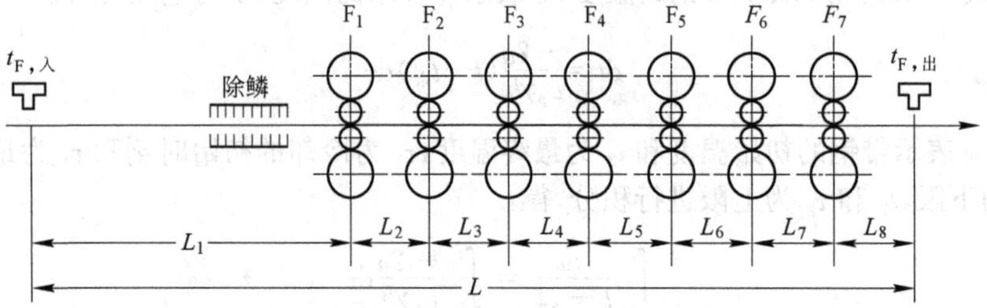

图 7-1　精轧机组分段简图

则精轧机组每个区段的温降公式为：

$$\ln\frac{t_i-t_{水}}{t_{i-1}-t_{水}}=-K_{精}\frac{L_i}{h_i v_i} \tag{7-29}$$

式中　t_i——第 i 区段的带钢温度；

t_{i-1}——第 $i-1$ 区段的带钢温度；

$t_{水}$——冷却水的温度；

$K_{精}$——冷却能力系数(或称为等价热传导系数)，$K_{精}=\frac{2\alpha}{c_p\gamma}$；

h_i——第 i 区段的带钢厚度；

v_i——第 i 区段的带钢速度；

L_i——为第 $i-1$ 区段到第 i 区段的距离。

当 $i=1$ 时，L_1 就是精轧机组入口处测温仪至第一机架(即 F_1)的距离。当 $i=8$ 时，L_8 就是精轧机组出口处测温仪至精轧机组第七机架(即 F_7)的距离。考虑到精轧机组入口测温仪至第一机架之间有高压水除鳞装置，其值要比机架间的低压喷水冷却时要大，因而应采用 L'_1 作为第一区段的当量距离，即 $L'_1=\beta L_1$，其中 L_1 是第一段的实际距离，β 是由实验确定的系数。

带钢在连轧过程中，应遵守金属秒流量相等的原则，所以在稳定轧制时：

$$h_i v_i=h_n v_n$$

式中　h_n——最末机架出口处带钢的厚度；

v_n——最末机架出口处带钢的速度。

因此，可将温降公式改写为：

$$\ln\frac{t_i-t_{水}}{t_{i-1}-t_{水}}=-K_{精}\frac{L_i}{h_nv_n} \tag{7-30}$$

式中的 i 是由 1 到 8，当 $i=1$ 时，$t_{i-1}=t_0$，也就是精轧机组入口处测温仪的温度值，用 $t_{F入}$ 表示；当 $i=8$ 时，$t_i=t_8$，也就是精轧机组出口处测温仪的温度值，用 $t_{F出}$ 表示。

现按式(7-30)，从 $i=1$ 到 $i=8$ 将其温降累加起来，便可以得到整个精轧机组的温降公式：

$$\ln\frac{t_{F出}-t_{水}}{t_{F入}-t_{水}}=-K_{精}\frac{\sum\limits_{i=1}^{8}L_i}{h_nv_n}=\frac{-K_{精}L}{h_nv_n} \tag{7-31}$$

式中 $t_{F入}$——精轧机组入口处带钢的温度；

$t_{F出}$——精轧机组出口处带钢的温度；

L——从精轧机组入口处测温仪到出口处测温仪的距离，但应注意，由入口处测温仪到第一机架的距离 L_1 应采用 L_1' 代替。

于是精轧机组出口处带钢的温度表达式为：

$$t_{F出}=t_{水}+(t_{F入}-t_{水})\exp\left(\frac{-K_{精}L}{h_nv_n}\right) \tag{7-32}$$

最后便可以求得带钢在精轧机组中的温降方程为：

$$\Delta t_F=t_{F入}-t_{F出}=t_{F入}-\left[t_{水}+(t_{F入}-t_{水})\exp\left(\frac{-K_{精}L}{h_nv_n}\right)\right] \tag{7-33}$$

精轧机组各架轧机处带钢的温度 t_i（此时式中的 i 为第一机架至第七机架的机架号）为：

$$t_i=t_{水}+(t_{F入}-t_{水})\exp\left(-K_{精}\frac{\sum\limits_{i=1}^{8}L_i}{h_nv_n}\right) \tag{7-34}$$

由于 $K_{精}$ 值可以利用生产中实测的 $t_{F入}$ 和 $t_{F出}$ 值反推算，按下式求得：

$$K_{精}=\ln\frac{t_{F入}-t_{水}}{t_{F出}-t_{水}}\times\frac{h_nv_n}{L} \tag{7-35}$$

从式(7-35)右边各项可知，这些工艺参数都是可以实测得到的比较准确的参数，所以按式(7-35)计算出来的 $K_{精}$ 值是能很好反应实际生产的真实情况，故按以上所述的公式计算各架轧机处的温度，其误差也比较小。

以上所述的这些温降方程都是理论温降数学模型，为了更好地适用不同的生产情况，对方程中的有关系数采用了一些修正（如采用等价系数等），于是这些温降方程在许多热连轧机上得到了广泛的应用。

但是前述的温降方程毕竟是理论公式，对一些具体工艺参数还是不能得到准确的结果，因为许多具体的冷却条件在理论公式中很难确定。例如带钢的辐射系数 ε 随带钢表面状态（如氧化铁皮的性质与厚度，表面光洁度等）的不同而在 0.5～0.8 的范围内波动；而对流散热系数 α 则取决于带钢与冷却介质的一系列物理参数，也是在很大范围内波动；带钢与轧辊间的摩擦系数，变形功转变为热的效率，以及带钢的上下表面冷却条件不同等；都会直接影响到温降理论模型的精度。为了得到适应于在线控制而精度又能满足控制要求的温降方程，所以在实际中也常常采用统计数学模型。

通过生产试验得到带钢在轧制时的开始温度 t_1 和最终温度 t_2，以及相应的工艺参数之后，然后构成适当的温降方程结构形式，再用回归分析的方法得到适用于该温降条件的统计模型。为了便于在线使用，统计模型大多采用线性的形式。例如对于辊道上运送带钢时，带钢的最终温度 t_2 与带钢厚度 h、开始温度 t_1 成正比关系，而与温降时间 $\Delta\tau$ 成反比关系，并考虑自变量之间的交互作用，可以将它写成：

$$t_2 = b_0 + b_1 + b_2 \frac{1}{\Delta\tau^2} + b_3 \frac{h}{\Delta\tau} + b_4 t_1 h \tag{7-36}$$

式中 b_0、b_1、b_2、b_3、b_4——系数。

统计形的数学模型在符合试验条件的自变量波动范围内，是可以给出较精确结果的，但一般不能普遍地用于其他轧制过程。理论数学模型虽然精度较低些，但公用性较强。目前较普遍的方法是在理论公式的基础上，用统计的方法估计某些关键参数，而在在线使用的过程中，对这些参数进行自适应修正。

7.3 终轧温度的控制

终轧温度对带钢的组织和性能有非常重要的影响。从板坯出炉到带钢轧制结束，中间要经过运输和轧制两大环节。带钢的终轧温度 $t_{终}$ 取决于带钢的材质、加热温度 $t_{加}$、板坯的厚度 H、运输时间 τ、压下制度、速度制度以及冷却水的压力、流量与温度等一系列因素。其中带钢的材质、板坯的厚度、运输时间和压下制度等，在原料与成品带钢情况确定了的条件下是一些较稳定的因素。而加热温度、机架间冷却水的压力和流量以及速度制度等可以作为对终轧温度进行控制的手段。但是由于冷却水量与终轧温度之间的定量关系较难确定，所以实际上被应用于控制终轧温度的主要因素是加热温度和速度制度。

现在就以 1700mm 热连轧机的精轧机组的终轧温度控制为例，以带钢头部温度与带钢全长温度，来说明终轧温度控制的基本方法。

7.3.1 带钢头部终轧温度的控制

带钢头部终轧温度控制的目的，在于把带钢头部离开精轧机组时的温度控制在所要求的允许波动范围之内。

首先应控制板坯的加热温度，为此，可根据所轧制带钢的标准速度规程，按照在 7.2 节中所述的温降方程式(7-20)来反算精轧机组入口处带钢的温度 $t_{F入}$，然后再以 $t_{F入}$ 反算粗轧机组出口处和入口处的温度，最后反算出板坯所需要的加热温度。这里包括了两次轧制过程温降和两次辊道运输温降的计算。由于上述温降过程是在相当长的时间和空间范围内完成的，在此范围内，可能出现各种干扰，特别是轧制速度和运输时间的波动很难精确计算，这就必然会影响到所要求加热温度的精确计算。因此，往往采用一些简单的经验公式近似地来计算板坯的加热温度 $t_{加}$。所要求的加热温度 $t_{加}$ 也可以按照板坯和成品带钢的规格，根据生产经验列成表格形式，供生产时直接选取。

由于所要求的加热温度与加热炉中的实际加热温度之间不可避免的会有偏差，按照上述方法确定的要求，对板坯进行的加热显然不能精确地保证要求的终轧温度，为此，应在生产过程中实测带坯的温度，以实测的温度值作为进一步控制终轧温度的依据。在热连轧轧机上，测温点一般设在粗轧机组的出口处(因为在这里,带坯表面上的氧化铁皮已去除干净,新生的二次氧化铁皮又尚未生成,这时带坯已较薄,断面温度分布比较均匀),在此处测得的带坯温度与带坯实际温度比较接近。然后再以粗轧机组出口处的实测温度 $t_{R出}$ 作为依据,按式(7-20)形式的温降方程,首先计算出精轧机组入口处的温度 $t_{F入}$,其计算公式如下:

$$t_{F入}=100\left[\left(\frac{t_{R出}+273}{100}\right)^{-3}+\frac{6\varepsilon\sigma\tau}{100c_p\gamma h}\right]^{-1/3}-273 \tag{7-37}$$

然后再以上式求出的 $t_{F入}$ 作为依据,按式(7-31)推导出用于控制温度的速度表达式为:

$$v_n=\frac{-K_{精}\ L}{h_n\ln\frac{t_{目标}-t_{水}}{t_{F入}-t_{水}}} \tag{7-38}$$

式中 $t_{目标}$——目标终轧温度。

按式(7-38)计算得到的 v_n,作为精轧机组最末机架(第 n 机架即为 F_7)的速度设定值,就可以保证在穿带过程中带钢头部的终轧温度与目标终轧温度 $t_{目标}$ 相符合。

还必须指出,按式(7-38)计算得到的精轧机组末机架的穿带速度 v_n,应该在该带钢按实际生产经验所规定的允许穿带速度范围之内。若 v_n 的计算值超出了所规定的限制范围,则应取限制范围内的极限值。此时终轧温度虽然得不到保证,但却保证了生产过程安全地进行。

在 v_n 确定之后,精轧机组其他各机架的轧制速度 v_i,可以按金属秒流量相等的原则,根据各机架的轧出厚度 h_i 来确定。

7.3.2 带钢全长终轧温度的控制

当带钢的头部进入精轧机组中时,但带钢的尾部仍在中间辊道上,即尾部在空气中冷却的时间比头部长,因而引起带钢尾部的终轧温度低于带钢头部的终轧温度。若带坯愈长,精轧入口速度愈低,则带钢头部与尾部进入精轧机的时间差愈大,它们的终轧温度差也愈大。

带钢头部与尾部进入精轧机组的时间差 $\Delta\tau$,可按下式计算:

$$\Delta\tau=L/v \tag{7-39}$$

式中 $\Delta\tau$——带钢头部与尾部进入精轧机组的时间差;
L——中间坯的长度;
v——带钢进入精轧机组的速度。

为了减少或消除带钢头尾终轧温度差,使带钢全长上的终轧温度均匀,可以采用轧机同步加速的方法,即当带钢头部离开精轧机后,整个精轧机组连同输出辊道和卷取机逐渐增速的方法。因此,不仅缩短了带钢头部与尾部进入精轧机组的时间差,而且减少了带钢头尾温度差。由于带钢的轧制速度逐渐增加,后进入精轧机的带钢在机组中的散热时间短,使得因塑性变形与接触摩擦所产生的热量引起带钢温升,能与各种方式散失热量造成的带钢温度降相互抵消,因而就可以使得带钢全长上的终轧温度保持恒定,或在允许范围内波动。假若在轧制过程中带钢尾部的温升超过了温降,则带钢尾部的终轧温度有可能高于带钢头部的终轧温度。

为了在实际的轧制过程中,控制带钢全长上的终轧温度,一般最常用的方法就是控制精轧机组各架轧机的加速度。现代化的热连轧机终轧温度的允许波动范围一般定为±(10～15)℃,当从精轧机组出口处的测温仪检测到的终轧温度在所要求的允许波动范围之内时,轧机便以预先规定的加速度进行升速轧制,借此来保持终轧温度恒定。若实测的终轧温度低于所要求的允许范围的下限时，便将控制信号反馈给轧机的加速度控制系统，使轧机的加速度增加。若实测的终轧温度高于所要求的允许范围的上限时，便使加速度变为零。

为了提高轧机的生产能力，一般将加速度控制在 0.5～1.0m/s² 以上。但实践表明，为了控制终轧温度，轧机的加速度只能限制在 0.05～0.2m/s² 范围之内，否则，带钢的终轧温度将沿长度从头部至尾部逐渐升高。为了克服这一缺点，因此提出了既充分地发挥轧机的加速度能力来提高轧机的生产能力，而又不出现带钢终轧温度从头部至尾部逐渐升高的现象，现在有的联合应用调节机架间冷却水量的方法来控制终轧温度。

7.4　带钢卷取温度的控制

7.4.1　带钢卷取温度控制的目的

带钢卷取温度是影响成品带钢性能指标的重要工艺参数之一。不同规格的带钢在精轧机组中的终轧温度一般约为 800～900℃，而高取向硅钢终轧温度为 980℃，但是为了获得良好的性能质量，必须将卷取温度控制在 550～700℃，而高取向硅钢的卷取温度为 520℃，若带钢由精轧机组中出来的速度为 20m/s，输出辊道长度为 120m 时，则带钢由精轧机组到卷取机也只要 6s 就够了，要求在 6s 内就要将带钢的温度降低 200～350℃，有的要降低将近 460℃，因此，必须采用高效率的冷却装置才有可能。所以卷取温度控制的目的就是将带钢从比较高的终轧温度冷却到所要求的卷取温度，使带钢获得良好的组织性能和机械性能。

7.4.2　冷却装置的特点

带钢在输出辊道上一般采用高压喷水冷却、低压喷淋冷却和层流冷却等设备。高压喷水冷却是将冷却水以扇形或锥形在高压作用下喷向带钢表面，水流是呈细滴状与带钢表面相接触，反溅现象严重。当水滴最初冲到热带钢表面时，会迅速形成一层膨胀的蒸汽层，如图 7-2 所示，随后一部分水滴会被这层蒸汽所排斥，使得热传导效果降低，带钢不能得到良好的冷却。为了增加水滴的动能，有的认为采用比较大的高压水比较好，用 16～18MPa 的高压水喷射到带钢表面，以期打破水在带钢表面形成的蒸气层，但是压力加大，水反溅得更厉害，冷却水利用率低，而且高压下水流细，更不易打破蒸汽层。

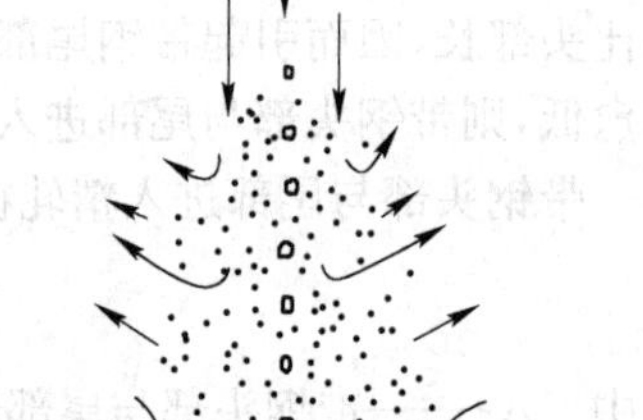

图 7-2　冷却原理示意图

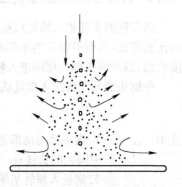

为了提高冷却效果，因而又有的认为将水压降低到5～8MPa，使水流从横过辊道的有孔水管中喷淋到热带钢的表面上，这就是低压喷淋冷却方式。但是此种方式，压力作用小，冷却水量又不大，还是以水滴状射到带钢表面，仍然不能很好地冷却带钢，效果也不理想。

为了更进一步地提高冷却效果，近年来都广泛采用层流冷却。它的基本原理是以大量虹吸管从水箱中吸出冷却水，在无压力情况下流向带钢，其特点是以流股状与带钢平稳接触，冷却水不反溅，并紧贴在带钢表面上按一定方向作宏观运动，因它具有某些层流特点，所以称为层流冷却方式。由于虹吸管的数量很多，排列又很密，带钢表面上的水层时刻可以更新，所以冷却效果很好。若沿输出辊道每隔一段距离设置一定数量的侧喷头，将滞留在带钢表面上的水冲掉，则冷却效果就会更好，由于虹吸管的开动和停止操作时间长(约 1s 左右)，因而在实际中多半采用接近层流的低水压头操作。随着计算机越来越广泛地应用，层流冷却设备，加上计算机自动控制技术，使得卷取温度能按人们意愿进行控制已成为现实。

图 7-3 是 1700mm 热连轧机输出辊道上的设备布置简图。其中层流冷却系统中的顶部冷却喷嘴共 60 段，每段两根集管，共 2×60＝120 根集管，每根集管设有 69 个鹅颈喷水管，每四段为一套冷却水流喷嘴装置，共有 15 套，每段的集管都可以单独地控制开闭。为了处理废钢，每八根集管（即四段）可由一个液压缸将它推至倾斜位置。这些喷嘴在 0.01MPa 的压力下，需要约 2.25m³/s 的供水量。底部冷却喷嘴系统也分为 60 段，每段有 4 根集管，共有 4×60＝240 根集管，每根集管上有一列 11～12 个喷嘴，分为 15 套冷却水流喷嘴装置，这些喷嘴在 0.02MPa 的压力下，需要 1.01m³/s 的供水量。侧喷嘴冷却系统分布在输出辊道辊子的两头，按交叉形式布置，共分 9 段，其中 2 段为气喷，压力为 0.5MPa，用以吹散雾气，防止对轧制线仪表的干扰，其他 7 段为水喷，压力为 2.0MPa，可推动带钢表面上的水按一定方向流动，使得带钢表面上的水不断更新，大大提高了冷却效果。

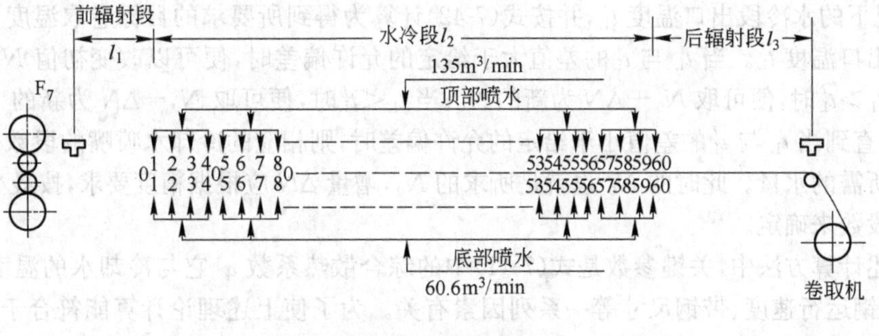

图 7-3　输出辊道上的设备布置简图（0-侧喷头）

7.4.3　卷取温度控制的基本思想和数学模型的基本结构

带钢卷取温度的控制实质是通过控制层流冷却系统的冷却水段数目来实现的。

设为保证带钢头部卷取温度所必需的冷却水的段数为 N，它取决于带钢终轧温度 $t_{终轧}$，带钢厚度 h、带钢在输出辊道上的运行速度 v 以及钢卷的目标卷取温度 $t_{目卷}$。

带钢在进入水冷段之前，在前辐射段（见图 7-3）主要是辐射的形式散热；当带钢进入水冷段以后，由于辐射很难透过水层，所以它主要是以对流的形式散热；当带钢离开水冷段进入后辐射段时，则辐射又成为主要散热的形式。

在前后辐射段时的温降方程可按式（7-20）的形式进行计算：

$$t_2=100\left[\left(\frac{t_1+273}{100}\right)^{-3}+\frac{6\varepsilon\sigma}{100c_p\gamma h}\times\frac{l_i}{v}\right]^{-1/3}-273 \tag{7-40}$$

式中　t_1——带钢进入辐射段时的温度，对前辐射段为 $t_1=t_{F出}$，后辐射段为 $t_1=t_L$（t_L 为进入后辐射段的温度）；

t_2——带钢离开辐射段时的温度，对前辐射段为 $t_2=t_R$（t_R 为离开前辐射段的温度），后辐射段为 $t_2=t_J$（t_J 为离开后辐射段的温度）；

l_i——辐射段长度为 l_1 或 l_3，对于后辐射段的 l_3 是由水冷段实际结束点开始。

水冷段的对流散热温降方程可按式（7-27）的形式进行计算：

$$t_L=t_{水}+(t_R-t_{水})\exp\left(1-\frac{2\alpha}{c_p\gamma}\times\frac{l_2}{hv}\right) \tag{7-41}$$

式中 $t_{水}$——层流冷却时的水温；

l_2——水冷段长度，当冷却水段数为 N 时，l_2 可根据每段所占的长度 l_0 计算得到 $l_2=Nl_0$。

对于后辐射段，在给定了目标卷取温度 $t_{目卷}$ 的情况下，可以按式(7-42)反算进入该区段(即离开水冷段)时带钢的温度 t_L' 为：

$$t_L'=100\left[\left(\frac{t_{目卷}+273}{100}\right)^{-3}+\frac{6\varepsilon\sigma}{100c_p\gamma h}\times\frac{l_3}{v}\right]^{-1/3}-273 \tag{7-42}$$

式中 l_3——后辐射段长度，在水冷段长度 l_2 确定之后，l_3 便可根据输出辊道总长度 L 来计算，即

$$l_3=L-(l_1+l_2)$$

为了计算所需的冷却水的段数 N，可以先给定一个初值 N_0，然后按式(7-40)和式(7-41)计算在 N_0 情况下的水冷段出口温度 t_L，并按式(7-42)计算为得到所要求的目标卷取温度 $t_{目卷}$ 所需要的水冷段出口温度 t_L'。当 t_L 与 t_L' 的差值大于给定的允许偏差时，便可以改变初值 N_0 再重新计算。例如 $t_L>t_L'$ 时，便可取 $N_0+\Delta N$ 为新的 N_0；当 $t_L<t_L'$ 时，便可取 $N_0-\Delta N$ 为新的 N_0，这样重复进行，一直到当 t_L 与 t_L' 的差值小于给定的允许偏差时，则相应的冷却水喷嘴的段数 N_0 所喷的水量即为所需的水量。此时的 N_0 也就是所求的 N_0，增量 ΔN 应根据精度要求，按最小可调冷却水喷嘴的段数来确定。

在上述计算方法中，关键参数是式(7-41)中的综合散热系数 α，它与冷却水的温度、水量、带钢温度、带钢运行速度、带钢尺寸等一系列因素有关。为了使上述理论计算能符合于生产实际，必须对在输出辊道上的冷却情况进行大量的统计，以便确定系数 α 的变化规律。例如在水量和水温不变的情况下，可以按下式来描述系数 α 的变化规律。

$$\alpha=b_0 t_{终轧}^{b1} h^{b2} v^{b3} t_{目卷}^{b4} \tag{7-43}$$

式中 $b_0\sim b_4$——回归系数。

上述计算方法是比较麻烦，特别是迭代算法的使用很费时间，因此，在实际的卷取温度控制过程中，是采用直接统计得到的冷却水喷嘴段数 N 与各影响因素之间关系的方程：

$$N=f(h,v,t_{终轧},t_{目卷})$$

为了计算方便，方程最好是线性的形式，但这样会导致计算精度的降低。为了解决此矛盾，可以对不同厚度规格的带钢分别进行统计。若厚度范围分挡愈细，则线性表达式就愈能正确地描述在此厚度范围内的冷却规律，控制精度也就能愈高。

因此，计算冷却水段数 N 的方程可采用下式：

$$N=\left\{P_i+R_i(v-v_i)+\left[\alpha_1(t_{F出}-t_{FS})-(t_{目卷}-t_{标卷})\right]\frac{hv}{Q}\right\}\alpha_2 \tag{7-44}$$

式中 P_i——在 $v=v_i$，$t_{F出}=t_{FS}$，$t_{目卷}=t_{标卷}$ 的标准条件下预喷射的设定段数，根据带钢厚度 h 按下式计算：

$$P_i=A_ih+B_i \tag{7-45}$$

A_i 和 B_i 值按表 7-1 选取，其他厚度情况下的 A_i 和 B_i 值可用插值法来确定；

R_i——带钢速度影响系数，也是根据带钢厚度，可按下式和表 7-2 来确定：

$$R_i=C_ih+D_i \tag{7-46}$$

v——带钢速度(轧制速度或卷取机卷取带钢的圆周速度);

v_i——轧制基准速度,根据带钢厚度按插值法从表 7-3 中选取;

α_1——带钢在精轧机出口侧的温度变化对卷取温度的影响系数,$\alpha_1=0.8$;

$t_{F出}$——带钢在精轧机出口侧的实测温度;

t_{FS}——带钢在精轧机出口侧的标准温度,也是根据带钢厚度事先规定好了的;

$t_{目卷}$——卷取目标温度;

$t_{标卷}$——卷取标准温度,也是根据带钢厚度事先规定好了的;

Q——常数,相当于一段的冷却水量所带走的热量;

α_2——由冷却水温度 $t_水$、标准水温度 $t_{水S}$ 及硅含量(w_{Si})所决定的系数为:

$$\alpha_2=(1+K_1\times w_{Si})\times[1+K_2(t_水-t_{水S})]$$

其中 K_1 和 K_2 为常数。

表 7-1 A_i 和 B_i 的取值

带钢厚度 h/mm	A_i	B_i	带钢厚度 h/mm	A_i	B_i
$1.0<h\leqslant1.6$	1.92	2.00	$3.2<h\leqslant6.4$	1.90	2.56
$1.6<h\leqslant3.2$	1.96	2.88	$6.4<h\leqslant12.7$	0.85	4.64

表 7-2 C_i 和 D_i 的取值

带钢厚度 h/mm	C_i	D_i	带钢厚度 h/mm	C_i	D_i
$1.0<h\leqslant1.6$	4.1	2.2	$3.2<h\leqslant6.4$	4.9	1.4
$1.6<h\leqslant3.2$	3.6	3.5	$6.4<h\leqslant12.7$	0.7	0

表 7-3 v_i 的取值

带钢厚度 h/mm	v_i/m·s^{-1}	带钢厚度 h/mm	v_i/m·s^{-1}
$1.0<h\leqslant1.6$	10.0	$3.2<h\leqslant6.4$	8.0
$1.6<h\leqslant3.2$	10.0	$6.4<h\leqslant12.7$	5.0

7.4.4 带钢卷取温度控制的几种控制模型和控制方法

影响冷却效果的因素很多,但是其中主要的因素是带钢的运行速度 v、带钢的厚度 h 和带钢在精轧机组出口处的温度 $t_{F出}$。为了使控制模型既反映其特定的规律,而又能避免繁杂的计算,因而根据控制模型的基本式(7-44),在实际控制时可将它演变为三种控制模型,即前馈控制模型、精轧温度补偿控制模型和反馈控制模型。

7.4.4.1 前馈控制模型

所谓前馈控制模型,就是当带钢头部尚在精轧机组中轧制时,就根据本带钢的各项目标值计算所需冷却水段数目的模型,并将它前馈给冷却控制装置进行控制。在实际采用的前馈控制模型中,考虑控制阀有反应滞后等现象,为了防止因各影响因素的实际值与目标值的偏差而导致卷取温度过低,以致无法对反馈的方法进行修正。因此将卷取温度目标值提高 Δt(例如 Δt 可以为 20℃),即以 $t_{目卷}+\Delta t$ 作为目标卷取温度,此时前馈控制模型如下:

$$N_{FF}=\left\{P_i+R_i(v-v_i)+[\alpha_1(t_{FE}-t_{FS})-(t_{目卷}+\Delta t-t_{标卷})]\frac{hv}{Q}\right\}\alpha_2 \qquad (7\text{-}47)$$

式中 N_{FF}——前馈控制时冷却水段数；

t_{FE}——精轧机组出口处所要的目标温度。

按上式计算得到的预定冷却水段数，在带钢头部留在精轧机组中轧制时即输出给冷却装置，并在冷却段的前部给出，它便构成前段冷却区。

7.4.4.2 精轧温度补偿控制

当带钢头部离开精轧机组，已得到了带钢头部的实测终轧温度 $t_{F出}$ 时，按下式计算冷却水的前馈补偿量，并立即输出给冷却段的后部，以便使带钢头部能得到补偿量为：

$$N_{FFT}=\alpha_1\alpha_2\frac{hv}{Q}(t_{F出}-t_{FE}) \qquad (7\text{-}48)$$

7.4.4.3 反馈控制模型

当带钢头部到达卷取机前的测温仪处，已检测到了带钢头部的实测卷取温度 t_{C0} 时，则按下式计算冷却水的反馈补偿量，并立即输出给冷却段的后段：

$$N_{FB}=(t_{C0}-t_{目卷})\frac{hv}{Q}\alpha_2 \qquad (7\text{-}49)$$

式中 N_{FB}——冷却水的反馈补偿量；

t_{C0}——反馈控制时的卷取实测温度平均值。

公式中的 t_{C0} 是在带钢头部到达卷取机前测温仪以后 0.5s、1.0s、1.5s、2.0s 时的卷取温度的平均值，因此，它按下式确定：

$$t_{C0}=(t_{C1}+t_{C2}+t_{C3}+t_{C4})/4$$

式中 $t_{C1}\sim t_{C4}$——相应地为 0.5、1.0、1.5、2.0s 后所测到的卷取温度。

反馈补偿量也是在冷却段的后段给出，因此，前馈补偿量（即精轧温度补偿）与反馈补偿量便构成了冷却段的后段冷却区。

上述的带钢头部卷取温度控制模型，虽然可以用前馈和反馈控制的方法，利用实测的信息对计算结果进行一些动态修正，但在本质上仍为静态模型，因为它是根据固定的条件计算所需要的冷却水量。但是，实际的冷却区的长度往往在 100 多米以上，带钢上的任一点通过冷却区域约需 5～25s 的时间，而在这么长的时间里，带钢的速度、厚度和终轧温度等都在不断地变化。因此，要求在考虑冷却装置操作上滞后的前提下，计算所需冷却水量随时间而变化的关系，并及时对冷却系统加以控制，这就需要考虑动态模型的问题。

实践表明，按照前面所述的控制模型对带钢卷取温度进行控制，是可以获得良好的控制效果。图 7-4 是卷取温度的实际记录曲线，可以充分说明，卷取温度基本上保持在 600℃左右。

带钢卷取温度控制的基本方法如下：

(1) 前段冷却。前段冷却控制方法是上下对称地向带钢表面喷水，在冷却段的前段进行冷却带钢。前馈控制量 N_{FF}，主要的变化因素是速度，带钢头部在精轧机组中进行控制。N_{FFT} 是精轧温度补偿控制，带钢到达精轧机组后的测温仪测温之后，计算补充喷水量，它的主要变化因素

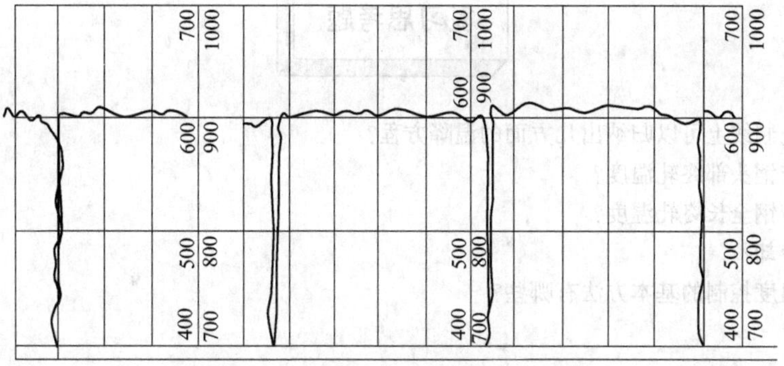

图 7-4 卷取温度的实际记录曲线

是精轧出口处的温度 $t_{F出}$。反馈控制量 N_{FB}，当带钢到达卷取机前的测温仪测温之后，计算反馈控制部分，它的主要变化因素是卷取温度。其控制方式简图如图 7-5 所示。

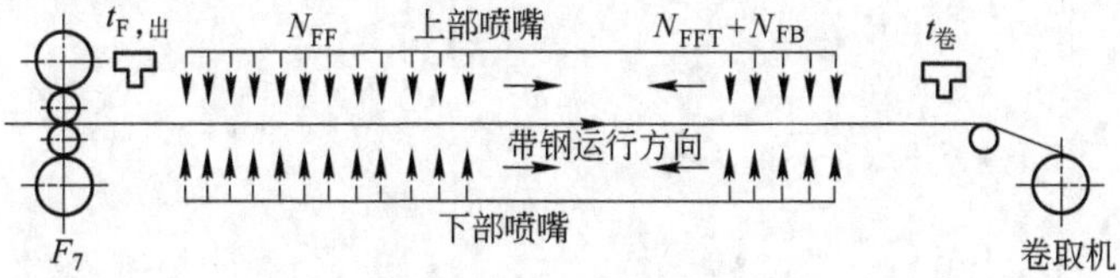

图 7-5 前段冷却方式

它用于厚度为 1.7mm 以上普通带钢或有急冷要求的高级硅钢的冷却。

(2) 后段冷却。它的控制方式是当带钢头部到了卷取机前的测温仪处，冷却水从上部喷出，下部不喷水，喷水量是 N_{FF}、N_{FFT}和 N_{FB}的总和，其控制方式简图如图 7-6 所示。

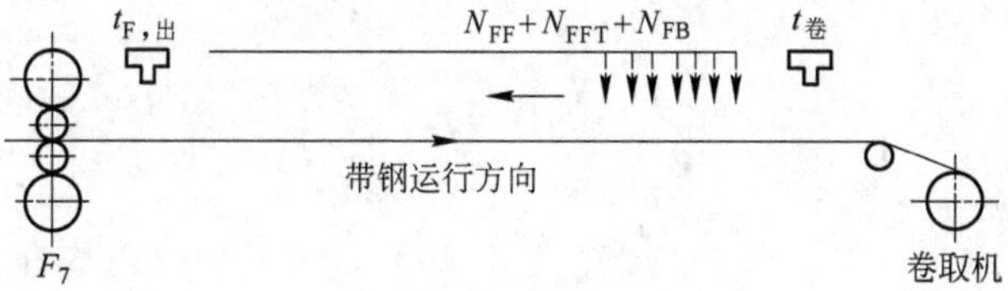

图 7-6 后段冷却

它用于厚度小于 1.7mm 的普通钢和低级硅钢的冷却。

(3) 带钢头尾不冷却。它的控制方式是不断地跟踪带钢头部和尾部在输出辊道上的位置(每 0.5s 更新一次)，在带钢头尾部约 10m 的长度上不喷水，此控制分为头部不喷水、尾部不喷水、头尾部都不喷水。

它用于硬质带钢及厚带钢(约 8mm 以上)，为了便于卷取机卷取，采用头尾部都不喷水。

(4) 其他冷却方式。其他冷却方式如均匀冷却、两极冷却等参考 2.3 节内容。

复习思考题

7-1　带钢热轧轧制线上可以归纳出几方面的温降方程?

7-2　如何保证带钢头部终轧温度?

7-3　如何保证带钢全长终轧温度?

7-4　何谓层流冷却?

7-5　带钢卷取温度控制的基本方法有哪些?

8 轧制线常见操作

8.1 位置自动控制

8.1.1 概念、应用及控制过程

在指定时刻将被控对象的位置自动地控制到预先给定的目标值上，使控制后的位置与目标位置之差保持在允许的偏差范围之内，此种控制过程称为位置自动控制，通常简称为APC(Automatic Position Control)。

在轧制过程中 APC 设定占有极为重要的地位，如炉前钢坯定位，推钢机行程控制、出钢机行程控制、立辊开口度设定、侧导板开口度设定、压下位置设定、轧辊速度设定、宽度计开口度设定、夹送辊辊缝设定和助卷辊辊缝设定等都用 APC 系统来完成。

位置自动控制系统实际上是一个闭环控制系统。在位置控制过程中，控制对象的位置信号，可以通过位置检测装置和过程输入装置反馈到计算机中，与 SCC 计算机给定的位置目标值进行比较，然后根据偏差信号的大小，由 DDC 计算机通过过程输出装置给出速度控制信号，由速度调节回路去驱动电动机，对被控对象的位置进行调节，然后又将位置信号再反馈到计算机中，再比较，再输出，如此循环一直达到目的为止。

8.1.2 提高位置控制精度和可靠性的措施

从轧钢生产可知，由电动机驱动的被控对象，一般都要经过减速齿轮传动，因而不可避免地会有齿隙，使电动机的转角不能总是精确地与被控对象的实际位置相对应。此外，由于被控对象机械结构和现有条件的限制，位置检测环节(如自整角机发送机)也往往不是直接与被控对象相连接，而是通过齿轮箱与电动机相连，这些齿隙就会使检测结果不能精确反映被控对象的实际位置。在需要高精度定位的情况下，就必须消除这些齿隙的影响。

8.1.2.1 间隙的消除

为了消除间隙对位置设定精度的影响，使设定结果更为准确，在位置自动控制系统中，对于某些控制回路(如带钢热连轧机的出钢机的控制、压下位置设定、立辊开口度设定、侧导板开口度设定等)必须保证设备按单方向进行设定。其方法是：不论位置设定值是在当时实际位置的前方还是后方，计算机总是使电动机最后停止前的转向为某一规定方向。例如规定某方向为正向，那么如果位置设定值在当时实际位置的后方，那就应该多退一部分，然后再正转，调到所要求的位置上。这样就保证了设备在任何情况下，都能在固定的运动方向上停车，从而消除了间隙对设定精度的影响。进行单方向设定的动作过程，如图 8-1 所示。

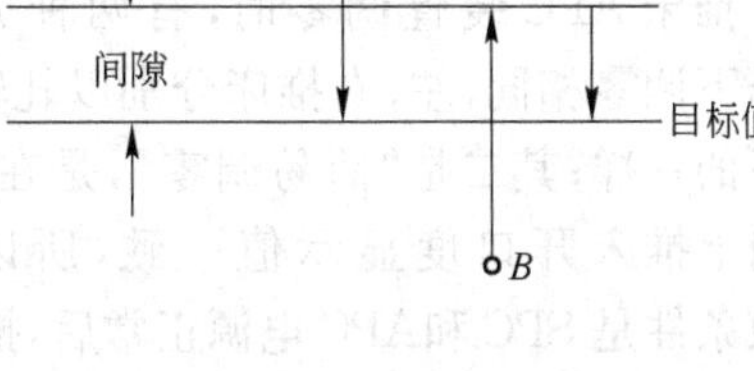

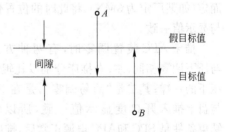

图 8-1 单方向设定的动作过程

假若规定每次都是以下压为基准，从图中可以看出，从 A 点往下压到位置设定值（即目标值）不需要特殊处理；从 B 点往上抬到超过位置设定值到假目标的位置（多抬一部分），然后再往下压到目标值的位置上。

8.1.2.2　重复设定

在有些情况下，由于减速点设置不当或设备状态的改变，虽然偏差值已达到精度要求，但在惯性作用下，设备位置仍在继续移动，结果会引起设定产生误差，因此，在位置自动控制过程中，通常要继续进行三次，只有当连续三次检测的偏差值均达到目标要求，才判为设定完成。

8.1.2.3　启动联锁条件的检查

当 DDC 计算机得到目标值之后，首先要检查该目标值是否合理，即检查它是否处于设备位置所能达到的最大值允许范围之内，若超出此值范围，APC 设定就不应进行，以防引起事故。

在启动 APC 设定时，如果设备条件不允许，例如对一块钢要进行压下位置设定，只有当前一块钢离开轧机以后才能进行，否则就会使前一块钢轧废，甚至造成设备事故。为了避免这种偶然事件的发生，在位置自动控制系统参与工作之前，必须检查该回路的联锁条件是否满足。对辊缝设定而言，只有在轧机的负荷继电器释放的条件下，才允许压下位置自动控制系统投入运行。

8.1.3　APC 装置的调零

为什么要设调零装置，这是因为压下在换辊、推床经检修或者 APC 装置断电而电源又恢复之后，由于电气和机械的原因，会使设备的实际位置与检测的信号之间产生偏差，如果二者的数值不等，计算机给出的初始值就不准确，以此作基准算出的位移指令值肯定也不准确，因此，恢复两者对应关系的调零操作就成为 APC 开机的必要条件。

调零的方法是：设备检修之后，人到现场实测机械位置，将它作为调零的设定值，通过设定画面将它输给计算机，再按一下调零发信按钮（PBL），APC 装置便能自动进行调零的运算，自动调整 CPU 的零位起始值。APC 装置输入调零设定值后，即与 ST 检测的位置信号进行比较，然后将其差值记下来，把它作为调零的偏差值，在以后的每次 ST 检测值上再加上其值，便得到机械的实际位置值。由此可见，调零操作仅在设备经过检修人工进行一次以后，便由 APC 装置自动进行每次调零，无需人工再干预。

压下 APC 装置调零时，是采用“绝对值调零”方式，即上下轧辊压靠，压靠时的压力可视情况而定（如某厂定为 3MN），将此时的位置作为压下装置的零位，调零结束时应使轧辊的实际位置与显示值一致。

推床 APC 装置调零时，有两种方式，其一是“绝对值调零”，在大修之后进行，其方法与压下调零相同，左、右推床分别以轧辊的端面（DS 侧）为零位，测量其实际位置，调零的操作与压下的一样；其二是“简易调零”，是在 SPC、APC 电源断电又恢复后使用，使推床实际开口度与盘上推床开口度显示值一致，所以“简易调零”必须在“绝对调零”之后进行。调零的结束条件是 SPC 和 APC 电源正常后，推床实际开口度与盘上开口度显示值之间偏差值在允许范围之内。

8.2 粗精轧机组操作

8.2.1 导卫装置

机架的上导板是防止轧件上翘和缠辊；入口和出口导板是为了正确导入和导出轧件，入口侧导板的作用是维持通板带坯的对中性。

入口侧导板的控制分为：有短行程控制和无短行程控制两种。短行程量通常为 20mm。

侧导板的开口度设定值＝1.01×钢卷公称宽度＋(30～35)mm。

F_1～F_3 机架，取 30mm；F_4～F_7 机架，取 35mm。

8.2.2 轧机调整

8.2.2.1 轧辊位置的调整

A 轧辊轴线在垂直面内的调整

a 下工作辊辊面标高的调整

轧机生产时，下工作辊辊面一般高出机架辊辊面$\left(\frac{\Delta h}{2}+5\sim15\text{mm}\right)$。所换的下支撑辊和下工作辊辊径与换前相比，相差较大时，可加减支承辊直径差的一半和工作辊直径差的垫片厚度来调整。

b 下支撑辊水平度调整

用精度为 0.02mm 的框式水平仪在靠近辊身两个端部的辊面上先后测量水平度，每米水平度一般不得大于 0.1mm。然后根据压下螺丝中心距长度来计算所需垫片的厚度，抬起下支承辊在较低的一端放入算好厚度的垫片，落下支承辊再复测一次。

c 上、下工作辊平行度的调整

抬起上工作辊，在辊缝两侧距辊身端部一定距离处垂直轧辊轴线放入 $\phi5$～8mm 的低碳钢条或铅块，缓慢压下使上辊压至 3～5mm 后抬起上辊，测量钢条或铅块最薄处厚度，两者之差不得大于 0.5mm。否则要打开电磁离合器，单独调整压下螺丝直到两端厚度差为零，则静态调整基本完成。

静态调整后，还必须实测轧后钢板两端的实际尺寸，根据两尺寸之差调整两端压下装置的上升或下降，直至差值为零，才表明轧辊在轧机内的位置是平衡的。

B 轧辊轴线在水平面内的调整

带钢轧辊轴线在水平面上的投影应重合(四辊以上的多辊轧机除外)，但由于安装不当，使用过程的接触面磨损等多种原因，轧辊轴线实际不可能绝对重合在同一水平面内。因此，只要各轧辊轴线水平投影互相平行，允许轴线有稍后的错位，如叠轧薄板轧机之上下辊轴线错位达 2～5mm，借以减小板坯对轧机的冲击。

但是，带钢轧机在使用中，绝对不允许轧辊轴线在空间是异面交错位置，即水平投影相交，其相交可能有两种：

(1) 一个轧辊的两端分别在另一轧辊的左右两侧。

(2) 一个轧辊的一端与另一轧辊一端重合，而另一端与另一轧辊的一端分开。

除此之外，还可能出现轧辊在空间异面相交，且在水平方向也不平行。两者作用的结果使辊缝呈锥形，所轧带钢不等厚、不平直，有规律性的波浪分布。

对上述故障可采取下列措施予以排除：

(1) 检查轧辊轴承的磨损均匀程度；

(2) 检查轴承与机架窗口同安装间隙是否相等；

(3) 检查轴承座下垫片的松动情况和厚度相等程度。

轧辊在工作时不可避免地可能出现上述情形，当其偏离值较大时，可能出现轴向窜辊、机架晃动、带钢厚度不均板形不正等事故和缺陷。因此，应尽量避免轧辊在空间形成相交和水平方向不平行等现象，保持轧机的工作稳定性。

8.2.2.2 轧辊窜辊的调整

所谓窜辊是指轧辊在安装使用中，由于设备的原因，使辊端上下不能重合，出现沿轧辊轴线窜动的现象。窜辊不仅在单机座二辊轧机中较常见，在四辊连轧机中也常会发生。产生窜辊的原因有：

(1) 轧辊轴承与机架的固定螺丝松动。

(2) 轧辊一端的轴承与辊颈配合不紧密。

(3) 轧辊放置不水平。

(4) 辊缝在垂直面呈梯形，沿辊面轴线方向的推力较大。

(5) 沿辊身长度的辊面硬度平均值相差悬殊(包括支承辊)。

(6) 辊身两端直径(包括支撑辊)相差过大。

处理方法的基本原则是：对于(1)、(2)两种，可检查和紧固螺栓、轴承，对(3)、(4)两种，要重新调整轧辊的水平位置，属于最后两种者要换辊。

8.2.3 换辊操作

8.2.3.1 换工作辊

A 抽出工作辊

(1) 将备好的下工作辊放在换辊小车偏离机架窗口的轨道上(出口侧轨道)，将备好的上工作辊放在下工作辊上，使下工作辊的定位销进入上工作辊的浅孔中，组装成一对预上机工作辊。

(2) 将换辊“允许操作”锁打开。

(3) 控制方式选择开关选在“手动”位或“自动”位。

(4) 翻转缸翻转至地面上。

(5) 工作辊推拉缸推进到“待命位置”。

(6) 停主机，工作辊扁头准确停在垂直位置(或操作主机“正转”“反转”对正扁头)。

(7) 关闭轧机冷却水。

(8) 将出口导卫移出。

(9) 活套辊抬起到换辊位置，手动用定位销将活套锁住。

(10) 将入口导卫移出。

(11) 将挡水板打开到位。

(12) 将压下螺丝高速“上升”到换辊位置(实际辊缝约 50mm)后停止。

(13) 将下工作辊平衡缸缩回。

(14) 将轨道提升至与横移小车轨道同一高度上。

(15) 下接轴夹紧装置将下接轴夹紧。

(16) 下工作辊轴端挡板打开。

(17) 工作辊推拉缸推进到"挂钩位置",自动挂钩。

(18) 工作辊推拉缸将下辊拉出一定距离。

(19) 上工作辊平衡缸泄压,定位销到位(下工作辊轴承座上的定位销进到上工作辊的浅孔中)。

(20) 上接轴夹紧装置将上接轴夹紧。

(21) 上工作辊轴端挡板打开。

(22) 将工作辊拉到换辊小车上。

(23) 将挂钩与工作辊轴承座脱开。

(24) 换辊小车移动,将新旧辊位置对调。

B 装工作辊

装工作辊步骤与抽出工作辊步骤正好相反,装工作辊完成后,将新上机的工作辊辊径输入计算机。

8.2.3.2 换支撑辊

A 抽出支撑辊

(1) 将工作辊拉出运走后,将支撑辊油管拆下,用吊车将换辊小车吊离。

(2) 将支撑辊推拉缸推进到挂钩位置,将挂钩与滑座连接。

(3) 下支撑辊轴端挡板打开到位。

(4) 将下支撑辊从机架拉出至换辊位置。

(5) 用吊车将换辊托架安装就位,安装时由一人指挥吊车点动下落,两端有人观察换辊托架与下支承辊轴承座的对正情况,观察人员要站在安全位置。

(6) 将下支撑辊连同换辊托架一起推入机架到位。

(7) 上支撑辊平衡缸下降,将上支撑辊放置在换辊托架上,上、下支撑辊轴承座与换辊托架之间通过定位销准确定位。

(8) 将支撑辊平衡缸锁住。

(9) 上支撑辊轴端挡板打开到位。

(10) 将一对支撑辊拉出至换辊位置。

(11) 用吊车将上支撑辊、换辊托架、下支撑辊分别吊出。

(12) 根据新上机轧辊直径,确定垫板厚度,认真核对无误后方可装入支撑辊。

B 装入支撑辊

(1) 由一人指挥吊车,将下支撑辊放在支撑辊换辊机滑座上;支撑辊换辊托架放在下支撑辊轴承座上;上支撑辊放在支撑辊换辊托架上,上、下支撑辊轴承座与托架之间通过定位销准确定位。下落定位过程中支撑辊两端要有人观察轴承座与换辊机滑座、换辊托架与轴承座的对正情况,观察人员要站在安全位置。

(2) 观察牌坊内的装辊空间有无物件阻碍,对阻碍物件进行处理。

(3) 将组装好的一对支撑辊向机架内推进。当轴承座即将进入牌坊时,支撑辊推拉缸要点动(即交替操作"工作辊支撑辊推拉缸停止"按钮及支撑辊推拉缸"推进"按钮),待轧辊轴承座顺利进入牌坊时,一直将支撑辊推进机架。

(4) 上支撑辊轴端挡板闭合到位。

(5) 将上支撑辊平衡缸解锁。

(6) 上支撑辊平衡缸上升到位。

(7) 将下支撑辊及换辊托架拉出，用吊车吊走换辊托架。

(8) 将下支撑辊推入机架到位。

(9) 将下支撑辊轴端挡板闭合到位。

(10) 将支撑辊推拉缸头部和滑座分离后，支撑辊推拉缸缩回到位。

(11) 用吊车将换辊小车吊起放至原位，将支撑辊油管装好。

8.2.3.3　换立辊

(1) 拆除立辊前过桥和护栏。

(2) 用点动手柄对扁头，使扁头方向与轧制方向平行，切断轧机前辊道、主轧机传动电源。

(3) 方式选择开关拨至“换辊”位。

(4) 左右侧压下及平衡装置带动立辊及滑架至开口度最大位置。

(5) 用平衡缸推动轧辊至接轴正下方。

(6) 用天车C形钩，将主轴可伸缩套筒从法兰盘处吊起，用事先准备好的长螺栓固定在主轴上。

(7) 用手动葫芦将接轴吊离垂直方向一定角度。

(8) 拆除立辊轴承座上部的固定螺栓。

(9) 按下“操作侧立辊平衡缸前推”按钮，将操作侧立辊推至轧制中心线。

(10) 吊入大C形钩，并用销子将C形钩头部与立辊扁头连接。

(11) 将立辊吊出。

(12) 装辊顺序与抽出立辊顺序相反，注意装辊时要对扁头。

(13) 传动侧换辊与以上步骤相同。

(14) 换辊完毕后方式选择开关拨至“轧钢”位。

(15) 将立辊直径输入计算机。

8.3　层冷、卷取机组

8.3.1　卷取温度控制

(1) 卷取温度控制原则上由计算机执行，操作人员只能在个别情况下做些手动微调。

(2) 从带钢冷却长度计算式中可知，影响卷取温度控制精度的主要因素有：

1) 带钢厚度与通板速度；

2) 带钢进出入层流冷却区的温度；

3) 带钢的质量定压热容与密度；

4) 层流冷却水的温度；

5) 层流冷却水的供水密度(即：每平方米的供水量)；

6) 侧喷使用状况。

(3) 卷取温度手动微调措施。在上述的因素中只有带钢的厚度与通板速度是可知的，而操作工能予调整的仅有供水长度和通板速度(对下一卷钢起作用)，要求操作工在短时间做出较准确的操作调整，实在太难。

一般只能根据本卷钢的卷取温度控制现状，对下一卷钢做出适量的微调(见表8-1)。

表 8-1 卷取温度手动微调

序 号	卷取温度曲线图现状	手动微调措施
1	带钢头尾部温度偏高或偏低	薄材可对应增减 1～2 段冷却水 厚材可对应增减 2～3 段冷却水
2	有加速度的薄材卷取温度从头到尾逐渐升高	在带钢通板长度约 1/3 处加 1～2 段冷却水，然后在带钢通板长度约 2/3 处再加 1～2 段冷却水或降低 a_2 加速度
3	无加速度的厚材卷取温度从头到尾逐渐降低	在带钢通板长度约 1/2 处减 1～2 段冷却
4	带钢全长卷取温度超标(高或低)	薄材冬季相应增减 1～2 段冷却水 薄材夏季相应增减 2～3 段冷却水 厚材冬季相应增减 2～3 段冷却水 厚材夏季相应增减 3～4 段冷却水

8.3.2 卷形控制

卷取质量是热带产品质量中最直观、最敏感的“质量表现指标”，卷形质量的好坏不但影响着钢卷的储存和运输，而且还影响着下工序的加工使用与成材率，另外提高卷形质量是提高热卷包装质量的重要前提条件。

8.3.2.1 影响卷形质量的因素

影响卷形质量的因素如图 8-2 所示。

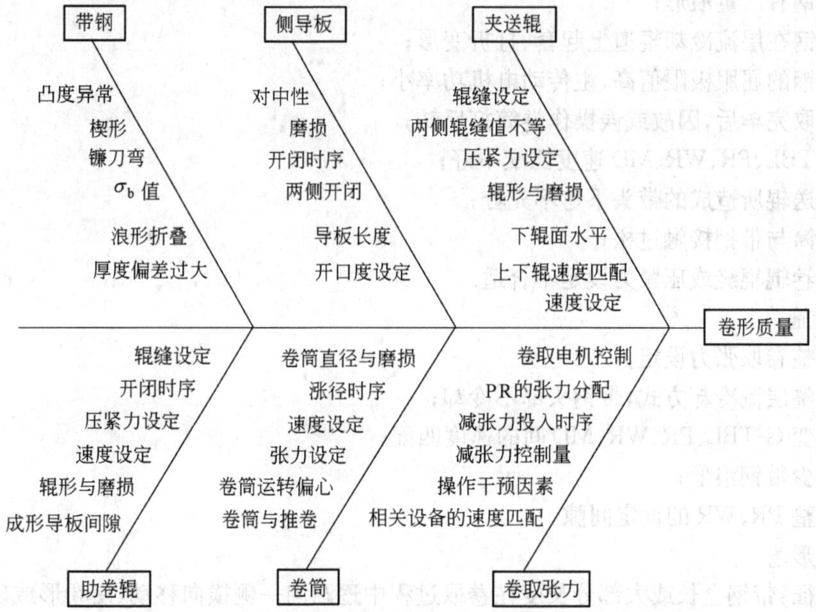

图 8-2 影响卷形质量的因素

8.3.2.2　常见卷形缺陷的改善

A　塔形

塔形产生原因：

(1) 带钢有镰刀弯；

(2) 带钢进卷取机时对中不良；

(3) 夹送辊辊缝成楔形；

(4) 助卷辊辊缝调整不当；

(5) 卷取张力不合适；

(6) 成形导板的间隙调整不合适；

(7) 侧导板动作时间不同步；

(8) 卷筒与推卷器之间有间隙；

(9) 卷筒传动端磨损严重，转动时有较大的偏心；

(10) 带钢头部打滑。

改善措施：

(1) 调整夹送辊、助卷辊的辊缝和成形导板、侧导板的开口度；

(2) 调整卷取速度和张力设定；

(3) 改善带钢凸度、楔形、厚度、精度；

(4) 调整卷筒与推卷器之间的间隙和卷筒转动时的偏心；

(5) 提高侧导板的对中性与两侧动作的同步性。

B　松卷

松卷产生原因：

(1) 卷取张力设定不合适；

(2) 带钢有严重浪形；

(3) 带钢在层流冷却辊道上起套、打折变形；

(4) 带钢的屈服极限值高，主传动电机功率小；

(5) 卷取完毕后，因故或误操作卷筒打反转；

(6) G-TBL、PR、WR、MD 速度匹配不好；

(7) 夹送辊所造成的带头下弯不充分；

(8) 卷筒与带钢接触过松；

(9) 助卷辊辊缝或压紧力设定不合适。

改善措施：

(1) 调整卷取张力设定；

(2) 调整层流冷却方式，带钢头部不冷却；

(3) 改变 G-TBL、PR、WR、MD 间的速度匹配；

(4) 减少带钢浪形；

(5) 调整 PR、WR 的设定间隙。

C　碗形卷

(1) 特征：带钢全长或大部分长度在卷取过程中逐渐向一侧横向移动，使卷形成碗状。

(2) 产生原因：

1) 带钢有全长性的镰刀弯、楔形；

2) 卷取初期的松卷部分紧压后带钢在卷筒长度方向上发生横移；

3) 侧导板两侧的间隙夹持力有差异；

4) 下夹送辊的水平度不良；

5) 夹送辊、助卷辊两侧辊缝不相等或压紧力不相等；

6) 卷取张力过大；

7) 卷筒转动有偏心。

(3) 改善措施：

1) 改善或提高带钢板形；

2) 检查夹送辊、助卷辊磨损，做好两者零调；

3) 调整卷取张力设定；

4) 检查下夹送辊水平；

5) 改变卷取张力设定值。

8.3.3 卷取机操作调整

8.3.3.1 夹送辊水平调整

轧辊每次换辊后，需要进行水平调整。

水平调整时，空压力设定 0.5MPa；夹送辊开口度设定 2.0mm；侧导板开口度 900mm，用两根直径 10mm 铝条沿着侧导板放进夹送辊中间，然后夹送辊下降再上升，取出铝条测量其最薄处厚度。当两根铝条有误差时，以传动侧为基准对工作侧的单侧进行调整，调整量是误差值的三倍(具体倍数与机组卷取宽度参数有关)，为了准确，应按上述再一次调整。

8.3.3.2 助卷辊水平调整

助卷辊为换上新辊后，需进行水平调整。调整顺序为 1 号、2 号、3 号。

操作顺序为：打开助卷辊→转动卷筒、扩径→扇形块中部对准助卷辊→卷筒停转→助卷辊停转(辊缝设定 0～25.0mm)→插上安全销，停 6 号液压，关闭截止阀→在距辊端 x 处测量辊缝。以工作侧为基准对传动测进行调整。调整量是误差的 $l/(l-2x)$倍(l 为辊两端轴承支点之间的距离，一般 $l/(l-2x)$应整理成整数或容易记忆的数值，以利于工人操作)，为了准确按上顺序再作一次。

8.3.3.3 零调操作

助卷辊的零调：助卷辊的零调顺序为 1 号、2 号、3 号，非零调助卷辊的间隙设定为 10.0mm。

进行助卷辊零调时，将卷筒和助卷辊的速度分别设定 500m/min，记住此时助卷辊的电流，然后用助卷辊开口度手动操作开关将助卷辊慢慢下压，当助卷辊的电流指针稍一偏离原位立即停止，看此时助卷辊开口度是否显示为零。如此时的值不为零，应将零调盘上的开口度指示值拨至零位。为准确起见，上述操作应重复一、二次。

零调后再将助卷辊的辊缝设定为 3.0mm。夹送辊零调操作方法同助卷辊。

8.3.4 卷取机参数设定

8.3.4.1 入口侧导板

侧导板用于引导或强迫通板的带钢对中以利于卷形控制。

开口度:500～1800mm;传动方式:液压;

开口度设定程序:

F_2ON,开口度:板宽+140mm;

HMD_{70}ON+延时,开口度:板宽+30mm;

HMD_{81}ON+延时,开口度:板宽+15mm(关工作侧 15mm);

PRON:传动侧对带钢进行连续拍打。

8.3.4.2 夹送辊(PR)

作用:

(1) 利用异径辊的错位布置迫使带钢头部产生大的下弯曲,引导带钢头部沿着通板线进入卷取机;

(2) 带钢卷上卷筒,且尾部未离开 F_7 之前,在 F_7 和 PR 之间,PR 和 MD 之间进行张力分配;

(3) 钢尾部离开 F_7 之后,在 PR 和 MD 之间建立后张力。

夹送辊辊缝 G 的设定与带钢厚度和夹送辊系统的刚度有关,一般比带厚小 0.4mm 左右。某 1700mm 带钢厂设定值:

$$G=h-z$$

式中 G——间隙设定值;

h——板厚;

z——调整值。

z 值的确定:$h\leqslant 3.2$mm,$z=0.4$mm;3.2mm$<h\leqslant 6.0$mm,$z=0.5$mm;$h>6.0$mm,$z=1.0$mm。

8.3.4.3 助卷辊开口度设定

每台卷取机有 3 个助卷辊,它和成形导板的组合连接将围绕着卷筒形成一个圆形的通道环,强迫带钢头部只能沿着卷筒做圆周运动,并最终缠绕在卷筒上。助卷辊的开口度设定值如表 8-2 所示。

表 8-2 助卷辊的开口度设定值

助 卷 辊	X_{WR1}/mm	X_{WR2}/mm	X_{WR3}/mm	AJC 跳跃高度/mm
开 口 度	$1.5h$	h	h	$h+3$

8.3.4.4 超前率、滞后率设定

输出辊道、夹送辊、助卷辊、卷筒的超前率是相对于 F_7 的通板速度而言。夹送辊送带时超前率 10%～15%,可取恒值;张力建立时,超前率为 0。助卷辊咬入时超前率 15%～25%(其超前率大于卷筒的超前率 5%～10%)。卷筒咬入时超前率 15%～20%(其超前率大于夹送辊的超前率 5%)。超前率与滞后率设定值如表 8-3 所示。

表 8-3 输出辊道、夹送辊、助卷辊、卷筒的超前率、滞后率

项 目 h/mm	输出辊道 超前率/%	输出辊道 滞后率/%	夹 送 辊 超前率/%	助 卷 辊 超前率/%	卷筒超前率 /%
1.2	18	40	12	22	12
1.7	18	40	12	25	15
2.2	18	33	12	26.5	16.5

续表 8-3

h/mm \ 项 目	输出辊道超前率/%	输出辊道滞后率/%	夹送辊超前率/%	助卷辊超前率/%	卷筒超前率/%
2.9	18	26	12	29	19
3.9	15	21.5	12	30.6	20.6
5.2	9.5	12.5	12	32	22
7.0	4	0	12	34	24
9.5	2	0	12	36.5	26.5
12.7	2	0	12	40	30
设定最大值	20	50	20	40	50

8.3.4.5 卷取张力设定值

卷取张力设定时应考虑钢种的不同、终轧温度的差异、卷取机的功率输出等因素，对于不同厚度带钢，应采用不同的单位张力，原则是：薄的单位张力大，厚的单位张力小。普碳钢单位张力设定值如表 8-4 所示；硅钢单位张力设定值如表 8-5 所示。

表 8-4 普碳钢单位张力设定值

成品厚度/mm	1.2	1.7	2.2	2.9	3.9	5.2	7.0	9.5	12.7
单位张力/MPa	12.6	20.6	14.7	11	8.33	6.5	8.2	6	4

表 8-5 硅钢单位张力设定

钢 种	成品厚度/mm	单位张力/MPa
D10～D60	2.2～2.3	15.6
D70～D84	2.2～2.3	9.8

8.4 矫直

8.4.1 矫直原理

8.4.1.1 变形概念

当某一物体受到外力作用以后，其形状或多或少要发生一些变化，这种情况就叫变形。变形按其实质来说有两种：一种叫弹性变形；一种叫塑性变形。所谓弹性变形就是当外力消失后，物体能自动地恢复原有的形状和尺寸的变形。所谓塑性变形就是当外力消失后，变形物体不能恢复原有的形状而保持变形后的形状的变形。

钢铁材料拉伸时的应力-应变曲线如图 8-3 所示。

OA 段、O_1B 段为弹性变形，超过材料屈服点后的变形属于塑性变形。塑性变形时，材料的加载与卸载(弹复)过程是不同的。第一次加载时，应力与应变沿 OAB 曲线变化，并在 A 点超过屈服极限。当外负荷消除而卸载(弹复)时，应力、应变将沿直线 BO_1 变化，最终

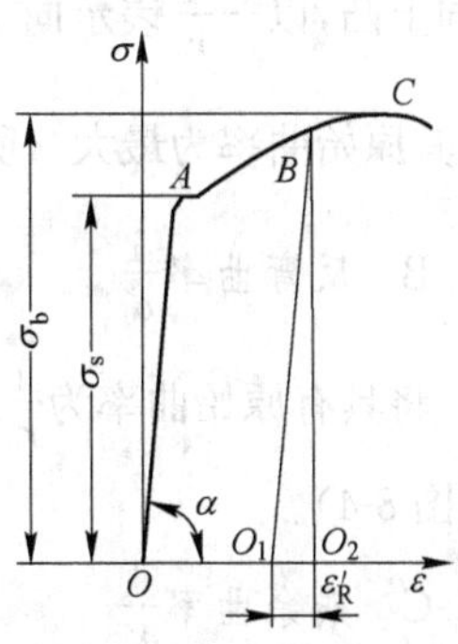

图 8-3 应力-应变曲线

产生残余变形 OO_1。重复加载时,将沿 O_1BC 线变化。

显然,要把弯曲的钢材弄直,就必须使钢材发生变形,钢材在矫直过程中的变形,既有弹性变形又有塑性变形,二者是同时存在。

当钢材进入矫直机时,矫直辊给予钢材一定的压力,上排辊的压力和下排辊的压力方向相反,因而使钢材产生反复地弯曲,然后逐渐地平直。钢材出矫直机后,即取消了压力,被矫的钢材由弯曲变为平直。所以整个矫直过程就是弹、塑性变形的过程。

8.4.1.2 弹塑性弯曲的基本概念

具有弯曲形状的轧件通过辊式矫直机后为什么能矫直呢?为了了解其矫直原因,先讨论单向弯曲情况下的矫直过程。如果要将一根只有单向弯曲的短钢丝弄直,生活经验告诉我们,只要使钢丝反向弯曲即可达到目的。

如果有一原始曲率为$\frac{1}{r_0}$的单向弯曲轧件,要使其矫直,应该将此轧件往原始弯曲的反方向弯曲到具有曲率$\frac{1}{\rho_0}$(见图 8-4),当除去外载荷后,反弯的曲率$\frac{1}{\rho_0}$被轧件本身弹复力所消除。

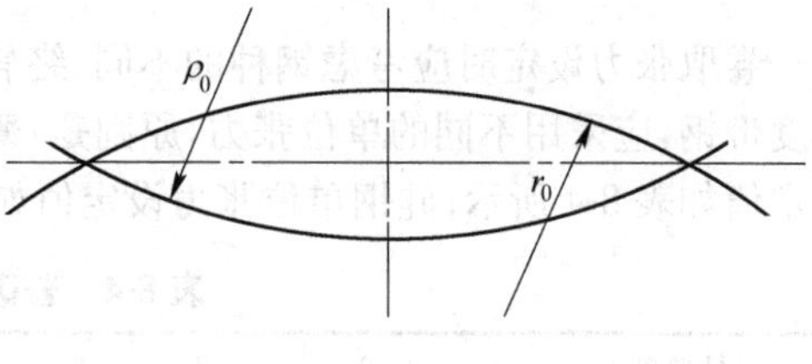

图 8-4 矫直原理示意图

"矫枉必须过正",轧件由弯曲被矫直的实质正是如此。矫直过程中的"枉"就是轧件的原始弯曲曲率$\frac{1}{r_0}$,"过正"是往反方向弯曲到曲率$\frac{1}{\rho_0}$。

可见,轧件从弯曲到矫直,说明轧件必然产生塑性变形;而从一定的反向弯曲,卸载后回复到平直状态,这又说明轧件的弹复部分产生弹性变形。

因此,在压力和辊式矫直机矫直过程中,轧件产生弹塑性变形。

轧件变形程度的大小一般用曲率来说明,所以轧件在被矫直前、后弯曲情况的变化,可以用以下几个曲率表示。

A 原始曲率$\frac{1}{r_0}$(见图 8-4)

轧件在矫直前所具有的曲率称为原始曲率,以$\frac{1}{r_0}$示之,其中 r_0 是轧件的原始曲率半径。矫直前的轧件有的向上凸弯,有的向下凹弯,而有的没有弯曲(平直的)。为了讨论方便,以$+\frac{1}{r_0}$表示向上凸,以$-\frac{1}{r_0}$表示向下凹,而$\frac{1}{r_0}=0$时,表示轧件平直。当轧件具有最小原始曲率半径 $r_{0\min}$ 时,其原始曲率为最大。所以轧件的原始曲率是在$\left(0\sim\pm\frac{1}{r_{0\min}}\right)$范围内变化。

B 反弯曲率$\frac{1}{\rho_0}$

将具有原始曲率为$\frac{1}{r_0}$的轧件,向其反向弯曲后轧件所具有的曲率称为反弯曲率,以$\frac{1}{\rho_0}$示之(见图 8-4)。

C 残余曲率$\frac{1}{r_i}$

当除去外载荷,轧件经过弹性恢复后所具有的曲率称为残余曲率。图 8-4 所示轧件被矫直,则残余曲率$\frac{1}{r_i}=0$。如果反弯曲率选择不当，则可能轧件未被矫直(见图 8-5)，这时轧件所具有的曲率称为残余曲率，以$\frac{1}{r_i}$示之。

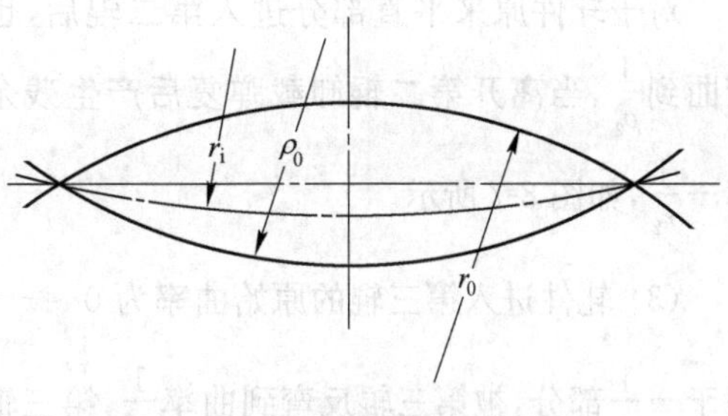

图 8-5 弹塑性弯曲时的曲率变化

D 弹复曲率$\frac{1}{\rho_y}$

在弹性恢复阶段，轧件得到弹性恢复的曲率称为弹复曲率，以$\frac{1}{\rho_y}$示之。它是反弯曲率与残余曲率的代数差，即：

$$\frac{1}{\rho_y}=\frac{1}{\rho_0}-\frac{1}{r_i}$$

8.4.1.3 辊式矫直机的矫直过程

如果轧件只有单向弯曲并且原始曲率$\frac{1}{r_0}$严格不变，那么轧件只要用三辊矫直机就能矫直，但实际上轧件的各个断面弯曲情况都不同，有上凸也有下凹，并且原始曲率数值也不可能严格为一常数，因此轧件不可能只在 3 个矫直辊间得到矫直。为了保证矫直质量，必须增加矫直辊的数量。辊式矫直机一般至少要 5 个工作辊。

图 8-6 表示了原始曲率为 $0\sim\pm\frac{1}{r_0}$ 的轧件在辊式矫直机上的矫直过程。

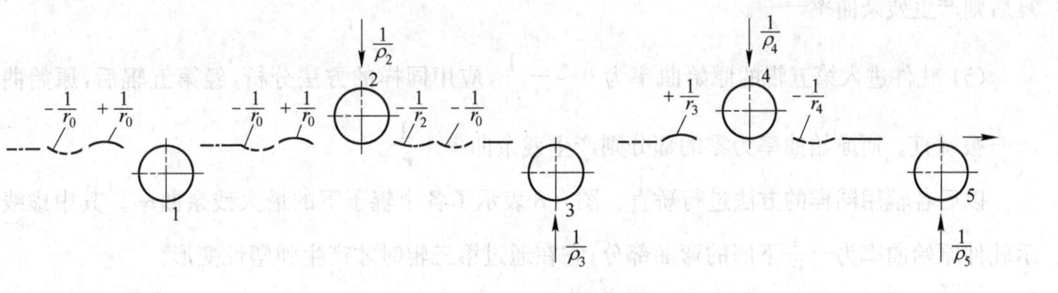

图 8-6 辊式矫直机的矫直过程

(1) 轧件通过第一辊时无变形，因此进入第二辊的原始曲率不变，仍为 $0\sim\pm\frac{1}{r_0}$。

(2) 轧件进入第二辊的原始曲率为 $0\sim\pm\frac{1}{r_0}$，对于$+\frac{1}{r_0}$(上凸部分)第一次受到弯曲，被反向弯曲到$\frac{1}{\rho_2}$，反弯曲率$\frac{1}{\rho_2}$的数值，是根据使上凸的$\frac{1}{r_0}$弯曲部分得到矫直的原则选择的，所以经过第二辊后，$+\frac{1}{r_0}$弯曲部分被矫直，即曲率由$+\frac{1}{r_0}$变为零。

对于$-\frac{1}{r_0}$(下凹部分)，它受到同向弯曲，弯曲变形很小，只有弹性变形，所以$-\frac{1}{r_0}$部分被同向弯曲到$\frac{1}{\rho_2}$，卸载后又弹复到原始曲率$-\frac{1}{r_0}$。

对于轧件原来平直部分进入第二辊后，也被弯曲到$\frac{1}{\rho_2}$，当离开第二辊卸载弹复后产生残余曲率$-\frac{1}{r_2}$，如图 8-7 所示。

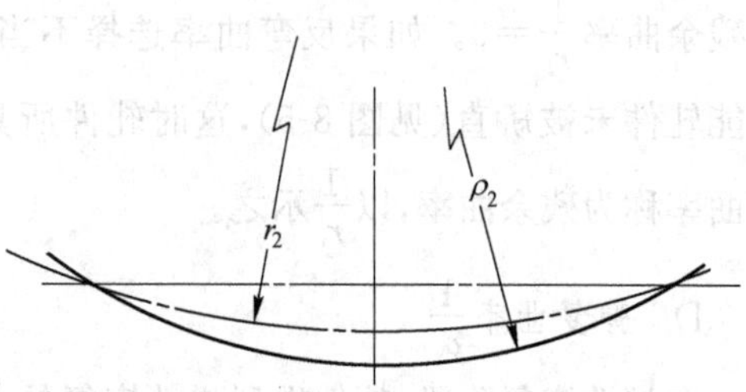

图 8-7　平直部分经第二辊后的残余曲率

(3) 轧件进入第三辊的原始曲率为$0\sim-\frac{1}{r_0}$。对于$-\frac{1}{r_0}$部分，被第三辊反弯到曲率$\frac{1}{\rho_3}$，第三辊的反弯曲率$\frac{1}{\rho_3}$是根据$-\frac{1}{r_0}$的弯曲部分得到矫直的原则选择的，它在数值上与第二辊的反弯曲率$\frac{1}{\rho_2}$相等，而方向则相反。所以经第三辊后，$-\frac{1}{r_0}$弯曲部分被矫直，曲率由$-\frac{1}{r_0}$变为零。

但轧件通过第二辊已被矫直的部分(曲率变为零的部分)，进入第三辊时，也被弯曲到$\frac{1}{\rho_3}$，当离开第三辊卸载弹复后产生残余曲率$+\frac{1}{r_3}$。因此，经第三辊后的残余曲率，即为进入第四辊的原始曲率。

(4) 轧件进入第四辊的原始曲率为$0\sim+\frac{1}{r_3}$，第四辊的反弯曲率$\frac{1}{\rho_4}$是根据矫直$+\frac{1}{r_3}$的原则选择，故经第四辊后原始曲率$+\frac{1}{r_3}$弯曲部分被矫直。而原始曲率为零的部分，又被弯到$\frac{1}{\rho_4}$。卸载弹复后则产生残余曲率$-\frac{1}{r_4}$。

(5) 轧件进入第五辊的原始曲率为$0\sim-\frac{1}{r_4}$，应用同样的方法分析，经第五辊后，原始曲率$-\frac{1}{r_4}$被矫直。而原始曲率为零的部分则产生残余曲率$+\frac{1}{r_5}$。

以后各辊用同样的方法进行矫直。图 8-8 表示了各个辊子下的最大残余曲率。其中虚线表示轧件原始曲率为$-\frac{1}{r_0}$下凹的弯曲部分，它在通过第三辊时才产生弹塑性变形。

由上述矫直过程可得出以下结论：

(1) 在辊式矫直机矫直轧件时，轧件经各辊后的残余曲率是逐渐减小的。可以认为，经第$(n-1)$个辊子弯曲后，轧件的残余曲率将趋近于零。欲在辊式矫直机上得到绝对平直的轧件是不可能的，它只是将轧件的残余曲率逐渐减小，直至趋近于零。

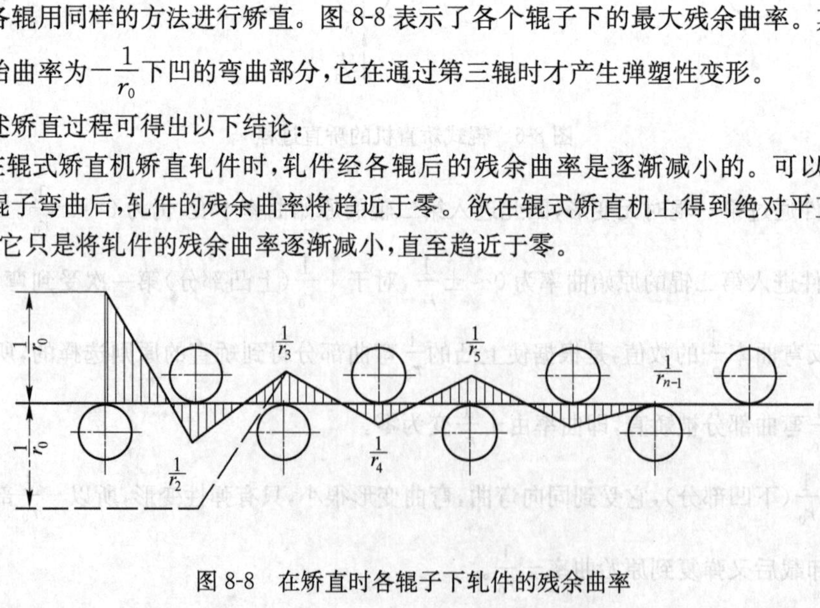

图 8-8　在矫直时各辊子下轧件的残余曲率

(2) 反弯曲率是根据轧件的原始曲率而定，由于各辊下的残余曲率逐渐减小，故各辊下的反弯曲率也是逐渐减小。在最初几个辊子上，反弯曲率较大，轧件弯曲变形剧烈，可以认为在这几个辊子下的轧件是纯塑性变形。以后各辊的反弯曲率逐渐减小，在最后几个辊子下的轧件弯曲变形最小，可以认为是纯弹性变形。

8.4.2 矫直原理的实际应用

在辊式矫直机上，按照每个辊子使轧件产生的变形程度和最终消除残余曲率的办法，可以有多种矫直方案，最基本的有两种矫直方案。

8.4.2.1 小变形矫直方案

所谓小变形矫直方案，就是每个辊子采用的压下量刚好能矫直前面相邻辊子处的最大残余弯曲，而使残余弯曲逐渐减小的矫直方案。由于轧件上的最大原始曲率难以预先确定与测量，因而，小变形矫直方案只能在某些辊式矫直机上部分地实施。这种矫直方案的主要优点是，轧件的总变形曲率较小，矫直轧件时所需的能量也少。

8.4.2.2 大变形矫直方案

大变形矫直方案就是前几个辊子采用比小变形矫直方案大得多的压下量，使钢材得到足够大的弯曲，以消除其原始曲率的不均匀度，形成单值曲率，后面的辊子接着采用小变形矫直方案。对于有加工硬化材料的轧件，在采用大变形矫直方案时，由于材料硬化后的弹复曲率较大，故反复弯曲的次数应增多(增加辊数)或加大反弯曲率值。

采用大变形矫直方案，可以用较少的辊子获得较好的矫直质量，但若过分增大轧件的变形程度，则会增加轧件内部的残余应力，影响产品的质量，增大矫直机的能量消耗。

对于上排工作辊整体平行调整的矫直机，矫直机上除第一与最后一个辊子外，其余各辊的压下量是相同的，使轧件多次反复剧烈弯曲，形成单值残余曲率；最后一个辊能单独调整，将此单值残余曲率矫平。第一辊适当减小压下量，以便于轧件的咬入。

对于上排工作辊整体倾斜调整的矫直机，轧件在入口端的第二、第三辊上的反弯曲率最大，产生大变形，迅速消除轧件的原始曲率不均匀度。以后各辊的压下量按直线关系递减，在第 $n-1$ 辊处，轧件的反弯曲率最小，只产生弹性弯曲变形。这种工作辊调整方式符合矫直过程的变形特点。

采用这种调整方式的是钢板矫直机。矫直薄板材时，一般是 7～13 辊；矫直极薄带时，则为 17～29辊，且带有工作辊挠度调整装置，以矫直板材上的瓢曲，单、双边浪形等二、三维形状缺陷。

8.5 轧件剪切

8.5.1 轧件剪切过程分析

轧件的整个剪切过程可分为两个阶段，即刀片压入金属与金属滑移。压入阶段作用在轧件上的力，如图 8-9 所示。

当刀片压入金属时，上下刀片对轧件的作用力 P 组成力矩 Pa，此力矩使轧件沿图示方向转动，而上下刀片侧面对轧件的作用力 T 组成的力矩 Tc 将力图阻止轧件的转动，随着刀片的逐渐压入，轧件转动角度不断增大，当转过一个角度 γ 后便停止转动，此时两个力矩平衡，即

$$Pa=Tc$$

轧件停止转动后，刀片压入达到一定深度时，力 P 克服了剪切面上金属的剪切阻力，此时，剪切过程由压入阶段过渡到滑移阶段，金属沿剪切面开始滑移，直到剪断为止。

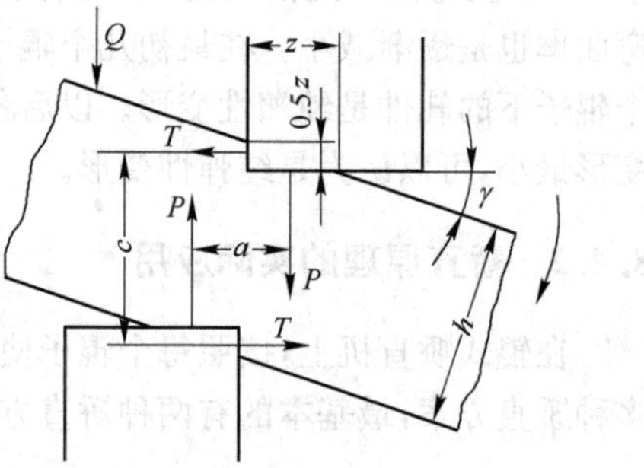

图 8-9　平行刀片剪切机剪切时作用在轧件上的力

假设刀片与金属在 xb 及 $0.5zb$ 的接触面上单位压力是均匀分布而且相等的，即

$$\frac{P}{xb}=\frac{T}{0.5zb}$$

式中　b——轧件宽度。

根据上式，P 与 T 的关系由下式确定

$$T=P\frac{0.5z}{x}=P\tan\gamma$$

由图 8-9 的几何关系可得

$$a=x=\frac{0.5z}{\tan\gamma}$$

$$c=\frac{h}{\cos\gamma}-0.5z$$

将上述公式合并，可得刀片转角与压入深度 z 的关系

$$\frac{z}{h}=2\tan\gamma\cdot\sin\gamma\approx2\tan^2\gamma$$

或

$$\tan\gamma=\sqrt{\frac{z}{2h}}$$

由此可知，压入深度愈大，γ 就愈大，侧向推力 T 愈大，为了提高剪切质量，减小 γ 角，一般在剪切机上均装设有压板装置，把轧件压在下刀台上，图 8-9 中的力 Q，即表示压板给轧件的力。有关文献给出了 γ 和侧向推力 T 的经验数据。

无压板剪切时　$\gamma=10°\sim20°$，$T\approx(0.18\sim0.35)P$

有压板剪切时　$\gamma=5°\sim10°$，$T\approx(0.1\sim0.18)P$

从上面列出的数值看出，增加压板后不仅提高了剪切质量，使剪切断面平直，而且大大减小了侧向推力 T，从而减小了滑板的磨损，减轻了设备的维修工作量，提高了设备的作业率。

在中小型剪切机上多半采用弹簧压板，利用弹簧的变形产生所需要的压板力；在大型剪切机上除弹簧压板外，采用液压压板较多，利用液压缸的力量把轧件压住。确定压板力的原则是使压板力对剪切面处产生的弯曲力矩等于或大于轧件断面塑性弯曲力矩，根据设计部门和有关文献的推荐，压板力一般取最大剪切力的 4%～5%。在采用固定弹簧压板时，由于结构上的限制，压板力只能按最大剪切力的 2%来考虑。

在刀片压入阶段的剪切力 P 为：

$$P=pbx=pb\frac{0.5z}{\tan\gamma}$$

式中　p——单位压力。

$$P=pb\sqrt{0.5zh}$$

以 ε 表示相对切入深度，$\varepsilon=\dfrac{z}{h}$代入上式，则

$$P=pbh\sqrt{0.5\varepsilon}$$

滑移阶段的剪切力 P 为

$$P=\tau b\left(\frac{h}{\cos\gamma}-z\right)$$

式中　τ——轧件被切断面上的单位剪切阻力。

根据以上公式，力 P 随 z 的增加将按图 8-10 所示之抛物线 A 增加，一直增加到由上式决定的金属开始沿整个断面产生滑移的数值为止。若 τ 为常数，则力 P 将根据上式按图 8-10 所示直线 B 减少。但实际上 τ 值是随 z 的增加而减少，因而力 P 将按曲线 C 更剧烈地减少。当切入达一定深度时，轧件断裂。

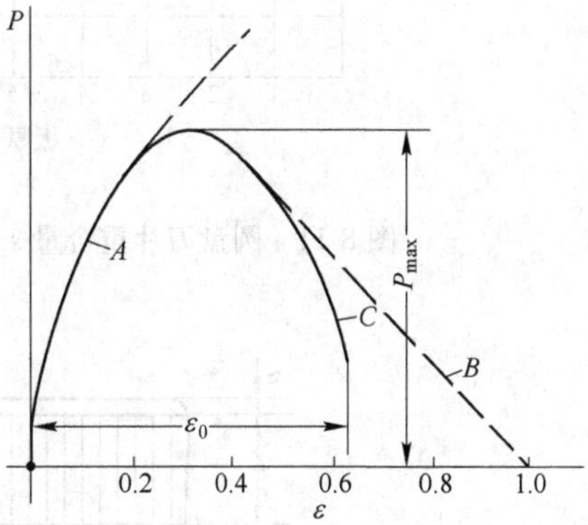

图 8-10　剪切力与相对切入深度的关系

近年来对平行刀片剪切机的研究表明，剪切过程可更详细地分为以下几个阶段：刀片弹性压入金属，刀片塑性压入金属；金属滑移；金属裂纹萌生和扩展，金属裂纹失稳扩展和断裂。

热剪时，刀片弹性压入金属阶段可以忽略。在刀片塑性压入金属阶段，刀片和轧件接触面处产生宽展现象，常给继续轧制带来困难或缺陷，金属滑移阶段开始后，宽展现象才停止。由于热剪时金属滑移阶段较长，轧件断裂时的相对切入深度就较大。

冷剪时，刀片弹性压入金属阶段不可忽略，而且由于材料加工硬化，金属裂纹萌生较早，在刀片塑性压入金属阶段甚至在刀片弹性压入金属阶段就已产生裂纹，故金属滑移阶段较短，断裂时的相对切入深度就较小。

8.5.2　剪切机重合量、侧向间隙的确定

以圆盘剪为例，刀片重合量 s 一般根据被剪切钢板厚度来选取。图 8-11 为某厂采用的刀片重合量 s 与钢板厚度 h 的关系曲线。由图可见，随着钢板厚度的增加，重合量 s 愈小。当被剪切钢板厚度大于 5mm 时，重合量 s 为负值。

确定侧向间隙时，要考虑被切钢板厚度和强度。侧向间隙过大，剪切时钢板会产生撕裂现象。侧向间隙过小，又会导致设备超载、刀刃磨损快，切边发亮和毛边过多。

在热剪切钢板时，侧向间隙 Δ 可取为被切钢板厚度 h 的 3%～5%。在冷剪时，Δ 值可取为被切钢板厚度 h 的 9%～15%。当剪切厚度小于 0.15～0.25mm 时，Δ 值实际上接近于零，要把上下圆盘刀片装配得彼此接触，甚至带有不大的压力。

在图 8-11 中，画出了侧向间隙 Δ 与被切钢板厚度 h 的关系曲线。

8.5.3　剪切作业评价

8.5.3.1　剪切断面的各部分名称

剪切断面的各部分名称如图 8-12 所示。各部分的说明如下：

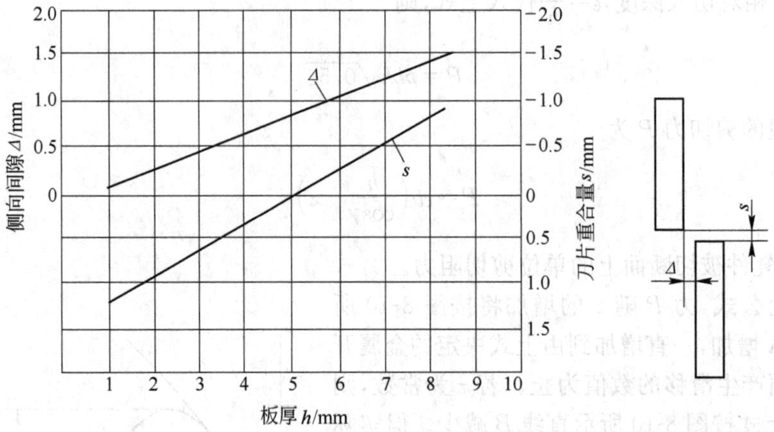

图 8-11　圆盘刀片重合量 s 和侧向间隙 Δ 与被切钢板厚度 h 的关系曲线

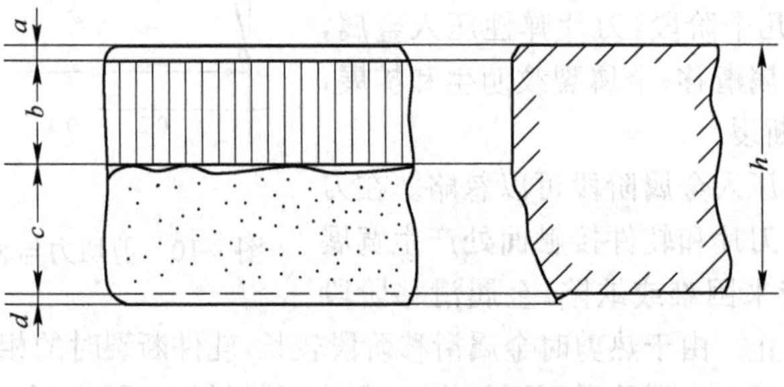

图 8-12　剪切断面示意图

a—塌肩；b—剪断面；c—破断面；d—毛刺；h—板材厚度

(1) 塌肩。在刀刃咬入时，在刃口附近区域被压缩而产生塑性变形部分，称为塌肩。这样，金属材料的边缘部分由原来的平面状态变成塌肩状。这个塌陷的程度当然越小越好。除了特别硬的材料外，在剪切过程中，多少总要出现一些。若希望减小塌肩部分，在不考虑刀刃质量的情况下，将间隙调整小些就行了。

(2) 剪断面部分。剪断面是一边受到刀刃侧面的强压切入，一边进行相对滑动的部分。这部分特点是断面十分整齐光亮，故也称之为光亮面。当然，光亮面要多些，切口状态就显得美观，但所消耗的能量也大。一般认为当切口上的剪断面占整个切口的 1/3 左右为最佳状态。而剪断面的量的大小和刀刃间隙的大小成反比例关系。也就是，间隙变大，光亮的剪断面变小；反之则光亮面变大。

(3) 破断面部分。破断面是产生裂缝而断开的部分，剪断面与破断面的量成反比例，剪断面增大了，则破断面减少。

(4) 毛刺。由于金属材料具有一定的塑性，在剪切断面上沿刀刃作用力的方向，带出部分金属，填充于两刀刃的间隙之中，这些完全异于原体形态的部分，称为毛刺。因为刀刃之间总是有间隙的，故产生微小的毛刺是避免不了的。间隙越大，毛刺也越大。刀刃变钝，毛刺也随之增加。当间隙达到一定值后，毛刺使断面的直角度达不到要求，也会成为产品所不能允许的缺陷，规定毛刺不得超过厚度负公差的一半。

8.5.3.2 剪切评价

人们通常说的剪刃调整，就是指水平间隙和重合量的设定值的调整。对于剪切作业来说，这方面调整是整个剪切作业的关键，它决定剪切断面是否良好以及剪切用力是否最小。

这里必须说明一点的是，不仅对于不同设备就是同一制造厂生产的相同剪切设备，各个剪切设备设定值都不会一样。要从实际生产中总结出来。方法是：在特定的条件下，通过适当调整得到最佳剪切断面，这时的剪刃间隙调整值是最佳的，可作为以后实际生产中初步设定时采用的可靠参考值。我们可通过观察剪切断面的质量来判断剪刃间隙调整是否合适。

A 剪刃间隙调整是合适的

如图 8-13(a)所示，裂缝正好对上，塌肩和毛刺都很小，剪断面约占整个断面的 35%左右，其余为暗灰色的破断面，很明显的表示出正确的剪切状态。这时，应及时记下各项调整后的数值。

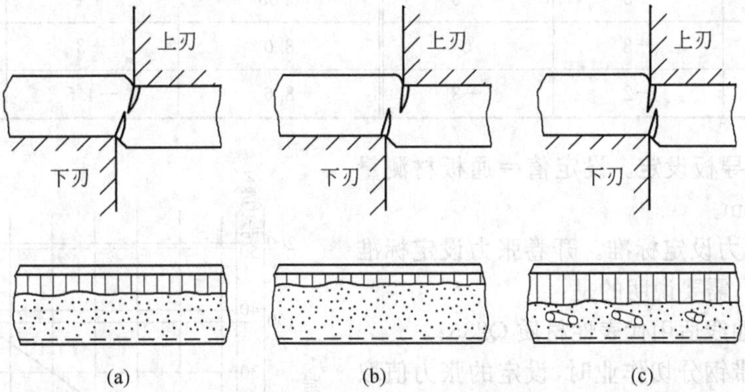

图 8-13 间隙与断面的关系
(a)间隙合适；(b)间隙偏大；(c)间隙偏小

B 剪刃间隙调整偏大时

如图 8-13(b)所示，裂缝无法合上，钢板中心部分被强行拉断，剪切面十分粗糙，毛刺，塌肩都十分严重。

C 剪刃间隙调整偏小时

如图 8-13(c)所示，裂缝的走向略有差异，使部分断面再次受刀刃侧面的强压入，即进行了二次剪断。因此，当剪断面上出现碎块状的二次剪断面时，就可以认为间隙偏小了。这样情况下，应把间隙朝大的方向调整一下，使二次剪断面消失。

剪切前剪刃间隙的调整，是一项很细致的工作，要在实际工作中不断总结经验。热轧钢板种类繁多，即使同一种钢，也会因化学成分的差异或加工工艺的差异而不同。在调整间隙时，一定要考虑到各方面的因素，作为初步设定值，在剪切 4.0mm 以下的薄板时，间隙取板厚的 5%～9%；剪切 4.0mm 以上厚板时，间隙取板厚的 9%～15%为宜。

当经过反复调整，剪刃间隙达到最小限度，还不能得到满意的剪切断面时，就应该考虑更换剪刃，否则，无法保证产品质量和设备安全。

8.6 纵剪机组有关操作设定值

参照某 1700mm 机组。

8.6.1　开卷作业设定标准

(1) 处理机和辊压下设定标准：

板厚 $h \leqslant 3.0$mm 时，压下设定值 $=h/3$；

板厚 $h>3.0$mm 时，压下设定值 $=h/2$。

(2) 矫直辊压下设定标准。矫直辊压下设定标准值如表 8-6 所示。

表 8-6　矫直辊压下设定标准值

压下/mm 板厚/mm	入侧	出侧	压下/mm 板厚/mm	入侧	出侧
1.2	−10	−4	6.0	0	+4
2.3	−5	−3	6.35	+1	+5
3.2	−3	0	8.0	+3	+7
4.5	−2	+3	8.6	+4.5	+7.5

(3) 1 号侧导板设定。设定值＝通板材测量板宽＋(3～5)mm。

(4) 开卷张力设定标准。开卷张力设定标准如图 8-14 所示。需要说明的是：

1) 本设定曲线适用代表性材质 Q235；

2) 进行宽带钢分切作业时，设定的张力值取参考值的 50%；

3) 设定、调整张力时，除考虑原料的厚度、宽度、材质等因素外，还要考虑卷形和板形等。最大张力不超过 0.06MN。

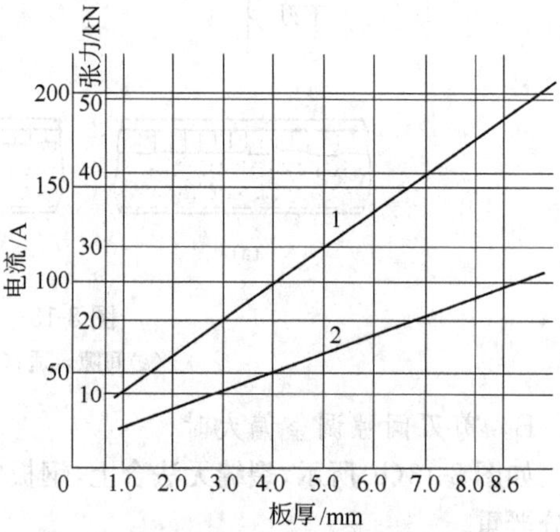

图 8-14　张力设定曲线图

1—板宽 1650mm；2—板宽 700mm

8.6.2　纵剪设定标准

(1) 2 号侧板导开度设定。设定值等于板材宽度。

(2) 作业速度设定。参照表 8-7 确定。

(3) 碎边剪速度调整。按大于纵剪机速度设定，最大超前量不大于 20%。

(4) 纵切剪剪刃重合量设定标准。表 8-8 中重合量设定值为参考值，实际应用以剪断钢板且不形成压痕为原则。

表 8-7　作业速度设定

项　目 厚度/mm	剪切条数	最大剪切 速度/m · min^{-1}	项　目 厚度/mm	剪切条数	最大剪切 速度/m · min^{-1}
1.2～3.6	10	100	4.5～6.0	5	50
3.6～4.5	8	75	6.0～8.6	3	40

表 8-8 重合量设定

板厚/mm	1.2	2.0	3.0	4.0	5.0	6.0	7.0	8.0	8.6
重合量/mm	+0.65	+0.45	+0.2	0	−0.20	−0.30	−0.50	−0.60	−0.71

8.6.3 张力垫木更换标准

(1) 张力垫木规格：

上垫：400mm(长)×90mm(宽)×10 块，两排式；

下垫：900mm(长)×90mm(宽)或 900mm(长)×30mm(宽)；

上下垫高度：60mm。

(2) 张力垫木更换标准。出现下述情况之一时，需更换垫：

1) 垫木破碎或有金属异物压入垫木；

2) 上垫木磨损至离夹持器卡口处约 5mm 时；

3) 下垫木磨损的最低处离导板台面约有 10mm 时；

4) 垫木高度磨损至 40mm 时报废。

8.6.4 纵切剪刃轴组装标准

(1) 隔圈尺寸。如图 8-15 所示，图中：

隔圈 A=纵切带宽度尺寸

隔圈 $B=A-2C-2S$

式中 C——圆盘剪刃厚度，30mm；

S——剪刃水平间隙，取值为板厚的10%～12%。

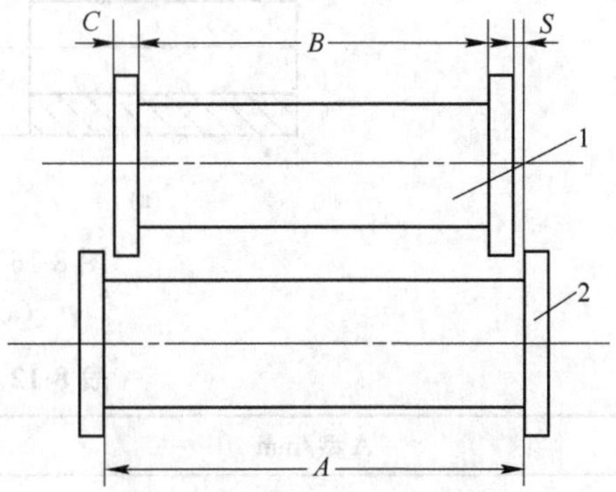

图 8-15 隔圈组装示意图

1—隔圈；2—剪刃

(2) 胶圈尺寸：

1) 胶圈直径：根据板厚依照表 8-9 选择胶圈直径。

表 8-9 胶圈直径选择

板厚/mm	胶圈直径/mm
$h<4.0$	圆盘剪刃直径−$(2h+1)$
$4.0\leqslant h\leqslant 4.5$	圆盘剪刃直径−$2h$
$h\geqslant 4.6$	圆盘剪刃直径−$2h+(1\sim 2)$

2) 胶圈宽度：小于隔圈 A 的尺寸约 10～25mm。

(3) 隔圈和胶圈尺寸规格如表 8-10 所示。

表 8-10 隔圈和胶圈尺寸规格

名　称		尺寸规格/mm
隔　圈	厚	1.0　1.1～2.0　3～10　20 30　50　100　150　200　300
胶　圈	宽	50　80　100　150　180
	直 径	458　461　464　467　470 473　476　479　482　485　488

(4) 轴头尺寸。轴头尺寸的选择按表 8-11 公式计算。

表 8-11 轴头尺寸的选择

纵剪条数	上 轴	下 轴
奇 数 条	$D_{上}=\frac{1690-成品总宽度}{2}-C$	$D_{下}=D_{上}+C$
偶 数 条	$D_{上}=\frac{1690-成品总宽度}{2}$	$D_{下}=D_{上}-C$

组装纵剪刃轴时,工作侧圆盘剪呈下顺式。传动侧圆盘剪,当纵剪条数为奇数时,呈下顺式;当剪切条数为偶数时呈上顺式。

(5) 分离盘组装标准:

1) 分离片厚度有 5mm 和 10mm 两种。

2) 分离盘隔圈有两种形式,如图 8-16 所示。尺寸如表 8-12 所列。

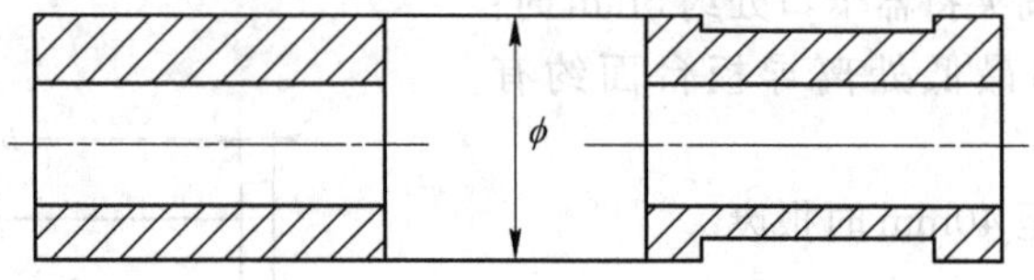

图 8-16 分离盘隔圈形式

(a) A 型;(b) B 型

表 8-12 分离盘隔圈尺寸

A 型/mm	B 型/mm
1 2 3 4 5 10 20 30 50 100 150 200 300	80 100 150 200

3) 轴头尺寸:

纵切分条时

$$G=\frac{1690-带钢总宽-\Sigma H_i-\Sigma S_i}{2}$$

式中 G——分离盘轴头隔圈厚度,mm;

ΣH_i——组装后分离后厚度总和,mm;

ΣS_i——分离盘间隙总和;单条分离盘间隙一般为 5mm。

分切卷时

$$G=\frac{1690-带公称宽度-S}{2}$$

式中 S——分离盘组装间隙,对于 1 号、2 号分离盘,S 取 30mm;对于 3 号分离盘,S 取 50mm。

8.7 平整机组的有关作业设定值

参照某 1700mm 机组。

8.7.1 开卷作业设定标准

(1) 钢卷直径设定。钢卷直径设定取实测的钢卷外径。

(2) 矫直机压下设定如表 8-6 所示。

(3) 开卷张力设定标准如图 8-17 所示，代表材质为 Q235，需要说明的是：

1) 分切时，张力设定值取对应平整时设定值的 70%左右；

2) 设定张力除考虑板厚、板宽、材质等因素外，还要考虑卷形和板形等因素，但最大张力禁止超过 0.06MN。

(4) 压辊压力设定。压辊压力设定的依据是板厚，其作用是开卷时将钢卷反弯开平且防止带钢形成折皱缺陷。具体设定值如图 8-18 所示。

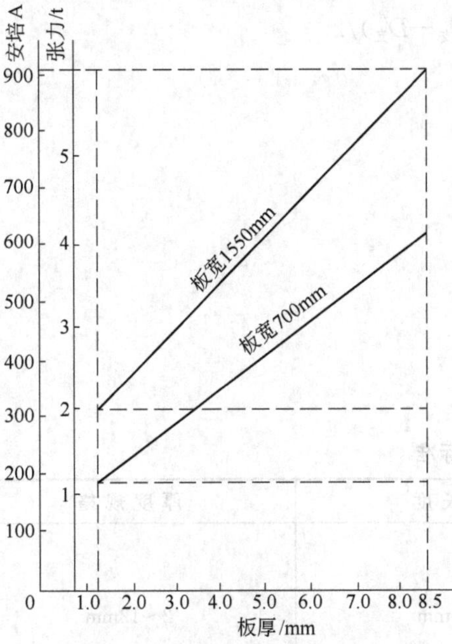

图 8-17 开卷张力设定曲线

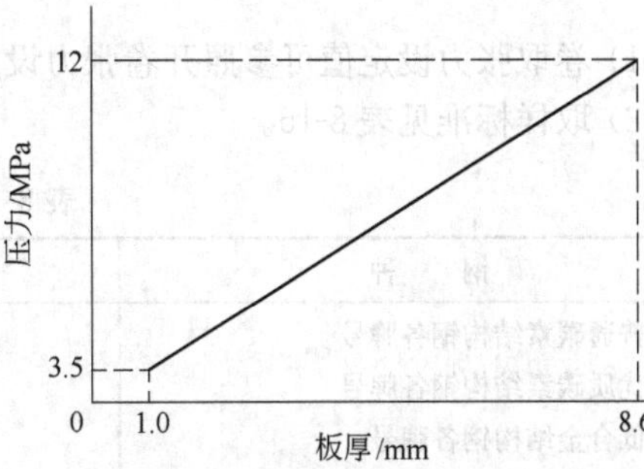

图 8-18 压力辊压力曲线

8.7.2 平整作业标准

(1) 1 号、2 号侧导板开口度设定。设定值=通板宽度+(5～10)mm，当带钢愈厚时，设定值比通板宽度愈大。

(2) 延伸率控制原则：

1) 延伸率 $\mu<4\%$；

2) 必须确保平整后的板厚在规定的公差范围内，性能达到期望值。

(3) 运行速度的选择。平整机组的通板速度为 30m/min，最高运行速度为 400m/min，运行速度的设定要根据作业方式和带钢厚度来确定，具体数据见表 8-13。

表 8-13 通板速度

作业方式	板厚/mm	最大作业运行速度/m · min^{-1}
平整	1.2～3.2	400
	3.2～4.5	300
	4.5～6.35	200
分切	1.2～8.6	400

(4) 衬垫板选用标准。选用衬垫板的规格：厚度为 10mm、20mm、30mm、40mm 四种。根据工作辊和支撑辊修磨量，计算上辊水平升高量，按表 8-14 选用衬垫。

表 8-14 衬垫选用

上辊水平升高量 A/mm	<10	10~20	20~30	30~40	40~50	50~60	60~70	70~80	80~90	90~100	>100
选用垫板厚度/mm	0	10	20	30	40	50	60	70	80	90	100

计算方法：$A=(D_{工}-D'_{工})+(D_{支}-D'_{支})/2$

式中 A——上辊水平升高量；

$D_{工}$——最大工作辊直径，mm；

$D'_{工}$——上工作辊修磨后直径；

$D_{支}$——最大支撑辊直径，mm；

$D'_{支}$——上支撑辊修磨后直径。

8.7.3 卷取作业标准

(1) 卷取张力设定值可参照开卷张力设定标准。

(2) 取样标准见表 8-15。

表 8-15 取样标准

钢 种	取样长度	厚度规格
普通碳素结构钢各牌号 优质碳素结构钢各牌号 低合金结构钢各牌号 热轧专用钢各牌号 按国内牌号生产的出口材各牌号	150^{+10}_{-10}mm	2~12mm
按国外牌号生产的出口材各牌号 (包括 SS400<5.0mm)	250^{+0}_{-20}mm	2~12mm

复习思考题

8-1 提高位置控制精度和可靠性的措施是什么？

8-2 生产前，如何进行轧机调整？

8-3 叙述换工作辊的步骤。

8-4 叙述换支撑辊的步骤。

8-5 叙述换立辊的步骤。

8-6 影响卷形质量的因素有哪些？

8-7 如何改善常见卷形缺陷？

8-8 卷取机常见的操作调整有哪些？

8-9 卷取机有哪些参数需要设定。

8-10 何谓小变形矫直方案？

8-11 何谓大变形矫直方案?
8-12 分析轧件剪切的过程?
8-13 剪切机重合量、侧向间隙如何确定?
8-14 画图表示剪切断面的各部分,并标出名称。
8-15 如何判断剪刃间隙调整是合适的?

9 组织管理

9.1 板坯选择

9.1.1 板坯尺寸选择

9.1.1.1 板坯尺寸选择应考虑的因素

(1) 上工序的供坯能力。

(2) 与本机组的生产能力相匹配。使本机组(加热、粗轧、精轧、卷取)的生产能力能得到综合的充分发挥。

(3) 能满足产品大纲中的产品尺寸要求。

(4) 有较先进的技术经济指标。

9.1.1.2 板坯尺寸选择原则

A 厚度选择原则

(1) 与加热、粗轧生产能力相匹配,最大单位卷宽的单重(kg/mm)不超过设计要求。

(2) 终轧温度的控制能力(头尾温差)。

(3) 较优的机组生产平衡能力(加热、粗轧、精轧、卷取)。

B 宽度选择原则

(1) 机组对带宽的通板能力。一般卷宽 B_{max}=(0.88～0.955)×辊身长度。

(2) 立辊配置与最大侧压量,机组对带宽的控制能力。

(3) 产品的宽度系列。

某1700mm机组板坯宽度尺寸示例见表9-1。

表9-1 某1700mm机组板坯宽度尺寸

钢卷宽度/mm	板坯宽度-钢卷宽度(最小值)/mm		板坯宽度-钢卷宽度(最大值)/mm
	切边时	不切边时	
≤965	−15	−20	+50
966～1110	−10	−15	+50
1111～1260	−5	−10	+50
1261～1420	+5	0	+50
1421～1550	+15	+10	+50

C 长度选择原则

(1) 加热炉宽度与最大的钢卷外径。

(2) 终轧温度允许的头尾温差。

(3) 与板坯单重相关的板坯装炉悬臂量。

9.1.2 对板坯的质量要求

(1) 化学成分应符合相应钢号标准的要求。

(2) 尺寸偏差：

1) 厚度偏差：±5.0mm。过大的负差降低加热炉的产量，增加热能消耗。

过大的正差增加出炉板坯的断面温差；易诱发 R_1 轧制故障，薄带钢尾部终轧温度的控制精度下降；轧卷径极限材时，会造成卸卷作业困难。

2) 宽度偏差：±10.0mm。过大的负差造成装炉板坯间隙增大，高温长时间加热的板坯，角部易产生过热或过烧；降低加热炉产量；增加热能消耗。

过大的正差易诱发 VSB 轧机故障，降低带钢的宽度精度。

3) 长度偏差：±30.0mm。过大偏差影响板坯在炉内梁上的悬臂量，刮碰梁上包扎的耐火材料；当 R_3 轧机空设时过大的正差将影响 R_2 偶道次的跟踪判断。

(3) 对板坯外形的要求。上下弯与镰刀弯：一列材 50mm；二列材 25mm。

过大的上下弯影响板坯的装炉定位；板坯在炉内易发生跑偏；下弯板坯易刮碰炉内梁的耐火材料；影响 R_1 轧机的咬入。

过大的旁弯影响板坯在炉内的间隙；影响通板时带坯的对中；影响侧导板开口度的设定或刮破带边；诱导带钢产生镰刀弯，钢卷产生塔形；影响切边材的切边质量或成品板材的宽度。

(4) 表面质量要求。板坯表面不得有裂缝、角裂、拉裂、结疤和夹杂。允许有深度不大于2.0mm的气孔、裂纹、划痕、凹坑和麻点；以及深度不大于 4.0mm 的振动水纹。

板坯切割的端面，不得有缩孔和可见的内裂纹。

板坯侧面允许有不大于 10.0mm 的压痕。

板坯表面、侧面的缺陷允许清理，清理深度不得大于 10mm。

9.2 轧制单位的编制原则

轧制单位：精轧工作辊一次使用周期内的轧制顺序及其轧制量。

9.2.1 确定轧制单位中的主轧材(重点质量保证产品)

确定轧制单位中的主轧材时应满足以下条件：

(1) 产品大纲中的极限材；

(2) 在同一生产期内宽厚比(b/h)较大的产品；

(3) 板形或厚度差要求严格的产品；

(4) 在同一生产期内产品质量要求高，有一定操作控制难度的产品。

9.2.2 在轧制单位的开始阶段，安排一定量的烫辊材

9.2.2.1 安排烫辊材的目的

(1) 换辊后辊缝值设定的检查；

(2) 适应性的操作与调整；

(3) 预热轧辊使辊型能进入理想状态。

9.2.2.2 烫辊材的选择条件

(1) 软钢 $w_C \leqslant 0.10\%$；

(2) 最易轧的尺寸：(2.8～3.2)mm×(900～1100)mm；

(3) 品质要求一般，且容易达到的产品；

(4) 数量：根据操作水平，一般3～5卷。

9.2.3 过渡材

烫辊材与主体材之间的轧材称为过渡材。过渡材的选择条件：

(1) 产品的厚度、宽度、轧制变形抗力，尽量接近主体材，且符合厚度、宽度的过渡原则；

(2) 要求的加热温度、终轧温度与主体材差别不大；

(3) 充分满足操作调整，速度、压下、活套等，在轧主体材时不需作大的调整；

(4) 在满足操作调整的前提下，数量尽可能减少，目的是为轧主体材创造最好的辊型条件。

9.2.4 轧辊利用材

主体材之后统称为轧辊利用材。

9.2.4.1 安排的目的

(1) 充分利用轧辊，降低辊耗；

(2) 减少换辊时间，增加产量。

9.2.4.2 选择的条件

(1) 能保证产品厚度精度与板形；

(2) 轧辊磨损均匀，不因局部磨损过大而增加轧辊磨削量；

(3) 轧材尺寸变化符合宽度厚度的过渡原则。

9.2.5 宽度、厚度过渡原则

9.2.5.1 宽度过渡原则

(1) 一般由宽到窄，相邻两轧制批的宽度差一般为50～100mm，最大250mm，当宽度差不大于20mm时，可视为同一宽度；

(2) 优先考虑厚度过渡时，宽度也可由窄到宽，但相邻两轧制批的宽度差，$B_{max} \leqslant 100$mm，其轧制量减为由宽到窄轧制量的$\frac{1}{4}$～$\frac{1}{3}$。

9.2.5.2 厚度过渡原则

(1) 一般由厚到薄变化，厚度变化值越小越好，最大变化值，当 $h<4.0$mm 时，厚材为薄材的2.5倍；当厚度 $h>4.0$mm 时，厚材为薄材的3.5倍。

(2) 需要由薄向厚过渡时，轧制量应比由厚向薄过渡减少$\frac{1}{3}$～$\frac{1}{2}$。

注意：钢质不同时，由软钢向硬钢过渡；钢质相同时，由厚度公差小的向厚度公差大的过渡，两者重复时，优先考虑厚度公差。

9.2.6 质量保证原则

质量保证原则主要有：

(1) 表面质量、厚度公差，板形质量相对要求较严的产品，应安排在轧制单位的前半部；

(2) 宽度、厚度过渡相矛盾时，优先考虑宽度；

(3) 相邻两轧制批的板坯厚度差一般应小于或等于 30mm；

(4) 同一厚度的板坯在炉内的装入块数 n，应满足下列计算式的要求：

$$n=\text{均热段炉长}\times\text{生产炉数}\times m/\text{板坯宽度}+\text{板坯装炉间隙}$$

式中 m——炉内一列材 $m=1$，炉内二列材 $m=2$；

(5) 有特殊要求的材质尽可能集中安排轧制；

(6) 对加热温度，加热时间有特殊要求的材质，其前后应尽可能安排对加热温度加热时间适应性大的材质；

(7) 相邻两批的加热温度差，应不大于板坯加热温度允许的偏差值；

(8) 停炉检修后第一天不安排加热温度高的产品。

9.2.7 生产管理原则

生产管理原则主要有：

(1) 加热炉供热能力不足时（煤气、重油压力流量低），不安排加热温度高，对加热时间有要求的产品；

(2) 粗轧机组有空设机架时：R_1 空设，不安排厚度大的板坯，R_3 或 R_4 空设要注意板坯的装炉长度；

(3) 一台卷取机工作时，不安排二列材；

(4) 精轧机组有空设机架不安排 $h\leqslant 2.5$mm 的产品；

(5) 控制倒卷系数：卷径/卷宽$\leqslant 2.5$；

(6) 轧机主传动系统对轧制负荷有限制时（设备原因），应按所限制的负荷安排生产。

9.2.8 编制轧制单位时应考虑的问题

编制轧制单位时应考虑的问题主要有：

(1) 轧辊材质：轧制千米带钢长度或轧制一吨带钢的轧辊磨损量；

(2) 产品尺寸构成比例：决定烫辊材尺寸及轧制单位的划分；

(3) 轧辊修磨装配能力；

(4) 后续工序卸卷能力、库存能力；

(5) 产品质量要求（尺寸、板形、表面质量、终轧温度）；

(6) 支撑辊的换辊周期（工作辊辊径，辊型配置）；

(7) 加热温度调整水平；

(8) 设备检修周期，检修时间是否停炉；

(9) 板坯供应状况；

(10) 操作水平。

9.2.9 编制轧制单位的事例

编制轧制单位的事例如表 9-2～表 9-4 所示。

表 9-2 按轧制品种划分的轧制单位

单位号	单位名称	厚度/mm	宽度/mm	同宽最大带长/km	单位最大带长/km	备注
V	薄板窄单位	1.2～1.8	640～1100	60	110	特别管理材
U	薄板宽单位	1.2～1.8	400～1300	60	110	一般轧材
G	中板窄单位	1.8～6.0	640～1000	25	80	低合金优先
R	中板宽单位	1.8～6.0	900～1300	50	115	特别管理材
T	厚板窄单位	4.0～13.0	800～1100	60	110	特别管理材
X	厚板宽单位	4.5～13.0	900～1300	60	170	一般轧材
A	冷轧单位	1.8～4.5	900～1300	60	170	冷轧材优先

表 9-3 按钢种划分的轧制单位

单位名称	特性举例	
A 低碳（软质材） B 中碳（硬质材）	A、B 是因变形抗力不同，而改变精轧辊型，分出不同的轧制单位	冷轧、镀锡板、热轧低碳钢、热轧硬质钢
低温材	由于加热条件的不同，有的车间将轧辊按 B 项做法作同样处理	管坯
特殊材	主要根据加热条件的不同	不锈钢　高碳钢

表 9-4 根据轧辊凸度划分的轧制单位

辊型变化	单位名称	特点
大（凸形辊）→ 小（凹形辊）	宽面硬材 薄带材	变形抗力大，轧制压力大的宽材及薄材采用凸形辊
	宽面软材 冷轧宽面材	较软质材、轧制压力小
	一般冷轧材	为防止由于轧辊凸度产生的浪形，采用凹形辊
	镀锌板	由于轧制时浪形很厉害，因此使用凹度最大的轧辊

9.3 主要技术经济指标

9.3.1 轧制线的生产能力

9.3.1.1 生产能力的定义

生产能力定义为热带轧机在单位运转时间内所轧出的合格钢卷量，单位为 t/h。

由于热带轧机从板坯装炉到钢卷输出是连续作业，因此它的生产能力取决于板坯供应、加热炉、粗轧机、精轧机、卷取机、钢卷输出等各机组设备的生产能力。另外轧制产品的钢种、使用的板坯尺寸、产品规格、轧制工艺制度与产品的质量要求也在一定程度上影响着轧机的生产能力。

9.3.1.2 产品尺寸及关键工序

生产厚度3.0mm以上的宽带钢(宽度不小于最大板卷宽度的85%)时,其小时产量一般受加热炉生产能力的限制(与加热炉投入运行座数有关)。

全连续式轧机中粗轧机一般不对轧机的生产能力构成影响,当粗轧机组有可逆机架时,可逆机架的轧制道次有时会对轧机能力构成影响。

生产厚度1.8mm以下的薄钢带和厚而窄的长钢带时,精轧机组有可能对轧机生产能力构成影响。

一台卷取机工作时卷取机有可能对生产能力构成影响。有两台以上卷取机投入工作时,卷取机一般不对轧机的生产能力构成影响。

直接热装时,热装板坯的合格率、卸卷能力有可能对轧机生产能力构成影响。

9.3.1.3 提高生产能力的措施

(1) 在设备能力允许的前提下,提高板坯的单重。

(2) 提高加热能力。增加加热生产的供热能力,提高板坯的热装温度,降低板坯的出炉温度。

(3) 提高粗轧机的轧制能力。选择合适的板坯断面尺寸,增加主传动电机的功率,提高辊道运转速度,对有可逆机架的粗轧机组,应尽可能地减少可逆机架的轧制道次。

(4) 提高精轧机的轧制能力。提高穿带速度,增加轧辊冷却水的冷却能力、机架间冷却水的冷却能力、层流冷却水的冷却能力、提高板形的控制能力,增大加速度,提高最高轧制速度。

(5) 保证卷取机的控制功能和控制精度,提高运输链的输送速度。

9.3.2 日历作业率与有效作业率

9.3.2.1 有关作业率的定义

日历作业率是指日历时间与轧机实际运行时间的比率。有效作业率是指轧机计划运转时间与实际运转时间的比率。它们可以用公式表示为:

$$日历作业率=D/A\times100\%$$

$$有效作业率=D/B\times100\%$$

式中 A——日历时间;

B——轧机计划运转时间(除年修、定修、计划换辊或规定设备调试时间之外计划给定的生产时间);

D——轧机实际运转时间。

9.3.2.2 提高轧机作业率的措施

(1) 减少换辊时间。提高轧辊质量(使用高速钢轧辊),扩大轧辊使用期的轧制量,减少换辊次数;缩短每次换辊时间;采用在线磨辊技术、润滑轧制技术,均可减少换辊次数(延长轧制公里数)。

(2) 加强设备维修保养,减少设备运转故障。假如热轧设备的一根辊道出现故障,也将造成全线停机,导致有效作业率下降,为此要求生产线作业稳定,彻底地进行日常检查,预防保养是非常重要的。

(3) 合理安排轧制计划。

9.3.3　成材率与合格率

9.3.3.1　成材率与合格率的定义

热轧工序成材率=(合格的钢卷量/投入的板坯量)×100%

精整工序成材率=(合格的成品量/投入的钢卷量)×100%

合格率=(合格的成品量/投入受检品的总量)×100%

9.3.3.2　影响热轧工序成材率的因素与提高措施

热轧工序的成材率一般在97.5%～99.0%的范围内波动,它与轧制的钢号、采用的板坯尺寸、轧制的成品尺寸、工艺设备布置与装备水平有关。某厂热轧线轧材的金属损失率如表9-5所示。

表9-5　某厂热轧线的金属损失率

项　目	影 响 的 内 容	损失率/%
氧化铁皮	加热炉及除鳞装置产生的氧化铁皮损失	0.7～1.0
切头切尾	中间料两端切损	0.6～1.1
轧废	粗精轧轧废和卷取机卷废	0.02～0.05
试样用料及头尾切损	试样用料、检查用试样及切除鱼尾和缺陷部分	0.008～0.02

提高热轧线成材率的主要措施有:降低板坯的加热温度,缩短板坯在炉时间;优化带坯的切头切尾值;增加中间带坯厚度;提高设备运转的完好率和生产操作调整水平;减少轧制线废品;增加板坯的单重。

9.3.3.3　影响精整工序成材率的因素与提高措施

精整线的成材率受精整线的加工性质和成品计量方式的影响而有较大的差别,某厂精整线的成材率如表9-6所示。

表9-6　某厂精整线的成材率/%

产品名称	板	平整卷	纵切带	产品名称	板	平整卷	纵切带
精整线成材率	99.668	99.428	98.744	切损率	1.811	0.274	1.171
热轧线废品率	0.185	0.246	0.050	计量方式	理论计重	称　重	称　重
精整线废品率	0.140	0.022	0.021	负偏受益率	1.843		
取样损失率	0.039	0.030	0.010				

提高精整线成材率的主要措施是:提高热轧卷的厚度、宽度精度与板形、卷形质量;提高带钢的表面质量;减少划伤、擦伤、辊印等带钢表面缺陷;减少因炼钢工序原因而产生的表面缺陷和内部质量缺陷。

9.3.4 轧辊、燃料、电力的单位消耗

9.3.4.1 轧辊的单位消耗

轧辊的单位消耗(kg/t)为：

轧辊的单位消耗＝((磨削量＋磨损量)×轧辊单重)/(有效直径×轧制量)

因各个轧机的轧制尺寸、品种、周期轧制量、有效使用的辊身长度等不同，轧辊的单位消耗也不同。表9-7给出了某厂不同类别轧辊的实际单位消耗数据。

表9-7 不同类别轧辊的单位消耗实例

轧辊名称	单位消耗/kg·t^{-1}	轧辊名称	单位消耗/kg·t^{-1}
FW	0.28～0.32	R＋RW	0.05～0.14
FHW	0.50～0.55	合 计	0.50～0.63
RB＋FB＋FHB	0.08～0.10		

降低轧辊单位消耗的主要措施有：

(1) 改善轧辊的材质(高速钢轧辊)；

(2) 改善轧辊的使用方法，如修改磨削标准、加大轧辊直径、调整轧辊辊径使用极限、扩大辊径差；

(3) 改进轧制工艺，如采用轧制油、加强轧辊冷却。

降低轧辊消耗的措施效果如表9-8所示。

表9-8 降低轧辊消耗的措施效果

分类	措施项目	对象轧辊	平均单位消耗减少量/kg·t^{-1}
改进轧辊材质	扩大半高速钢轧辊的使用范围	RW	0.034
	使用高速钢轧辊	FW	0.032
	使用改进型ICDP	FHW	0.001
改进轧辊使用方法	工作辊连续使用、反复使用	FW22	0.003
	重新考虑研磨标准、剩痕研磨	FHW、FW、FB	0.008
	增加换辊一次轧制吨位数	FW、FHW、RW、FHB	0.009
	引用探伤仪并扩大应用面	FW、FHW	0.035
改进轧制工艺	重新考虑轧辊冷却	FW	0.001
	增加机架间喷水能力		0.001
	轧制油	FW、FHW	0.039

降低轧辊单耗的措施还有：使用轧制油、使用耐磨轧辊、在PC轧机上采用在线ORG磨辊。

轧辊使用的评价项目有：轧辊单耗、轧制量、轧辊表面状态。

轧辊检测方法有：磨床在线自动检测辊型、辊径，采用涡流探伤仪和超声波探伤仪检测轧辊内外质量。

9.3.4.2 燃料的单位消耗

板坯加热所需的热量主要取决于钢种、加热温度、板坯厚度、炉底面积覆盖率、板坯入炉温

度、炉型炉况等因素，其波动范围达到 $491.9\times10^3\sim1804.5\times10^3$ kJ/t。板坯加热的燃料消耗一般约占热轧工序总能耗的50%，是能耗大户。降低燃料消耗的主要措施是：

(1) 提高加热炉的热效率，减少废气、冷却水、炉体散热损失；

(2) 提高板坯热装比例、热装温度；

(3) 提高炉底面积的覆盖率；

(4) 合理编制轧制单位，减少炉内相邻板坯的厚度差；

(5) 提高轧制线的作业率；

(6) 应用减小轧制线上轧件温降的技术；

(7) 改进加热炉操作控制技术。

9.3.4.3 单位电耗

热轧工序的单位电耗由直接电耗、间接电耗、固定电耗三部分组成。不同热带厂的单位电耗受热轧工艺与设备装备水平、产品品种、产量规模的影响，其差值可达100kW·h/t。热带厂单位电耗的一般水平为80～100kW·h/t。

直接电耗：用于轧材变形，耗电总量与热轧线的作业状况、小时产量、产品品种有关。

间接电耗：用于加热炉空压机、磨辊、液压润滑、供水等辅机的运转，耗电总量与热轧线作业状况有关。

固定电耗：用于照明、仪表、吊运、设备维修用电，耗电总量与热轧线的作业状况、产量关系不大。

某厂热轧线的单位电耗量构成如表9-9所示。

表9-9　某厂热轧线的单位电耗构成/%

加热炉	4.46	除鳞水系统	17.63
粗轧主机	10.66	冷却水系统	9.36
精轧主机	31.30	照明	0.85
卷取机	3.39	吊车	0.52
热轧线辅机	21.69	仪表	0.14

降低单位电耗的主要措施有：提高轧机的作业率；减少轧机的空负荷运转时间；在板坯加热温度与单位燃料、单位燃料消耗与单位电耗及其他影响因素中，找出加热温度、单位燃耗、电耗的最佳组合。

9.4 表面缺陷

带钢表面缺陷与炼钢、热轧、精整各生产工序有关。典型的表面缺陷如表9-10、表9-11所示。

表9-10　热轧板带表面缺陷

名称	表现形式	产生原因	防止措施
结疤	(1) 板带上下表面都可能出现； (2) 形状呈结疤状	(1) 板坯裂纹或夹渣； (2) 板坯清理不当	(1) 彻底清理板坯； (2) 合理铸造板坯，加强炼钢、连铸工艺质量控制

续表 9-10

名称	表现形式	产生原因	防止措施
腰折	(1) 板带宽度方向上出现的折皱； (2) 低碳钢容易出现	(1) 高温开卷； (2) 板形不佳； (3) 开卷时张力辊及压紧辊的压紧力不适当	(1) 开卷时有效地使用压紧辊； (2) 改善板形； (3) 降低卷取温度； (4) 完全冷却后开卷
异物压入	由于物体从一面被压入，板带上表面呈明显异物压入状	在轧制或精整线上加工时异物落在上面	(1) 防止异物落入； (2) 做好机架间吹扫工作
凹凸块	板带表面出现周期性的凹凸形状的缺陷，上下表面都有可能产生	(1) 轧线或精整线各种轧辊粘附上杂物(凹形缺陷)； (2) 轧线精整辊子掉肉(凸形缺陷)	(1) 彻底检查各种轧辊； (2) 防止轧机带入异物； (3) 换辊时注意别碰伤轧辊； (4) 清扫导板等，防止异物带入
擦伤	(1) 不规则、不定形的锐利擦伤； (2) 多数是正反两面同时出现； (3) 多数是出现在钢卷最外几圈	(1) 开卷时板卷过松引起擦伤； (2) 板卷运输时宽度方向窜动	(1) 改善卷形； (2) 开卷时，施加恒张力； (3) 搬运时要注意操作
划伤	(1) 较细较浅的擦伤，沿轧制方向连续或断续出现一条或几条； (2) 划伤时有时出现金属光泽，有时没有	(1) 输出辊道转动不良，引起划伤； (2) 轧制线或其他生产线上固定突出物造成的擦伤	(1) 彻底检修辊道，及时调换不转或变形的辊子； (2) 保持轧制线良好的生产环境； (3) 清除固定突出物
分层	钢板断面出现分层	板坯内部缺陷，如缩孔、气泡、偏析等轧制中没有被压合	保证板坯质量
边损	板带缺口状损伤	(1) 板带受精轧机、卷取机或其他设备中侧导板的挤压； (2) 搬运时造成	(1) 适当设定侧导板的开口度； (2) 防止板带左右跑偏； (3)防止塔形； (4) 搬运时应十分注意
非金属夹杂	线状和纺锤状等，形状不定，呈现耐火砖色、灰色、黑色等，集中出现，位置不固定	(1) 混入炼钢耐火材料； (2) 粘附上加热炉耐火材料	(1) 准确地清理板坯； (2) 维修加热炉耐火砖及防止过热
重皮	在带钢表面出现的局部分层，多发生在带钢头尾或边部，沿轧制方向连成一片	板坯毛刺和翻皮	对有缺陷板坯进行清理

表 9-11 氧化铁皮缺陷

名称	生成形状	生成原因	预防措施
麻点	(1) 细小点状铁皮压入； (2) 轧件轧制温度高的地方严重； (3) 多数是在板带的整个宽度上出现，也有呈现带状的； (4) 含碳量越大越容易出现，并且缺陷严重	(1) 精轧机架间生成的二次氧化铁皮被压入； (2) F1～F4 工作辊表面粗糙时生成，铸铁轧辊显著	(1) 增强轧辊冷却能力，防止工作辊梨皮状粗糙； (2) 加强换辊管理； (3)控制轧制温度； (4) 压下量合理分配

续表 9-11

名称	生成形状	生成原因	预防措施
小舟形压入	(1) 沿轧制方向小舟形状的压入； (2) 多数位置不定，分散	(1)除鳞不净，局部残余一次氧化铁皮； (2) 落到带钢表面的铁皮	(1) 由除鳞装置完全除去一次氧化铁皮； (2) 在加热炉内生成容易剥离的氧化铁皮； (3) 板坯清理彻底
条状铁皮压入	在宽度方向的一定位置上压入带状铁皮，宽度方向一定位置连续或不连续出现	除鳞装置一个或数个喷嘴堵塞	防止喷嘴堵塞
粗铁皮压入	整个宽度方向粗大氧化铁皮压入	(1) 粗轧机除鳞喷嘴完全不起作用； (2) 粗轧机除鳞水压力低	(1) 防止除鳞喷嘴堵塞； (2) 防止除鳞喷水滞后； (3) 防止除鳞水压下降
鳞状压入	由于轧件温度过高而产生	精轧除鳞后生成二次氧化铁皮，此种快速增长的二次氧化铁皮被轧辊压入后，形成鳞状缺陷	降低精轧穿带温度
红铁皮	表面上留下薄的红色铁皮，形状有带状和线状。 (1) 主要是硅镇静钢上出现； (2) 有时也呈现黑色	(1) 一次氧化铁皮剥离不净； (2) 二次氧化铁皮难以除净而残存	(1) 检查加热方法； (2) 确保适当的轧制温度

9.5 设备管理

9.5.1 设备管理的组织机构

热带厂的设备管理维修，多数由专职部门执行，作为一个实例，宝钢的两套热带轧机的设备管理维修组织机构如图 9-1 所示。

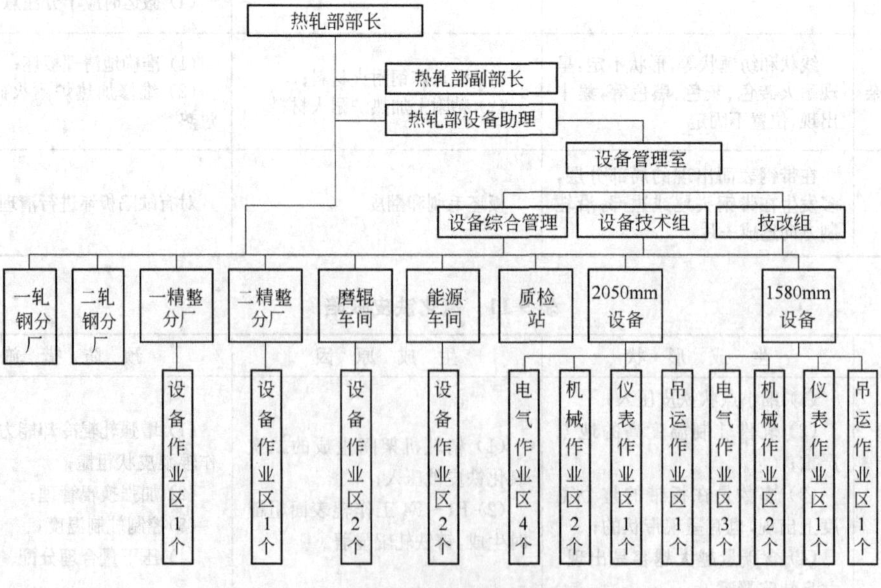

图 9-1　宝钢热轧部设备管理维修组织机构

9.5.2 设备管理的内容

9.5.2.1 设备的运行管理

设备运行管理是使设备在具有必需功能和控制精度的前提下，其运行故障时间趋向为零。

A 点检管理

点检管理是设备运行管理的核心，抓住这个核心，就能带动运行管理乃至整个设备管理水平的提高。

首先要“量化”点检。所谓“量化”点检就是将定性指标具体化、细分化、数字化，将过去那种打“×”、“√”、“正常”、“不正常”的点检记录改用数字表述。

第二是实行三级闭环点检管理体系。由白班检修工人、三班维护工人及生产工人实施的日常点检构成一级点检，周期为每天1次或每班1次；由专业技术人员(通常为区域负责人助手)实施的专业点检(精密点检)构成二级点检，周期一般为每周1次；由区域工程师实施的点检构成三级点检，一般为每月1次。一级点检填写点检记录，二级点检填写质量设备专检记录并输入终端机，同时填写“信息管理台账”，三级点检填写“设备综合管理台账”。检修计划的生成要和“信息台账”相吻合。

B 设备功能可投入率的管理

一台设备可能具备一种或多种控制功能，当其中某种功能不具备投入运行条件时，就对该台设备进行功能投入率的考核管理。宝钢2050mm热带轧机设备功能投入率管理的实例如表9-12所示。

表9-12 宝钢2050mm热带厂设备功能投入率的管理

序号	功能名称	考核方法	考核目的或避免出现的问题
1	除鳞功能	考核某除鳞集管在允许范围内停用的时间	尽可能避免或减少氧化铁皮压入或带钢表面细孔
2	CVC功能	考核某精轧机架CVC功能在允许范围内停用的时间	尽可能避免或减少板形不良及提高PFC投入率
3	弯辊功能	考核某精轧机架弯辊功能在规定范围内停用的时间	尽可能避免或减少弯辊波动，便于控制带钢板形
4	AGC功能	考核某精轧机架AGC功能在允许范围内停用的时间	尽可能避免或减少带钢厚度精度超差，提高厚度精度命中率
5	飞剪功能	考核飞剪在允许范围内不切带钢头尾或切不断的次数	尽可能避免或减少飞剪头尾对轧机的冲击及废钢，提高产品形象
6	机架功能	考核机架在允许范围内空设、停用的时间	尽可能减轻轧制计划编排、轧制负荷分配的难度，提高轧制节奏
7	轧辊冷却水功能	考核某机架轧辊冷却水功能在允许范围内漏水至带钢表面的时间	尽可能避免或减少轧辊异常温升、磨损、粗糙及带钢表面细孔
8	G辊道功能	考核某根辊在允许范围内被动转或死辊的时间	尽可能避免或减少带钢下表面的划伤及大批量用户异议的产生

续表 9-12

序号	功 能 名 称	考 核 方 法	考核目的或避免出现的问题
9	中间辊道功能	考核某根辊在允许范围内被动转或死辊的时间	尽可能避免或减少带钢下表面的划伤类氧化铁皮压入的产生
10	打捆机功能	考核某打捆机的故障时间	尽可能避免或减少人工打捆所带来的劳动强度及单机时间和对轧制节奏的影响
11	立辊侧压功能	考核某机架立辊在允许范围内空设或停用的时间	尽可能避免宽度不合格所造成的改判
12	测压头功能	考核某机架测压头由于轧制力测压头或电缆存在问题在允许范围内切换成油压的时间	尽可能提高带钢厚度精度
13	测宽仪显示功能	考核精轧卷取侧宽仪同时发生故障时在允许范围内带钢宽度无显示的块数	避免宽度无显示

C 设备控制精度保持的管理

生产设备的调整控制精度能否稳定在一定的水平上，是稳定热带产品质量的重要前提。不同的热带厂有不同的管理项目和管理措施。宝钢热带厂的管理项目与要求保持的设备控制精度如表 9-13、表 9-14 所示。

表 9-13 2050mm 轧机精度管理点

序 号	精 度 名 称	精 度 管 理 目 的
1	精轧工作辊与牌坊间隙的精度	避免间隙过大所造成的工作辊轴向窜动
2	精轧支撑辊与牌坊间隙的精度	避免间隙过大所造成的支撑辊轴向窜动
3	精轧辊缝零调精度	提高带钢厚度精度
4	飞剪剪切精度	提高金属收得率及成材率
5	卷筒助卷辊辊缝零调精度	避免打滑、卷废等现象的发生

表 9-14 设备精度控制点

质量内容	管 理 项 目	管 理 内 容
通板及板形	侧导板	开口度精度，导板底面标高，导板开度中心线与轧线不重合度
	活套辊	辊径磨耗量
	各相关间隙	轴承座与牌坊间隙，轴承座与锁紧挡板间间隙
	立 辊	开口度中心线与轧线不重合度
精轧卷取温度	轧辊冷却水	压力切水板无漏，温度，水量
	轧机直接冷却水	压力，温度，水量
	层流水	压力，温度，水量

D 设备运行故障的管理

(1) 故障时间的管理。将生产设备按工序区域或专业属性划归给相应的管理单位，规定各区域或专业管理单位在月(或年)的设备运行中允许其发生的最高设备运行故障时间,设备运行故障时间按月或年累计并辅以相应的奖惩制度。

(2) 零故障设备的管理。零故障设备就是设备运行故障时间的目标值设定为“0”的设备。对这种设备可采用在相关单位中建立联保方式进行管理。

9.5.2.2 检修管理

检修管理方法如下:

(1) 日常检修模式。工艺停机时间的合理应用与每周的定修时间相结合。

工艺停机的合理应用是指利用较长的换辊时间来处理部分设备问题。为保证在规定的工艺停机时间内完成预定的设备处理项目,设置了“工艺停机命中率”的管理项目。

将每旬检修 2～3 个班,改为每周检修 1～2 个班,规定每周一工艺停机一次,每周中检修一次,实践证明这种检修制度效率高,互补性强,克服了旬检修制夜班效率低、效果差、检查周期长、设备故障率上升的缺点。

(2) 突出“量化”点检对设备检修的指导作用。通过“量化”点检与检修计划的闭环管理为检修周期的设定提供了科学依据,使检修方式由周期检修、事后检修,迈入到预知性检修的新阶段。

(3) 建立检修命中率考核制度。为克服检修易超时的现象,建立了检修命中率的考核制度,由主管设备运行检修的单位统一组织协调,按规定的检修时间,填写“检修项目完成设备交接会签表”,对超时的单位实行考核。

(4) 标准化、规范化年修管理模式。热轧线年修的项目多,规模大,参检单位、人员多,年修的前期准备工作、施工期间的组织协调工作、为年修特设的各项规章制度、交工验收及交付程序、手续都应有其相应的管理体系。

(5) 检修费用控制。通过“量化”点检、设备运转状态的监控,不断地对检修计划进行调整,以便降低设备检修费用。武钢热带厂由 1990 年开始就建立了设备检修费用目标值管理体系,将设备检修费指标分解,并实施相应的考核制度。

9.5.2.3 备品备件管理

备品备件管理包括:

(1) 备品备件的计划管理。计划管理是备品备件管理的核心,计划管理环节出现问题,会造成多方面的不良后果。武钢热带厂的做法是建立相应制度,对备品备件计划的上报采用三级确认制,即区域(车间)提出申报,计划员、科长审签确认,厂主管领导审定的管理制度。对计划生成的全过程,即数量、价格、验收、入库、使用周期、修复等环节,实行跟踪管理,严格履行审批权限,各级签字到位,按责考核。

为了便于资金控制,还需有足够的价格透明度,即计划员必须在备件计划表上填写单价和总价的参考价格,并随时跟踪订货情况,反馈信息。

(2) 完善备品备件修复管理制度。建立规范的备件修复管理体系,设立了分类齐全、摆放有序的下机备件库,制定了备件修复管理考核标准,建立起待修备件价值评估台账和修复台账,设定备件修复指标,奖励超指标单位和个人。

(3) 重要备件跟踪管理制度。建立重要备件跟踪管理制度,改传统的备件上机、下机统计为使用寿命周期的跟踪管理,即对该类备件实行上机、劣化趋势曲线、下机修复、直至报废的全过程进行管理。

9.5.2.4　设备诊断技术的应用

目前，宝钢在热带设备管理上应用的设备诊断技术主要有：油样分析、测振、色谱分析、继保、绝保试验、电气系统测试、红外热成像测试等。并且2050mm热带厂率先在公司范围内实现了部分关键设备，如除鳞泵、减速箱、分配齿轮箱、风机、电机的在线诊断系统，能够及时向点检员提供设备状态劣化的倾向，并相应提出对策措施，真正把握住设备运行状态，及时调整维修周期，以获得最大的经济效益。

复习思考题

9-1　板坯尺寸选择应考虑哪些因素？
9-2　板坯尺寸选择遵循什么原则？
9-3　对板坯的质量要求有哪些基本点？
9-4　什么叫轧制单位？其编制原则是什么？
9-5　什么叫日历作业率？
9-6　什么叫有效作业率？
9-7　成材率与合格率的定义是什么？
9-8　如何提高热轧工序成材率？
9-9　如何提高精整工序成材率？
9-10　常见热轧板带表面缺陷有哪些？
9-11　设备管理的内容是什么？

10 标准化与标准

10.1 标准化概念

标准化已有几千年历史，但标准成为一门新的科学是到社会出现现代化生产以后。标准化作为一门科学，有它特殊的概念。标准化的概念是人们从事标准化活动经验的理论总结，是对标准化有关范畴本质特征的概括。因此，研究和了解标准化概念，对标准化的发展以及开展标准化活动都具有重要意义。在有关标准化的概念中，标准和标准化是最基本的概念。

10.1.1 标准

标准是对经济技术活动中具有多样性、相关特征的重复事物，在总结科学技术和实践经验综合成果的基础上，经有关方面充分协商，并以特定程序和特定形式颁发的，在一定范围内必须共同遵守的具有法令性或具有指导性的统一规定。在我国目前情况下，标准多数是具有约束性的。

(1) 制定标准的基础是科学技术和实践经验的综合成果。这种综合成果是科学研究和技术进步的新成就同在实践中取得的先进经验相结合，并经过分析、比较、选择的综合过程。

(2) 制定标准的对象是在经济技术领域活动范围中具有多样性、相关性特征的重复事物。所谓重复事物是指同一事物反复多次出现。例如，成批大量生产的某种钢材，术语、牌号表示和试验方法等等。事物具有这种重复性才有制定标准的必要性和可能性，才能把实践的经验加以积累，加以总结。标准就是实践经验的总结。一个新标准的产生是这种重复实践经验积累的开始，标准的修订是经验积累的深化，是新经验代替老经验。标准化的过程是人类生产实践不断积累和不断深化的过程。

多样性是指事物的多种表现形态。例如，同一种产品不同的尺寸规格，不同的质量等级。相关性是指事物内部和外部或一个事物和另一事物的相互关系。例如，产品之间配套、尺寸精度配合、技术特性互相适应等等。

(3) 标准的本质特征是统一。标准的作用主要在于统一，即对具有多样性、相关性的重复事物进行科学的合理的有效的统一。

(4) 标准文件的编写、印刷和颁发都有它自己一套格式和程序，既可保证标准的编写质量，又便于资料管理，同时体现标准的严肃性。

10.1.2 标准化

标准化是指以制定和贯彻标准为主要内容的全部过程。通过制定标准，将标准化的对象经过整理，化繁为简，推陈出新，协调统一，消除不必要的多样性和复杂性，以利于组织生产和协作，提高产品质量实现最佳的经济技术效果。

标准化的主要特征：

(1) 标准化是一个过程，是有关人员协调一致地制定标准、贯彻标准的一种有组织的技术活动，是一个不断循环、不断提高的过程。每完成一个循环，标准化水平就提高一步。

(2) 标准化的经济技术效果要通过制定和贯彻标准来实现，所以制定和贯彻标准是标准化的基本任务和主要内容。

(3) 有了产品标准后，还必须把与其相关的一系列标准都建立起来，例如：原材料标准、工艺装备标准、配套产品标准以及有关基础标准等等，否则产品标准订得再好，也生产不出好产品，或者是生产出好产品也发挥不了应有的作用。

标准化的目的，简而言之是为了达到"三化"，即统一化、系列化和通用化。

统一化是标准化活动中内容最广泛、最普遍的一种形式。现代化生产，各个部门、各个环节之间的联系日益复杂，尤其是国际贸易交往日益频繁，需要统一的对象越来越多，统一的范围越来越大。统一是对同一类产品、工程或其他需要在一定范围内统一的事物，制定统一的标准，消除由于不必要的多样性而造成混乱，为人们正常的经济技术活动、进行生产和生活建立共同遵循的秩序。统一化的实质是使标准化对象的外形、尺寸、性能以及其他技术特征等具有一致性。统一化分两类，一类是绝对的统一，不允许有灵活性，如产品名称、代号、单位等；另一类是相对的统一，在统一中有灵活，区别对待，如对产品的某些性能指标，可以根据不同用途分等级规定。

系列化是标准化的合理简化品种的一种形式。它是通过对产品发展规律和国内外发展趋向的分析研究，结合国内的生产技术条件，经过全面的技术经济比较，将同类产品的尺寸规格或性能参数，按照一定规律进行合理的安排，其目的是以尽可能少的品种(型号)来满足各方面的需要，从而提高生产效率，降低产品成本。例如：建筑工程用的钢筋，规格多了，会因轧机换辊频繁而减少产量。规格少了，会造成以大代小浪费钢材。因此，经过调查研究，根据使用部门的需要，选用优先数系 R20 系列，按钢筋的计算直径排列成 14 种：8、9、10、12、14、16、18、20、22、25、28、32、36、40mm。这样，简化了规格有利于生产，也便于管理。

通用化是产品互换性的标准化形式。所谓互换性是指同类产品或零件的尺寸及功能彼此能任意替换使用的特性。通用化的目的是使同一类型不同规格或不同类型的产品中，部分或大部分的尺寸规格或零部件相同，彼此可以互换通用，最大限度地扩大通用产品的使用范围，增加通用产品的比例，以达到简化产品，防止产品不必要的多样化和复杂化，便于组织专业化生产，增强企业的竞争能力，提高经济效益。例如：镁砖和镁硅砖、镁铝砖，原来砖号(型)又多又乱，消耗模具多，成本高，砌筑结构不合理，不严密，不易互换。据统计这类砖号多达 139 种，1979 年对有关标准进行修订后，将砖号减少到 69 种，大幅度的降低了成本，提高产品质量和使用寿命，取得了显著的经济效果。又如 16Mn 钢，经过多年推广使用，现在已广泛地应用于各种工程结构，如造船、桥、容器、汽车等等，一个钢号多种用途，对生产使用都有利。不仅在制、修订某个具体标准时应注意产品或品种的通用化，在整个标准化工作中都应重视这个问题，不要盲目地制定过多的标准，推广发展过多的产品、品种、尽可能做到通用化，以有限的标准、产品、品种、最大限度地满足社会需要。

10.2 标准化的主要作用

标准化来源于科研和生产实践，随着社会的发展同时又反过来促进社会的进步和发展。

它是组织现代化生产的重要手段和科学管理的重要组成部分，是联系科研、设计、生产、流通和使用的技术纽带。在社会主义建设中推行标准化，是国家的一项重要技术经济政策，对产品质量提高，合理地组织生产，提高经济效益促进产品更新换代，采用新技术，充分利用国家资源进行国际交往和对外贸易等都有重要作用。

10.2.1 标准化保证产品质量提高

产品质量的好坏,关系到国家和人民的根本利益,关系到国民经济发展速度,关系到企业发展前途。提高产品质量主要靠生产技术改造和加强企业管理,但标准化也是保证产品质量的一项重要措施,这是不能忽视的。产品标准是衡量产品质量的技术依据,通常说产品合格不合格,这个"格"就是标准。没有标准,产品质量的好坏就无法评定,就没有可靠的产品质量,往往把技术标准叫做"质量标准"。说明标准和产品质量有密切关系。所以一定要把产品标准订好,作到技术先进,经济合理,安全可靠。在标准中必须明确规定影响产品质量的各种因素,性能指标和其他的技术条件均应尽可能满足使用的合理要求,应积极采用国际和国外先进标准。标准水平提高了,就可以保证和促进产品质量提高。例如:造船用钢,过去由于标准落后,不符合国外船规和标准要求,造船用钢主要靠进口,每年都要耗费国家大量外汇,1980年修订标准,经过综合分析比较,结合国内情况,以英国劳氏船规为主兼并吸收美国、日本、德国等各国船规的优点,制定出达到国外先进水平的新标准,大幅度地提高了产品质量,不但满足国内造船需要还造出口船,并能按照各国船规接受国外订货。又如低中压锅炉钢管,原来标准水平很低,力学性能、工艺试验都和一般无缝钢管标准几乎没有差别,1982年进行修订加严了标准,使产品质量有了明显改善,提高了使用寿命。

标准化工作不但要求制定好标准,而且要求在生产建设中认真贯彻执行标准。原材料、半成品、成品都要严格按标准检查、验收,不合格原料不得投料,不合格的半成品不流入下一道工序,不合格成品不准出厂。现代化生产的社会化程度越来越高,生产协作也越来越广泛,必须在技术上使各个有关部门、环节彼此之间保证产品质量协调一致,如果有一个部门或环节不认真执行标准,就会影响到下一道工序或其他产品。例如:钢材的质量不好,达不到标准要求,就会影响到机械产品质量,反过来亦如此,互相影响。在产品的生产过程中要树立用户第一、质量第一的思想,严格贯彻标准,努力提高产品质量。

10.2.2 标准化促进技术改造和新技术的采用

订好标准不但能保证产品质量,而且标准水平提高了,企业为达到标准要求,除加强管理、为贯彻标准制定各种规章制度外,还要从技术方面采取必要措施,改造旧设备、老工艺,采用新技术,标准化起到促进和推广应用新技术的作用。国外很重视通过标准来推广先进技术,认为标准是复杂技术的综合,在先进的标准中包含了许多先进技术,采用国际标准是一项"技术转让"。国内这几年也积极采用国际标准和国外先进标准,使我国标准水平和产品质量都有了较大提高,加速了企业的技术改造。例如:轴承钢,按老标准生产,产品质量差,使用寿命短,为提高产品质量,新标准增加了炉外精炼的规定,公差严格,要求对轧机进行了改造,促进企业技术水平的提高。又如国内采用美国API标准生产石油钢管,为了提高管螺纹精度,各有关钢厂都从国外引进车螺纹的设备和螺纹量规,并建立了专门的管加工车间,从技术上使产品质量提高得到保证。再如造船钢,各企业为了执行新标准,除了对原设备进行一些改造和更新外,还按标准要求采用V型缺口冲击试验方法,代替国内沿用多年的落后的U型缺口冲击试验方法,从国外引进V型冲击试验机,这在国内标准中是头一个,不但保证产品质量的可靠性,而且为我国从U型冲击试验方法过渡到V型冲击试验方法创造了条件。继造船钢之后,低温压力容器用钢和耐候钢标准都采用了V型冲击试验方法。

10.2.3　标准化是推广使用新产品的桥梁

标准化是科研、生产、使用三者之间的桥梁。一个新产品从研制到转产鉴定，只能小批量生产，在小范围内应用。到成熟纳入标准后才能得到推广使用。例如：低合金高强度钢，我国从1957年开始研制，前8年只仿制16Mn钢，到1965年进行钢铁产品革命，研制了不少钢号，但产量有限，到1970年前后制定了一批低合金钢的专业标准，为低合金钢的发展、推广使用创造了有利的条件，这个时候低合金钢的产量得到迅速的增长，广泛应用于锅炉、容器、桥梁、造船、汽车、铁路、车辆、钢轨、煤矿支柱、混凝土钢筋等，目前年产量已达到占钢总产量的10%以上，在国民经济建设中发挥了重要作用。又如耐候钢—比较典型的高效钢，国外很重视发展这种产品，美国、日本、英国、法国、ISO等都有标准。国内十几年前也开始研制，结合我国资源特点试制成几个含磷铜的牌号，耐候性能比较好，因为没有标准，一直没有正式生产供货。前几年引进和仿制国外牌号，并研制新牌号，1983年制定耐候钢标准，将有关牌号纳入，才得到了较快的发展，在一两年内产量由几百吨增加到3万吨左右，经济效果比较突出，正在开始推广使用。如果没有标准化的作用，新产品得不到公认，就会妨碍它的推广发展，影响产品更新换代。

10.2.4　标准化为合理利用资源和原材料创造条件

标准化作为一项比较重要的技术经济政策，在具体产品标准中往往体现出技术和品种的发展方向，对合理利用国家资源和金属材料也起到重要的作用。限制稀缺元素的使用，采用富有元素。例如：为了节约镍、铬、合理利用我国富产资源，不止一次地整顿以合金结构为中心的产品标准体系，减少含镍含铬钢种的比例，在标准中引进了一批适合我国资源特点的国外钢号和纳入我国独创的钢号。同时发展低合金高强度钢，研制出数以百计的包括各种用途的低合金钢号，并制定了一系列的标准，形成具有我国特点的低合金钢体系。这类钢主要是利用我国富有元素钒、钛、铌、稀土等发展起来的，合金含量少强度高，有的还有耐腐蚀、耐磨等性能，代替碳钢使用，可以节约钢材。在目前国内钢材供应不足的情况下，通过标准化来进一步发展低合金钢，并加以合理使用，有重大经济意义。

10.3　标准的分级和分类

10.3.1　标准的分级

按照1988年12月颁发的《中华人民共和国标准化法》规定，我国标准以颁发单位和使用范围划分为国家标准、行业标准、地方标准、企业标准四级。行业标准和企业标准不得与国家标准相抵触；企业标准不得和行业标准相抵触。

国家标准、行业标准分为强制性标准和推荐性标准。保护人体健康、人身、财产安全的标准和法律、行政法规规定强制执行的标准是强制性标准，其他标准是推荐性标准。

国家标准是指对全国经济、技术发展有重大意义而必须在全国范围内统一的标准。国家标准由国务院有关主管部门（或专业技术委员会）提出草案，国家技术监督局审批和发布。

行业标准主要是指不宜订为国家标准又必须在某个专业范围内统一的标准。行业标准由主管部门组织制定、审批和发布，并报送国家技术监督局备案。

凡没有制定国家标准、行业标准的产品都要制定企业标准。已有国家标准、行业标准的产品，为了提高质量，赶超先进水平，满足不同使用要求，企业可以制定比国家标准、行业标准更先进的产品标准，提倡企业制定内控标准和专用标准。企业标准由企业自行制定、批准和发布。

常用标准种类如表10-1所示。

表10-1 常用标准种类

术 语	定义或涵义	对应英文
国际标准	由国际标准化组织通过的标准。包括参与标准化活动的国际团体通过的标准	International standard
区域标准	世界某一区域标准化团体通过的标准，包括参与标准化活动的区域团体通过的标准	regional standard
国家标准	根据全国统一的需要，由国家标准化主管机构批准、发布的标准	national standard
行业标准	根据行业范围统一的需要，由行业主管机构或行业标准化机构批准、发布的标准	professional standard
企业标准	由企业（事业）单位或其上级批准发布的适用于企（事）业单位的标准（注：目前我国企业标准这一级，还包括省、市、自治区或其他地方机构批准发布的标准）	company standard
强制性标准	保障人体健康，人身、财产安全的标准和法律、行政法规规定强制执行的标准	mandatory standard
推荐性标准	除强制性标准以外的标准	voluntary standard

10.3.2 标准的分类

我国现行钢铁标准按对象、内容和使用范围不同分基础标准、产品标准、方法标准、包装标准等四类。

基础标准是指对整个钢铁产品标准或某个专业、某类标准具有作为基本依据或普遍指导意义的事项所规定的标准。如术语标准、钢分类标准、牌号表示方法标准、化学分析取样方法及成品化学成分允许偏差标准等，属通用标准；如钢棒、钢板表面质量标准、尺寸偏差标准、圆锥管螺纹标准等，属专业基础标准。

产品标准是指对某一类或某一种产品的品种、规格、尺寸、外形、牌号、成分、性能、表面质量、试验方法、验收规则、包装、标志等所作的规定。产品标准是衡量产品质量的依据，是提高和保证产品质量，实现产品标准化、系列化、通用化，提高经济效益的重要手段。

方法标准是对试验、检验、测定、取样等各种方法的步骤、方法计算和采用仪器等所作的统一规定，是对产品质量进行试验和评价的依据。

包装标准是对产品的验收、包装、标志及质量证明书等所作的一般规定。按型钢、钢板、钢管、钢丝、钢丝绳、铁合金、钢钉、精密合金等分别制定了专门包装标准。

10.4 产品标准通用术语

10.4.1 公称尺寸和实际尺寸

公称尺寸是指标准中规定的名义尺寸，是生产过程中，希望得到的理想尺寸。但实际生产中，钢材实际尺寸往往大于或小于公称尺寸，实际所得到的尺寸，叫做实际尺寸。

10.4.2 偏差和公差

由于实际生产中难以达到公称尺寸，所以标准中规定实际尺寸与公称尺寸之间有一允许差值，叫做偏差。差值为负值叫负偏差，正值叫正偏差。标准中规定的允许正负偏差绝对值之和叫做公差。偏差有方向性，即以“正”或“负”表示，公差没有方向性，因此，“正公差”或“负公差”的叫法是不对的。同时，“偏差范围”一词，容易与公差含义相混淆，也应避免使用。图 10-1 为偏差与公差示意图。

$$D_1-D=+\Delta_1\text{（正偏差）}$$

$$D_2-D=-\Delta_2\text{（负偏差）}$$

$$|+\Delta_1|+|-\Delta_2|=\Delta_1+\Delta_2\text{（公差）}$$

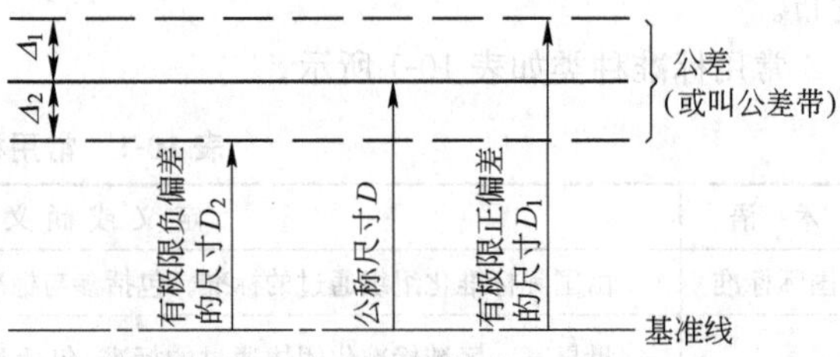

图 10-1　偏差与公差示意图

当：Δ_1 或 Δ_2 值为零时，公差值才与偏差值相等，但此时偏差值之前的“正”或“负”号不能省略，以示与公差值有区别。

10.4.3　从公称尺寸算起和从实际尺寸算起

在表面缺陷清理和检查时，缺陷或清理深度有两种计算方法，一种是从公称尺寸算起，另一种为从实际尺寸算起。对于条钢来说，一般供冷加工的钢材都是从公称尺寸算起，而供压力加工用的钢材则是从实际尺寸算起，两种方法有何区别，以直径为 10mm±0.5mm 而实际尺寸为 9.5mm的圆钢举例如下：

(1) 从公称尺寸算起，则钢不允许再行清理或存在缺陷。

(2) 从实际尺寸算起，则钢还可以进行局部清理，清理处的最小直径为 9mm 亦认为合格。

但是各个标准中对缺陷清理深度的限制是不同的，有的标准除规定由何处算起以外，有时还规定保证最小尺寸，因此应注意各标准的规定，不能认为凡从实际尺寸算起的，都不保证最小尺寸。

10.4.4　交货长度

钢材交货长度，在现行标准中有以下几种规定。

10.4.4.1　通常长度

通常长度又称不定尺长度，凡钢材长度在标准规定范围内而且无固定长度的，都称为通常长度。但为了包装运输和计量方便，各企业剪切钢材时，根据情况最好切成几种不同长度的尺寸，力求避免乱尺。

10.4.4.2　定尺长度

按订货要求切成固定长度(钢板的定尺是指宽度和长度)的，叫定尺长度，例如定尺为 5m，则交货一批中钢材长度均为 5m。但实际上不可能都是 5m 长，因此定尺钢材还规定了允许正偏差值。

10.4.4.3　倍尺长度

按订货要求的单倍尺长度切成等于订货单倍尺长度的整数倍数，称为倍尺长度，例如单倍尺长度为 950mm，则切成双倍尺时为 1900mm，三倍尺为 950mm×3＝2850mm 等。单倍尺的长度及倍数须在合同中注明。切倍尺时，标准中尚规定了倍尺长度正偏差及切割余量等，如无规定，则应由供需双方商订。

10.4.4.4 短尺

凡长度小于标准中通常长度下限，但不小于最小允许长度者，称为短尺长度。钢板的短尺则是指长度或宽度小于定尺的钢板。生产厂应力求避免短尺产生，因为短尺在若干标准中是不允许交货的。

此外，在某些标准中，还有一种叫齐尺长度，是通常长度的发展，这种情况下，一捆长度相同，但允许有一定偏差，我国出口钢材，多以齐尺长度交货。

10.4.5 深宽比

在钢材表面缺陷清理时，有些标准中规定了清理深度与宽度的比例不小于1∶5、1∶6、1∶8等，其意思是清理深度愈深则清理宽度应愈大，使清理处过渡平缓，无尖锐棱角，以防止再加工时在清理处造成缺陷，如折叠、碾皮、裂缝等。有时，标准中还规定了清理长度，也是为了使清理处平缓过渡，保证再加工后钢材表面质量。

10.4.6 边缘状态

边缘状态是指带钢是否切边而言，切边者为切边带钢；不切边者为不切边带钢。

10.4.7 表面状态

表面状态主要分为光亮和不光亮两种，在钢丝和钢带标准中常见，主要区别在于采取光亮退火还是一般退火。也有把抛光、磨光、酸洗、镀层等作为表面状态看待的。

10.4.8 尺寸超差

尺寸超差或叫尺寸超出标准规定的允许偏差，包括比规定的极限尺寸大或小。有的厂习惯叫“公差出格”，这种叫法，把偏差和公差等同起来，也是不严密的。

10.4.9 厚薄不均

在钢板、钢带和钢管标准中常见这一名词，而钢管标准中叫作壁厚不均。厚薄不均是指钢材在横截面及纵向厚度不等的现象。实际上一根轧件的厚度不可能到处相等，为了控制这种不均匀性，有的标准中规定了同条差、同板差等，钢管标准中规定了壁厚不均等指标。

10.4.10 椭圆度(不圆度)

圆形截面的轧材，如圆钢和圆形钢管的横截面上两相互垂直直径不等的现象。但是在钢材上出现直径不等现象，其最大直径与最小直径并不一定互相垂直，因此，测量尺寸应以最大最小直径之差表示。为此，椭圆度改为“不圆度”似乎名副其实些。

10.4.11 弯曲、弯曲度、局部弯曲度和总弯曲度

弯曲是轧件在长度或宽度方向不平直，呈曲线状的总称。如果把它的不平直程度用数字表示出来，就叫做弯曲度。标准中的弯曲度有两种叫法，一种是局部弯曲度，大部分标准规定用一米直尺靠量，取直尺与钢材最大弯曲处之波高(mm)表示局部弯曲度数值。但有的标准中，例如重轨，用2200mm直尺靠量，也有的标准中规定用短于一米的直尺靠量，如端部弯曲的测量，所以，请详细查阅有关标准。另一种是总弯曲度是指长度方向的全长弯曲值，亦以最大波高(mm)

表示，然后换算成总长度(以 m 计)的百分数，例如钢材长度为 5m，最大波高为 50mm，则总弯曲度为 0.5%。

10.4.12　批

标准中所指的批，是指一个检验的单位，而不是指交货的单位。通常一批钢或钢材的组成有下列几种不同的规定(详见有关标准)：

第一种：由同一炉罐号、同一牌号、同一尺寸或同一规格(有的还要求同一轧制号)以及同一热处理制度(如以热处理状态供应者)的钢材组成。

第二种：由同一牌号、同一尺寸及同一热处理制度的钢组成。与第一种的区别在于可由数个炉罐号的钢组成。如普碳钢、低合金钢可以组成混合批，但每批碳含量之差应不大于 0.02%，锰含量之差应不大于 0.15%。一般用途普通碳素钢薄钢板和热轧圆盘条等均属这种情况。

第三种：其他均与第一或第二种相同，但尺寸规格可由几种不同尺寸组成，例如普通碳素钢和低合金钢厚钢板标准规定，一批中钢板厚度差根据厚度不同规定为 3mm 或 2mm 的钢板可组成为一批进行检验。检验批和交货批不是一回事，检验批是进行检验的单位，而交货批是指交货的单位。当订货数量大时，一个交货批可能包括几个检验批；当订货数量少时，一个检验批可能分成几个交货批。

10.4.13　纵向和横向

钢材标准中所称纵向和横向，均指与轧制(锻制)及拨制方向的相对关系而言，与加工方向平行(即顺加工方向)者称纵向；与加工方向垂直者称横向。沿加工方向取的试样叫纵向试样；与加工方向垂直取的试样称横向试样。而在纵向试样上打的断口，是与轧制方向垂直的，故叫横向断口；横向试样上打的断口则与加工方向平行，故叫纵向断口。

复习思考题

10-1　标准化的目的是什么？

10-2　标准化有哪些主要作用？

10-3　我国标准以颁发单位和使用范围划分为哪四级？

10-4　我国现行钢铁标准按对象、内容和使用范围不同分哪四类？

10-5　钢材交货长度在现行标准中有几种规定？

10-6　标准中所指的批是一个什么概念？

参 考 文 献

1 唐谋凤. 现代带钢热连轧机的自动化. 北京:冶金工业出版社,1988
2 刘玠,孙一康. 带钢热连轧计算机控制. 北京:机械工业出版社,1997
3 丁修坤. 轧制过程自动化. 北京:冶金工业出版社,1986
4 孙一康. 带钢热连轧的模型与控制. 北京:冶金工业出版社,2002
5 王廷溥. 轧钢工艺学. 北京:冶金工业出版社,1981
6 王廷溥. 板带材生产原理与工艺. 北京:冶金工业出版社,1995
7 曲克. 轧钢工艺学. 北京:冶金工业出版社,1991
8 中国金属学会热轧板带学术委员会编著. 中国热轧宽带钢轧机及生产技术. 北京:冶金工业出版社,2002
9 冶金工业部有色金属加工设计研究院主编. 板带车间机械设备设计(上、下). 北京:冶金工业出版社,1983
10 刘志强. 热轧带钢精整工艺及设备. 北京:冶金工业部,1985(内部资料)
11 唐良生,张心白,向忠德等. 热连轧带钢精整. 北京:冶金工业部,1985(内部资料)
12 何德奕,吴维藩,王雅飞等. 热连轧电子计算机控制基础. 北京:冶金工业部,1985
13 赵刚,杨永立. 轧制过程的计算机控制系统. 北京:冶金工业出版社,2002
14 杨宗豹. 电机拖动基础. 北京:冶金工业出版社,1979
15 喻廷信. 轧钢测试技术. 北京:冶金工业出版社,1986
16 黎景全. 轧制测试技术. 北京:冶金工业出版社,1984
17 刘天佑. 钢材质量检验. 北京:冶金工业出版社,1999
18 张筱琪. 机电设备控制基础. 北京:中国人民大学出版社,2000
19 滕长岭. 钢铁产品标准化工作手册. 北京:中国标准出版社,1999
20 冶金工业部信息标准研究院标准研究部. 钢板及钢带标准汇编. 1998
21 赵志业. 金属塑性变形与轧制理论. 北京:冶金工业出版社,1980
22 邹家祥. 轧钢机械. 北京:冶金工业出版社,1980